PETITE PRINCESSE

Collection « Références » dirigée par
Claude AZIZA

L'« Entracte » a été imaginé par
Françoise GOMEZ

Frances BURNETT

Petite Princesse

ÉDITIONS G.P.

Traduit de l'anglais par
R. et A. Prophétie
et par
Françoise Gomez
pour les chapitres XIII et XIX

Achevé d'imprimer
par Maury-Eurolivres S.A.
45300 Manchecourt

Dépôt légal : janvier 1995.

Loi n° 49 956 du 16 juillet 1949 sur les publications destinées
à la jeunesse : janvier 1995.

© 1950, éditions G.P.

© 1995, éditions Pocket, pour la présente édition
et le cahier « Entracte »

ISBN 2-266-06513-0

CHAPITRE PREMIER

SARA

Par un sombre jour d'hiver, alors que le brouillard jaune s'abaissait si épais et si lourd dans les rues de Londres, que l'on avait allumé les lampes, et que les vitrines des magasins flamboyaient de tous leurs becs de gaz comme elles le font à la nuit, une drôle de petite fille était assise dans un cab avec son père, et la voiture parcourait plutôt lentement les grandes artères de la ville.

La fillette était assise, les pieds ramenés sous elle, et s'appuyait contre son père qui la serrait dans ses bras, tandis qu'elle regardait par la portière, avec un air pensif, d'une étonnante maturité, les gens qui passaient dans les rues.

C'était une si petite fille qu'on ne s'attendait pas à voir une telle expression sur sa petite figure. Sara Crewe[1] n'avait que sept ans. Le fait est, cependant, qu'elle rêvait et songeait sans cesse à des choses étranges ; elle ne pouvait pas, elle-même, se rappeler un temps où elle n'avait pas pensé toutes sortes de choses sur les grandes personnes et le monde auquel elles appartenaient.

En ce moment, elle se rappelait le voyage qu'elle venait de faire en venant de Bombay avec son père, le Capitaine Crewe. Elle songeait au grand vaisseau, aux Lascars[2] allant et venant en silence, aux enfants qui

1. Sara signifie « princesse » en hébreu. *(N.d.E.)*
2. Serviteurs indiens. *(N.d.E.)*

jouaient sur le pont surchauffé, et à quelques jeunes femmes d'officiers, qui cherchaient à la faire causer, et riaient de ce qu'elle disait.

Elle pensait surtout comme c'était drôle d'avoir été à un moment dans l'Inde sous un soleil éblouissant, puis au milieu de l'Océan, puis de se promener maintenant dans une voiture bizarre, le long de rues non moins bizarres, où le jour était aussi sombre que la nuit.

« Papa, dit-elle d'une petite voix basse et mystérieuse, qui n'était guère qu'un chuchotement ; papa !

— Qu'y a-t-il, ma chérie ? répondit le Capitaine Crewe, en la serrant bien fort contre lui et se penchant sur son jeune visage : à quoi Sara pense-t-elle ?

— Sommes-nous *là-bas* ? murmura Sara, se pelotonnant encore plus contre lui : est-ce vraiment là, papa ?

— Oui, petite Sara, c'est là. Nous y sommes arrivés tout de même. »

Il était tout triste en disant cela.

Il semblait à Sara que depuis déjà bien des années son père avait commencé à la préparer pour *là-bas*, comme elle disait toujours. Sa mère était morte à sa naissance, elle ne l'avait jamais connue ni regrettée. Son jeune père, beau, riche, caressant, lui semblait être la seule famille qu'elle eût au monde. Ils avaient toujours joué ensemble, ils s'étaient toujours aimés. Elle savait qu'il était riche, uniquement parce qu'elle avait entendu des gens le dire quand ils croyaient qu'elle n'écoutait pas ; elle les avait également entendus dire que, quand elle serait grande, elle serait riche, elle aussi. Elle ne savait pas tout ce que signifiait *être riche*. Elle avait toujours vécu dans un magnifique bungalow, avec de nombreux serviteurs qui lui faisaient de grands *salaams* et l'appelaient *Missee Sahib* ; ils lui laissaient faire ce qu'elle voulait en toutes circonstances. Elle avait toujours eu des jouets, des animaux apprivoisés et une *ayah*, une nourrice hindoue, qui l'adorait ; peu à peu elle avait compris que les gens riches avaient tout cela. Mais c'est tout ce qu'elle savait sur la richesse.

Durant sa courte vie, une seule chose l'avait

inquiétée : c'était *là-bas* où l'on devait la conduire un jour. Le climat des Indes était très mauvais pour les enfants ; aussitôt que possible on les envoyait au loin, généralement en Angleterre, dans une école. Elle avait vu d'autres enfants partir. Elle savait bien qu'elle serait obligée, elle aussi, de partir. Quelquefois, les histoires que son père lui racontait sur le voyage, sur le pays où elle irait, lui avaient paru attrayantes ; mais elle était toute troublée à la pensée qu'il ne pourrait pas rester là-bas avec elle.

« Est-ce que vous ne pourriez pas venir *là-bas* avec moi, papa ? lui avait-elle demandé quand elle avait à peine cinq ans ; et rester aussi à l'école ? Je vous aiderais à faire vos devoirs.

— Vous n'y resterez pas très longtemps, petite Sara, disait-il souvent ; vous irez dans une jolie maison où il y aura un tas de petites filles ; vous jouerez avec elles, et je vous enverrai beaucoup de livres. Vous grandirez si vite que cela vous paraîtra à peine un an avant que vous soyez assez grande et assez instruite pour revenir dans l'Inde et prendre soin de votre papa. »

Elle aimait à penser à cela. Tenir la maison de son père, occuper la place d'honneur à table quand il y aurait des grands dîners ; causer avec lui et lire ses livres, c'est ce qu'elle aimerait le mieux au monde ; et s'il fallait absolument aller à *là-bas* en Angleterre pour arriver à ce résultat-là, elle se déciderait à y aller. Si elle avait beaucoup de livres, cela pourrait la consoler. Elle aimait les livres par-dessus tout ; elle passait son temps à inventer des histoires qu'on pourrait y mettre ; non seulement elle se les racontait à elle-même, mais quelquefois elle les avait racontées à son père, et elles lui plaisaient autant qu'à elle-même.

« Eh bien, papa, dit-elle doucement, si nous sommes arrivés, je suppose qu'il faut nous résigner. »

Il se mit à rire de cette réflexion de vieille personne, et il l'embrassa. En réalité, lui, il ne se résignait pas du tout. Son amusante petite Sara avait été sa grande compagnie ; et il sentait bien qu'il serait très solitaire quand, à son retour aux Indes, il rentrerait dans son bungalow, sachant bien qu'il ne devait pas s'attendre à voir une petite silhouette en robe blanche venir au-devant de lui. Aussi, il la tenait bien serrée dans ses bras au moment où le cab pénétra sur la place large et triste où s'élevait la maison qui était leur lieu de destination, *là-bas*, enfin !

C'était une grande maison de brique, d'aspect morose, absolument semblable à toutes les autres de la rangée où elle s'élevait, sauf que sur la porte d'entrée brillait une plaque de cuivre, sur laquelle il y avait gravé en lettres gothiques :

MISS MINCHIN
Institution de premier ordre pour jeunes filles.

« Nous voici arrivés, Sara », dit le Capitaine Crewe, en prenant une voix aussi joyeuse que possible.

Il la descendit du cab, ils montèrent les marches et tirèrent la sonnette. Sara se dit souvent dans la suite que la maison ressemblait, en quelque sorte, exactement à Miss Minchin. Elle était respectable, bien meublée, mais tout ce qu'il y avait dedans était laid ; les fauteuils eux-mêmes paraissaient n'avoir que des os ! Dans le vestibule, tout était dur et bien verni. Le salon dans lequel on les introduisit était couvert d'un tapis à dessins carrés ; les chaises étaient carrées, et une pesante pendule de marbre se dressait sur la pesante cheminée de marbre.

En s'asseyant sur l'un des raides fauteuils d'aca-jou, Sara jeta autour d'elle un de ses regards pleins de vivacité.

« Ça ne me plaît pas ici, papa, dit-elle ; mais voilà, je crois pouvoir dire que les soldats, même les plus braves, n'aiment pas beaucoup d'aller sur le champ de bataille. »

À cette réflexion, le Capitaine Crewe se mit à rire. Il était jeune, s'amusait de tout, et les drôles de ma-nières de parler de Sara ne le lassaient jamais.

« Oh, petite Sara, dit-il, qu'est-ce que je vais devenir quand je n'aurai plus personne pour me dire des choses solennelles ? Je n'ai jamais vu personne d'aussi solennel que vous !

— Alors, pourquoi les choses solennelles vous font-elles rire comme ça ? s'enquit Sara.

— Parce que vous êtes si drôle quand vous les dites... » répondit-il en riant encore plus. Puis tout à coup il l'enleva dans ses bras et l'embrassa de toutes ses forces, en s'arrêtant subitement de rire, tandis que ses yeux avaient l'air de se remplir de larmes.

C'est juste à ce moment-là que Miss Minchin entra dans le salon. Elle correspondait tout à fait à sa maison. Sara en eut tout de suite l'impression : grande, morose, respectable et laide ! Elle avait de grands yeux froids, de vrais yeux de poisson, et un large sourire froid... Oui, un sourire de poisson ! Ce sourire s'élargit encore quand elle vit Sara et le Capitaine Crewe. Elle avait appris quantité de choses flatteuses sur ce jeune officier par la dame qui lui avait recommandé l'école ! Entre autres choses, elle avait entendu dire que c'était un père très riche, disposé à dépenser beaucoup d'argent pour sa fille.

« Ce sera un grand privilège pour moi de me voir confier une enfant aussi jolie et aussi pleine de promesses, Capitaine Crewe, dit-elle en prenant la main de Sara et en la caressant. Lady Meredith m'a parlé de son intelligence exceptionnelle. Une enfant intelligente est un vrai trésor dans une institution comme la mienne. »

Sara ne bougeait pas, les yeux fixés sur le visage de Miss Minchin. Elle avait une drôle d'idée, comme d'habitude.

« Pourquoi dit-elle que je suis une jolie enfant ? pensait-elle. Je ne suis pas jolie du tout. J'ai des cheveux noirs, courts, et des yeux verts. Avec ça, je suis une fillette maigre, et sans aucune fraîcheur. Je suis une des petites filles les plus laides que j'aie jamais vues. Elle commence par nous raconter des histoires !... »

Elle se trompait cependant, en pensant qu'elle était laide. Elle possédait un charme particulier, bien à elle. Elle était élancée, souple, plutôt grande pour son âge, et elle avait une petite figure pleine de vivacité et d'attrait. Ses cheveux étaient lourds, tout à fait noirs, et ne bouclaient qu'à l'extrémité ; ses yeux étaient d'un gris verdâtre, c'est vrai, mais c'étaient de grands yeux magnifiques avec de longs cils noirs, et bien qu'elle-même n'en aimât pas la couleur, beaucoup d'autres personnes l'aimaient. Malgré tout, elle était persuadée qu'elle était une petite fille laide, et les flatteries de Miss Minchin ne la rendaient pas fière du tout.

« Si je disais d'elle qu'elle est jolie, moi, pensait-elle, je dirais un mensonge, et je saurais bien que j'en dis un. Je crois qu'à ma façon je suis aussi laide qu'elle. Pourquoi m'a-t-elle dit cette histoire fausse ? »

Quand elle eut connu Miss Minchin, elle comprit pourquoi celle-ci avait parlé de la sorte. Elle découvrit que la directrice disait la même chose à tous les papas et à toutes les mamans qui amenaient leur fille à son institution.

Sara se tenait debout auprès de son père, et l'écoutait parler avec Miss Minchin. Il avait amené sa fille à l'institution parce que les deux fillettes de Lady Meredith y avaient été élevées, car le Capitaine Crewe avait un grand respect pour Lady Meredith et pour son expérience. Sara devait être ce que l'on appelait à l'école une « pensionnaire de salon », et devait même jouir de privilèges plus considérables que les pensionnaires de salon ordinaires. Elle aurait pour elle seule une jolie chambre à coucher et un petit salon ; elle aurait un poney et une charrette anglaise, et une femme de chambre pour remplacer l'*ayah* qui avait été sa nourrice dans l'Inde.

« Je me soucie assez peu de son instruction, dit le Capitaine Crewe avec son rire joyeux en caressant la main de Sara. La seule difficulté que vous aurez, ce sera de l'empêcher d'apprendre trop et trop vite. Elle est tout le temps à fourrer son petit nez dans les livres. Elle ne les lit pas, Miss Minchin, elle les dévore comme si elle était un petit loup. Elle a constamment la fringale de nouveaux livres à dévorer. Elle veut des livres de grandes personnes, de grands livres, bien gros, bien épais : histoire, biographie, poésie... tout, quoi ! Arrachez-la à ses livres quand elle lira trop. Faites-la monter son poney à Rotten Row, ou sortir pour aller acheter une nouvelle poupée. Elle devrait jouer plus souvent à la poupée.

— Papa, dit Sara, voyez-vous, si je sortais pour acheter une nouvelle poupée tous les quelques jours, j'en aurais bientôt plus que je ne pourrais en aimer. Les poupées, il faut que ce soient des amies intimes ; Émilie va être mon amie intime. »

Le Capitaine Crewe regarda Miss Minchin, et Miss Minchin regarda le Capitaine Crewe.

« Qui est Émilie ? demanda-t-elle.

— Expliquez cela à Miss Minchin », dit le Capitaine en souriant.

Les yeux gris-vert de Sara prirent une expression très solennelle et très douce à la fois tandis qu'elle répondait :

« C'est une poupée que je n'ai pas encore, une poupée que papa va m'acheter. Nous allons sortir ensemble pour la découvrir. Je l'ai déjà appelée Émilie. Elle sera mon amie quand papa sera parti. J'ai besoin d'elle pour avoir à qui parler de lui. »

Le large sourire de poisson de Miss Minchin devint très flatteur, en vérité.

« Quelle enfant originale ! dit-elle. Quelle délicieuse petite créature !

— Oui, dit le Capitaine Crewe, attirant Sara tout contre lui, c'est une délicieuse petite créature. Prenez bien soin d'elle, Miss Minchin ! »

Sara resta avec son père à l'hôtel jusqu'à ce qu'il se rembarquât pour l'Inde. Ils allèrent ensemble visiter beaucoup de grands magasins, et y achetèrent beaucoup de choses. Ils achetèrent, en somme, beaucoup plus de choses que Sara n'en avait besoin ; mais le Capitaine Crewe voulait que sa petite fille eût tout ce qu'elle trouvait beau, et aussi tout ce que lui-même trouvait beau : à eux deux, ils réunirent une garde-robe beaucoup trop considérable pour une enfant de sept ans. Il y avait des robes de velours bordées de fourrures coûteuses, des robes de dentelle, des robes brodées, des chapeaux avec de grandes plumes d'autruche bien souples, des petits manteaux et des manchons d'hermine, des boîtes de gants minuscules, des mouchoirs et des bas de soie en quantités si considérables que les aimables jeunes femmes qui se tenaient derrière les comptoirs se murmuraient l'une à l'autre que cette drôle de petite fille aux grands yeux solennels devait être au moins une princesse étrangère, peut-être la fille d'un Maharadjah des Indes.

Ils finirent par découvrir Émilie, mais pour cela ils allèrent dans un grand nombre de magasins de jouets, et considérèrent une quantité extraordinaire de poupées avant de la découvrir.

« Je veux qu'elle n'ait pas l'air d'une vraie poupée, disait Sara. Je veux qu'elle ait l'air d'écouter quand je lui parlerai. Ce qu'il y a d'ennuyeux avec les poupées, papa, c'est qu'elles n'ont jamais l'air d'entendre ce qu'on leur dit. »

Aussi ils en regardèrent des grandes et des petites, des poupées aux yeux noirs et des poupées aux yeux bleus, des poupées à boucles brunes, et des poupées à tresses blondes, des poupées habillées et des poupées nues.

« Voyez-vous, disait Sara, en en examinant une qui n'avait pas d'habits, si, quand je la trouverai, elle n'a pas de robes, nous pourrons la conduire chez une couturière, et lui faire faire des vêtements sur mesure. Ils iront mieux si on les lui essaye. »

Après un certain nombre de déconvenues, ils se décidèrent à aller à pied, à regarder les devantures, en disant au cab de les suivre. Ils avaient passé deux ou trois boutiques quand, en approchant d'une autre, qui pourtant n'était pas bien grande, Sara eut un sursaut et serra le bras de son père.

« Oh ! papa ! cria-t-elle, voilà Émilie ! »

Le rouge lui était monté aux joues, et il y avait dans ses yeux gris-vert une expression comme si elle venait de reconnaître une amie intime.

« Elle nous attend bel et bien, dit-elle. Entrons la voir.

— Ah ! mon Dieu ! dit le Capitaine Crewe, ça me fait l'effet qu'il nous faudrait quelqu'un pour nous présenter.

— Eh bien, il faut que vous me présentiez, et après cela je vous présenterai, dit Sara ; mais je l'ai reconnue à l'instant même où je l'ai vue ; peut-être m'a-t-elle reconnue, elle aussi. »

En effet, peut-être l'avait-elle reconnue. Elle avait certainement dans les yeux une expression très intelligente quand Sara la prit dans ses bras. C'était une grande poupée, mais pas trop grande, pour la porter avec soi sans difficulté ; elle avait des boucles naturelles d'un châtain doré qui la couvraient comme un manteau, et ses yeux étaient d'un gris bleu profond mais clair, avec des cils souples et épais qui étaient de vrais cils, et non de simples lignes peintes.

« Naturellement, dit Sara en la regardant dans les yeux, et la posant sur ses genoux, naturellement, papa, c'est bien Émilie. »

Ainsi, on acheta Émilie, et on l'emporta au magasin d'habillement où l'on prit ses mesures pour une garde-robe aussi grandiose que celle de Sara. Elle eut aussi des robes de dentelle, et des robes de mousseline et de velours, des chapeaux et des manteaux, de la lingerie garnie de dentelle, des gants, des mouchoirs et des fourrures.

« Je voudrais qu'elle ait toujours l'air d'être une enfant qui a une bonne mère, dit Sara. Sa mère, c'est moi, mais je veux, malgré cela, en faire ma compagne. »

Le Capitaine Crewe aurait pris grand plaisir à ces achats, n'eût été la triste pensée qui lui serrait le cœur : tout cela voulait dire qu'il allait être séparé de sa chère petite compagne.

Il y songeait sans cesse : au milieu de la nuit suivante, il sortit de son lit, et alla regarder Sara, endormie avec Émilie dans ses bras. Il poussa un grand soupir et se tira la moustache avec une expression presque enfantine.

« Eh, petite Sara ! se dit-il en lui-même, je ne crois

pas que vous vous rendiez compte combien vous allez manquer à votre papa. »

Le lendemain, il la conduisit chez Miss Minchin et l'y laissa. Il devait prendre la mer le matin suivant. Il expliqua à Miss Minchin que ses hommes d'affaires, MM. Barrow et Skipworth, étaient chargés de ses intérêts en Angleterre ; ils lui donneraient tous les avis dont elle pourrait avoir besoin, et lui paieraient les notes qu'elle leur remettrait pour les dépenses de Sara. Il écrirait à Sara deux fois par semaine, et on ne devait lui refuser aucun plaisir qu'elle demanderait.

« C'est une fillette qui a du bon sens, et elle ne demande jamais rien qu'il serait dangereux de lui donner », dit-il.

Il monta alors avec Sara dans son petit salon, et ils se dirent mutuellement adieu. Sara s'assit sur ses genoux, prit dans ses petites mains les revers de son veston, et le regarda longuement et attentivement dans les yeux.

« Est-ce que vous voulez m'apprendre par cœur, petite Sara ? » dit-il en lui caressant les cheveux.

— Non, répondit-elle, je vous sais par cœur, puisque vous êtes dans mon cœur. »

Ils se serrèrent alors dans les bras l'un de l'autre, avec des baisers qui semblaient ne jamais devoir s'arrêter.

Quand le cab du Capitaine s'éloigna de la porte, Sara était assise sur le plancher de son petit salon, près de la fenêtre qui occupait toute la hauteur de la pièce. Le menton appuyé sur ses mains, elle suivait la voiture des yeux jusqu'à ce qu'elle eût tourné le coin de la place. Émilie était assise près d'elle et regardait aussi la voiture. Quand Miss Amelia, envoyée par sa sœur, Miss Minchin, alla voir ce que faisait l'enfant, elle trouva la porte fermée à clef.

« Je l'ai fermée à clef, dit une drôle de petite voix polie, de l'intérieur. Je désire être toute seule, s'il vous plaît. »

Miss Amelia était grasse et boulotte, et elle avait grand-peur de sa sœur aînée. Elle était en réalité la meilleure personne des deux, mais elle ne désobéissait jamais à Miss Minchin. Elle redescendit avec un air presque alarmé.

« Je n'ai jamais vu une si drôle de fillette, ma sœur, dit-elle. Elle s'est enfermée à clef et ne fait pas le moindre bruit.

— Cela vaut beaucoup mieux que si elle trépignait et poussait des cris, comme il y a des nouvelles élèves qui le font, répondit Miss Minchin. Je m'attendais qu'une enfant aussi gâtée mette toute la maison en révolution. Si jamais une fillette a pu en faire à sa tête sur tous les points, c'est bien elle.

— J'ai ouvert ses malles et rangé ses affaires, dit Miss Amelia. Je n'ai jamais vu rien de pareil. De la zibeline et de l'hermine sur ses manteaux, et de la vraie Valenciennes à sa lingerie. Vous avez vu quelques-unes de ses toilettes. Qu'en pensez-vous ?

— Je pense qu'elles sont parfaitement ridicules, répondit sèchement Miss Minchin, mais elles feront très bon effet à la tête de nos rangs quand nous conduisons les pensionnaires le dimanche à l'église. Elle est pourvue comme si elle était une petite princesse. »

Au premier étage, dans le petit salon fermé à clef étaient toujours assises sur le plancher et contemplaient le coin où le cab avait disparu, Sara et sa poupée, tandis que le Capitaine Crewe regardait en arrière, agitant la main et envoyant des baisers, comme s'il ne pouvait pas s'arrêter dans ses adieux.

CHAPITRE II

UNE LEÇON DE FRANÇAIS

Quand Sara entra en classe le lendemain matin, tout le monde la regarda avec de grands yeux intéressés. En effet, déjà, toutes les élèves, depuis Lavinia Herbert qui avait près de treize ans et se considérait comme une grande personne, jusqu'à Lottie Legh, qui venait d'avoir quatre ans, le bébé de l'école, avaient beaucoup entendu parler de Sara. Elles savaient de façon certaine que c'était l'élève-réclame de Miss Minchin, et qu'on la considérait comme l'honneur de l'institution. Une ou deux d'entre elles avaient même aperçu sa femme de chambre française, Mariette, arrivée la veille au soir. Lavinia s'était arrangée pour passer devant la chambre de Sara quand la porte était ouverte, et avait vu Mariette en train de déballer un grand carton.

« Il était plein de jupons à ruches de dentelles, des ruches à n'en plus finir », murmurait Lavinia à son amie Jessie, tout en ayant l'air de s'appliquer à sa leçon de géographie. « J'ai vu la femme de chambre qui secouait toutes les pièces en les sortant pour les défroisser. J'ai entendu Miss Minchin dire à Miss Amelia que ses vêtements étaient si magnifiques qu'ils étaient absolument ridicules. Maman dit que les enfants doivent être habillés simplement.

— Elle a des bas de soie ! chuchota Jessie, toujours penchée sur sa géographie. Et quels petits pieds ! Je n'ai jamais vu des pieds si mignons !

— Oh, renifla Lavinia pleine de jalousie, ça tient à la manière dont sont faits ses escarpins. Maman dit que même des gros pieds, on peut les faire paraître petits, si l'on a un bon cordonnier. Moi, je ne la trouve pas jolie du tout. Ses yeux sont d'une couleur si bizarre !

— Elle n'est pas jolie comme le sont les autres, dit Jessie, la regardant à la dérobée à travers la classe, mais on a quand même envie de la regarder de nouveau. Elle a des cils d'une longueur effrayante, mais ses yeux sont presque verts. »

Sara était assise tranquillement à sa place, attendant qu'on lui dise ce qu'elle devait faire. On l'avait placée juste à côté du pupitre de Miss Minchin. Elle n'était aucunement intimidée par toutes les paires d'yeux qui l'examinaient. Cela l'intéressait, et elle regardait à son tour avec calme, les fillettes qui la regardaient. Elle se demandait à quoi elles pensaient, si elles aimaient Miss Minchin, si leurs leçons les intéressaient, et s'il y en avait même une seule qui eût un papa comme le sien. Elle avait eu le matin une longue conversation avec Émilie au sujet de son papa.

« Il est sur la mer, maintenant, Émilie, avait-elle dit. Alors il faut que nous soyons l'une pour l'autre de grandes amies et que nous nous racontions tout ce que nous pensons. Émilie, regardez-moi. Vous avez les plus jolis yeux que j'aie jamais vus ; mais je voudrais bien que vous puissiez parler. »

C'était une enfant remplie d'imagination et de pensées cocasses. L'une de ces fantaisies consistait à croire que ce serait un grand réconfort de prétendre qu'Émilie était vivante, l'entendait et la comprenait réellement. Après que Mariette l'eut habillée dans sa robe de classe bleu foncé, et lui eut noué dans les cheveux un ruban de la même teinte, Sara alla trouver Émilie, qui était assise dans un petit fauteuil fait pour elle, et lui donna un livre.

« Vous pourrez lire cela pendant que je serai en bas », dit-elle ; et voyant que Mariette la regardait avec curiosité, elle lui parla avec une physionomie sérieuse : « Ce que je crois, au sujet des poupées, dit-elle, c'est qu'elles savent faire des choses qu'elles ne veulent pas que nous sachions. Peut-être, en réalité, Émilie sait lire, et parler, et marcher ; mais elle ne le fait que quand il n'y a personne dans la chambre. C'est son secret. Voyez-vous, si les gens savaient que les poupées peuvent faire toutes sortes de choses, ils les feraient travailler. Aussi il est probable qu'elles se sont promis entre elles de garder le secret. Si vous restez dans la chambre, Émilie demeurera assise où elle est, avec ses yeux fixes. Mais si vous en sortez, elle se mettra à lire, peut-être bien, ou elle ira regarder par la fenêtre. Alors, si elle entend une de nous s'approcher, elle courra se remettre sur sa chaise, et fera semblant d'y avoir été tout le temps.

— Comme elle est drôle », se dit Mariette ; et quand elle descendit, elle raconta cela à la première femme de chambre. Elle commençait déjà à s'attacher à cette drôle de petite fille qui avait une figure si intelligente et de si bonnes manières. Elle s'était occupée auparavant d'enfants qui n'étaient pas si polis. Sara était une petite personne très distinguée ; elle avait une façon gentille et appréciative de dire : « S'il vous plaît, Mariette », ou bien : « Merci, Mariette », qui était tout à fait charmante. « Elle a l'air d'une princesse, cette petite », disait-elle.

Après que Sara fut restée assise quelques instants à sa place dans la classe, Miss Minchin frappa sur son pupitre d'une façon pleine de dignité.

« Mesdemoiselles, dit-elle, je veux vous présenter à votre nouvelle compagne. »

Toutes les petites filles se levèrent et Sara se leva aussi.

« J'espère que vous serez toutes pleines d'attentions pour Miss Crewe, elle vient de nous arriver de très loin, pour préciser, des Indes. Dès que la classe sera finie, vous ferez mutuellement connaissance. »

Les élèves s'inclinèrent cérémonieusement, et Sara fit un petit salut ; puis toutes se rassirent et se remirent à s'examiner.

« Sara, dit Miss Minchin, sur son ton de classe, venez ici, près de moi. » Elle avait pris un livre sur son pupitre, et le feuilletait. Sara s'approcha d'elle poliment.

« Comme votre papa a engagé pour vous une femme de chambre française, commença-t-elle, j'en conclus qu'il désire que vous fassiez une étude particulière de la langue française. »

Sara se sentit un peu embarrassée.

« Je crois, Mademoiselle, dit-elle, que mon père l'a engagée parce qu'il a pensé qu'elle me plairait bien.

— J'ai grand-peur, dit Miss Minchin avec un sourire aigre-doux, que vous ne soyez une petite fille très gâtée, qui s'imagine toujours que ce que l'on fait, on le fait pour lui plaire. Mon impression, c'est que votre papa désirait que vous appreniez le français. »

Si Sara avait été plus âgée, ou moins pointilleuse sur la politesse envers les grandes personnes, elle aurait pu s'expliquer en très peu de mots. Mais, telle qu'elle était, elle se sentit rougir. Miss Minchin était une personne très imposante. Elle avait l'air si complètement sûre que Sara ne savait absolument rien en français, que la fillette eut l'impression que ce serait tout à fait grossier de la détromper. La vérité, c'est que Sara avait toujours su le français. Son père lui parlait souvent cette langue quand elle était toute petite. Sa mère était une Française, et le Capitaine Crewe aimait beaucoup le langage de sa femme, de sorte que Sara avait toujours été familière avec le français.

« Je... je n'ai jamais véritablement appris le français, mais... mais... » commença-t-elle, essayant avec timidité de se faire clairement comprendre.

Une des plus grandes contrariétés de Miss Minchin était de ne pas savoir elle-même le français ; c'était un fait irritant qu'elle désirait beaucoup cacher ; elle n'avait pas l'intention de discuter la chose, et de s'exposer à des questions indiscrètes d'une petite nouvelle élève.

« Cela suffit, dit-elle avec une acidité polie. Si vous ne l'avez jamais appris, il faut vous y mettre tout de suite. Le professeur de français, M. Dufarge, sera là dans quelques minutes. Prenez ce livre, et regardez-le jusqu'à ce qu'il arrive. »

Sara sentit ses joues brûler ; elle retourna à sa place et ouvrit le livre. Elle regarda la première page d'un air très sérieux : elle se rendait compte que ce ne serait pas poli de sourire ; et elle était tout à fait décidée à être polie. Mais c'était vraiment drôle de voir qu'on prétendait lui faire étudier une page où l'on trouvait que *the father* se disait en français *le père* et *the mother, la mère.*

Miss Minchin lui jeta un regard scrutateur.

« Vous avez l'air vexée, Sara, lui dit-elle. Je suis désolée que l'idée d'apprendre le français vous déplaise ainsi.

— J'aime beaucoup le français, répondit Sara, pensant qu'elle allait encore essayer de s'expliquer, mais...

— Il ne s'agit pas de dire *mais* quand on vous dit de faire quelque chose, dit Miss Minchin. Continuez à regarder votre livre. »

Et c'est ce que fit Sara. « Quand M. Dufarge viendra, pensa-t-elle, il me comprendra, lui. »

M. Dufarge arriva un instant après ; c'était un Français d'âge moyen, très aimable et très intelligent ; il eut l'air fort intéressé quand son regard tomba sur Sara, qui essayait poliment de paraître absorbée dans son petit livre de vocabulaire.

« Est-ce une nouvelle élève pour moi, Madame ? dit-il à Miss Minchin. J'espère bien avoir cette chance-là.

— Son papa, le Capitaine Crewe, désire beaucoup qu'elle commence le français ; mais j'ai grand-peur qu'elle n'ait un préjugé enfantin contre cette langue. Elle a l'air de ne pas vouloir l'apprendre, dit Miss Minchin.

— J'en suis désolé, Mademoiselle, dit-il à Sara très gentiment. Peut-être, quand nous commencerons à l'étudier ensemble, je pourrai vous montrer que c'est une langue charmante. »

La petite Sara se leva. Elle commençait à ne savoir plus que faire ; elle avait l'impression d'être tombée en disgrâce. De ses grands yeux gris-vert elle regarda M. Dufarge d'un air tout à fait suppliant. Elle savait bien qu'il la comprendrait dès qu'elle parlerait. Elle se mit donc à lui expliquer tout simplement, en un français élégant et coulant, que Madame ne l'avait pas comprise. Évidemment, elle n'avait pas exactement appris le français, non, pas dans des livres ; mais son papa et d'autres personnes lui avaient toujours parlé français, et elle savait le lire et l'écrire aussi bien que l'anglais. Son papa aimait beaucoup cette langue, et, à cause de cela, elle l'aimait aussi. Elle serait contente d'apprendre tout ce que Monsieur voudrait lui enseigner ; mais ce qu'elle avait essayé d'expliquer à Madame, c'était qu'elle savait déjà les mots qui étaient dans le petit livre.

Dès qu'elle commença à parler, Miss Minchin sursauta violemment, et la regarda fixement par-dessus ses lunettes, avec une réelle indignation, jusqu'à ce qu'elle eût fini. M. Dufarge, lui, sourit de plaisir. À entendre cette jolie voix d'enfant parler si simplement et avec tant de charme sa propre langue, cela lui faisait presque l'effet d'être dans son propre pays qui, dans les jours sombres et brumeux de Londres, lui semblait se trouver dans un autre monde.

Quand Sara se tut, il lui prit le vocabulaire d'un air tout à fait amical ; puis il s'adressa à Miss Minchin.

« Ah, Madame, dit-il, je n'ai pas grand-chose à lui apprendre. Elle n'a pas *appris* le français : elle *est* française : son accent est délicieux !

— Vous auriez dû me le dire, s'écria Miss Minchin, très mortifiée, se tournant vers Sara.

— J'ai essayé... j'ai essayé, dit Sara, je... je suppose que je ne m'y suis pas bien prise. »

Miss Minchin savait bien qu'elle avait essayé, et que ce n'était pas sa faute si on ne lui avait pas permis de s'expliquer. Et quand elle vit que toutes les élèves avaient écouté, que Lavinia et Jessie pouffaient derrière leurs grammaires françaises, elle fut positivement furieuse.

« Silence, Mesdemoiselles ! dit-elle sévèrement en tapant sur son pupitre. Silence immédiatement ! »

Et dès cette minute elle commença à en vouloir sérieusement à son élève-réclame !

CHAPITRE III

ERMENGARDE

Dès ce premier matin où Sara était assise à côté de Miss Minchin, et voyait en face d'elle toute la classe occupée à la contempler, elle avait bien vite remarqué une petite fille à peu près de son âge qui la fixait tant qu'elle pouvait de ses yeux bleu clair, plutôt ternes. C'était une grosse fillette, qui n'avait pas du tout l'air d'être intelligente, mais dont la bouche avait une petite moue affectueuse. Ses cheveux blond filasse étaient tressés en une petite natte bien serrée, nouée avec un ruban ; elle avait tiré sa petite natte autour de son cou, et mâchonnait le bout du ruban. Elle appuyait ses coudes sur son pupitre en contemplant la nouvelle d'un air tout à fait ahuri. Quand M. Dufarge commença à parler à Sara, la grosse fillette eut l'air un peu effrayée ; et quand Sara lui répondit d'une façon inattendue, elle fit un véritable bond sur son banc, et devint écarlate dans sa respectueuse stupéfaction. Pour elle qui avait pleuré des larmes de désespoir pendant des semaines dans ses efforts pour se rappeler que *la mère*, ça voulait dire *the mother* et *le père, the father*, cela la dépassait d'entendre une enfant de son âge qui avait l'air d'être familière avec ces mots-là, et apparemment avec bien d'autres, et qui était capable de les employer avec des verbes comme si ce n'était qu'un jeu.

Elle ouvrait de tels yeux, en mordillant le ruban de sa petite natte, qu'elle attira l'attention de Miss Minchin qui, de très mauvaise humeur pour le moment, fonça littéralement sur elle : « Miss St. John ! s'écria-t-elle avec sévérité, que signifie une telle conduite ? Enlevez vos coudes de la table. Retirez votre ruban de votre bouche. Tenez-vous droite, et tout de suite. »

Là-dessus, Miss St. John fit un autre bond, et quand Jessie et Lavinia se mirent à ricaner, elle devint encore plus rouge, et les larmes remplirent ses pauvres yeux ternes et enfantins. Sara la regarda : elle commença à éprouver pour elle de l'affection, et à désirer devenir son amie. C'était une manière à elle, de vouloir toujours se jeter dans toutes les bagarres dans lesquelles quelqu'un risquait d'être houspillé.

Ainsi, elle se prit d'amitié pour la grosse petite Miss St. John, et lui lança des coups d'œil pendant toute la matinée. Elle vit que les leçons étaient pour elle une affaire très embarrassante. Sa leçon de français était quelque chose de pathétique : sa prononciation faisait même sourire M. Dufarge, en dépit de ses efforts pour garder son sérieux. Lavinia, Jessie, et les autres fillettes qui s'en tiraient mieux ou bien pouffaient de rire, ou la regardaient avec dédain. Sara, elle, ne riait pas, et fit semblant de ne pas entendre quand Miss St. John appela *le bon pain, li bong pang.* Cela la mettait en rage d'entendre les ricanements et de voir la pauvre figure de la malheureuse stupide fillette.

« Cela n'a rien de drôle, vraiment, disait-elle entre ses dents, tout en se penchant sur son livre ; elles ne devraient pas rire. »

Quand les leçons furent finies, et que les élèves se réunirent en groupes pour causer, Sara chercha Miss St. John. Elle la trouva pelotonnée, d'un air désolé, sur un siège d'embrasure de fenêtre ; elle alla la rejoindre et lui parler. Elle lui dit seulement de ces choses insignifiantes que les petites filles se disent pour entrer en relations ; mais il y avait chez Sara quelque chose de gentil et d'amical que l'on ne pouvait pas ne pas sentir.

« Comment vous appelez-vous ? » dit-elle.

Pour s'expliquer l'étonnement de Miss St. John, on doit se rappeler qu'une nouvelle élève est, pendant un certain temps, un être assez énigmatique. De cette *nouvelle*, toute l'école avait parlé la veille au soir, avant de tomber endormie. Une nouvelle élève qui avait une voiture et un poney, une femme de chambre à elle, et un voyage des Indes en Angleterre à raconter, ce n'était pas quelqu'un dont on pouvait faire la connaissance sans cérémonie !

« Mon nom est Ermengarde St. John, répondit-elle.

— Le mien, c'est Sara Crewe, dit Sara. Le vôtre est très joli. On dirait un nom dans un livre d'histoires.

— Vraiment, vous l'aimez ? dit Ermengarde tout émue. Moi, je... j'aime bien le vôtre. »

La plus grosse difficulté dans l'existence de Miss St. John, c'est qu'elle avait un père intelligent et érudit. Elle considérait cela comme une terrible calamité. Si vous avez un père qui sait tout, qui parle sept ou huit langues et possède des milliers de volumes qu'apparemment il sait tous par cœur, il a souvent le désir que vous vous familiarisiez au moins avec le contenu de vos livres de leçons. Il a l'étrange opinion que vous devez être capable de vous souvenir de quelques événements de l'histoire, et d'écrire un exercice de français ! Ermengarde était une véritable épreuve pour M. St. John. Il ne pouvait pas comprendre pourquoi sa fille était une créature incapable de briller en quoi que ce soit.

« Bonté divine ! avait-il dit plus d'une fois en la regardant, il y a des moments où je pense qu'elle est aussi stupide que sa tante Éliza ! »

Si sa tante Éliza avait été lente à apprendre et rapide à oublier complètement ce qu'elle avait appris, Ermengarde lui ressemblait d'une façon frappante. Elle était la nullité monumentale de l'école, personne ne pouvait dire le contraire. « Il faut la faire apprendre », disait son père à Miss Minchin.

Elle apprenait les choses et les oubliait ; ou, si elle s'en souvenait, elle ne les comprenait pas. Il est donc naturel qu'ayant fait la connaissance de Sara, elle restât là à la regarder bouche bée, avec une profonde admiration.

« Vous savez parler français, n'est-ce pas ? » lui dit-elle respectueusement.

Sara grimpa sur le siège de l'embrasure de la fenêtre, qui était large et profond, et s'assit, les pieds sur le siège en entourant ses genoux de ses deux bras.

« Je sais le parler parce que je l'ai entendu parler toute ma vie, répondit-elle. Vous sauriez bien le parler aussi, si vous l'aviez toujours entendu.

— Oh, non, je ne saurais pas, dit Ermengarde ; jamais je ne pourrais parler français.

— Pourquoi ? » demanda Sara avec curiosité.

Ermengarde secoua la tête au point de faire voltiger sa petite queue de cheveux : « Vous m'avez bien entendue, tout à l'heure, dit-elle. Je suis toujours comme ça. Je ne peux pas prononcer les mots : ils sont trop bizarres. »

Elle s'arrêta un moment, puis elle ajouta, avec une touche de crainte respectueuse dans la voix : « Vous êtes intelligente, vous, n'est-ce pas ? »

Sara regardait par la fenêtre la place sombre. Elle réfléchit un petit moment. Elle avait souvent entendu dire qu'elle était intelligente, et se demandait si elle l'était vraiment ; et, si elle l'était, comment ça avait pu se faire.

« Je n'en sais rien, dit-elle ; je ne peux pas vous le dire. »

Puis, voyant un regard désolé sur la face ronde et joufflue d'Ermengarde, elle eut un petit rire, et changea de sujet.

« Ça vous ferait-il plaisir de voir Émilie ? lui demanda-t-elle.

— Qui est Émilie ? s'enquit Ermengarde, absolument comme avait fait Miss Minchin.

— Montez dans ma chambre, et vous verrez, dit Sara, lui tendant la main. »

Elles sautèrent ensemble en bas du siège d'embrasure, et montèrent au premier.

« Est-ce vrai, lui chuchota Ermengarde tandis qu'elles traversaient le vestibule, est-ce vrai que vous avez une chambre de jeu pour vous toute seule ?

— Oui, répondit Sara ; papa a demandé à Miss Minchin de m'en donner une parce que... Eh bien, c'est parce que, quand je joue, j'invente des histoires, et je me les raconte à moi-même, et que je n'aime pas que d'autres m'entendent. Ça me gâche tout si je crois qu'on m'écoute. »

Elles étaient arrivées au corridor qui menait à la chambre de Sara. Ermengarde s'arrêta court, la respiration coupée.

« Vous... vous fabriquez des histoires ? articula-t-elle enfin. Vous pouvez faire des choses comme ça... aussi bien que vous savez parler français ? Vraiment, vous pouvez ? »

Sara la regarda, toute surprise : « Ma foi, dit-elle, tout le monde peut faire des choses comme ça ; vous n'avez jamais essayé ? »

Elle mit sa main, en manière d'avertissement, sur le bras d'Ermengarde : « Allons sans faire de bruit jusqu'à la porte, lui murmura-t-elle, et puis j'ouvrirai tout d'un coup ; peut-être nous pourrons la surprendre. »

Elle avait à moitié l'air de rire, mais il y avait une touche d'espoir mystérieux dans ses yeux. Cela fascinait Ermengarde, quoiqu'elle n'eût pas la moindre idée de ce que cela voulait dire : qui Sara voulait-elle surprendre ? et pourquoi voulait-elle surprendre ? La seule chose que savait Ermengarde, c'est que c'était quelque chose d'excitant et de ravissant. Elle en était sûre ! Ainsi, toute tremblante dans son attente, elle suivit Sara sur la pointe des pieds jusqu'à la porte. Alors Sara tourna brusquement la poignée, et ouvrit la porte toute grande. Cette brusque ouverture révéla la pièce, très en ordre et très silencieuse, un feu qui brûlait doucement dans la grille de la cheminée, et une poupée merveilleuse assise dans son petit fauteuil au coin du feu, et ayant l'air de lire un livre.

« Ah ! Elle est retournée à son siège avant que nous puissions la voir ! s'écria Sara. Naturellement ! C'est toujours comme ça ! Elles sont aussi rapides que l'éclair. »

Ermengarde regarda Sara, puis elle regarda la

poupée, puis de nouveau Sara : « Est-ce qu'elle peut marcher ? demanda-t-elle à mi-voix.

— Oui ! répondit Sara. Au moins, je crois qu'elle peut. Au moins, je prétends que je crois qu'elle peut ; et ça fait que ça a l'air d'être vrai. Est-ce que vous n'avez jamais fait semblant de croire certaines choses ?

— Non, dit Ermengarde. Jamais. Mais je... Dites-moi comme on fait.

— Asseyons-nous, dit Sara, et je vais vous dire... C'est si facile qu'une fois que vous avez commencé, vous ne pouvez plus vous arrêter ; et c'est magnifique. Émilie, il faut m'écouter : voici Ermengarde St. John, Émilie. Ermengarde, je vous présente Émilie. Voulez-vous la tenir ?

— Oh, vous voulez bien, vraiment ? Vous permettez que je la tienne ? Elle est si belle ! » Et Sara lui mit Émilie dans les bras.

Jamais dans sa courte et terne vie, Miss St. John n'avait rêvé d'une heure telle que celle qu'elle passa avec la bizarre nouvelle élève, jusqu'au moment où elles entendirent la cloche du déjeuner, et furent obligées de descendre.

Sara s'était assise sur le tapis de foyer, et racontait d'étranges histoires. Elle s'était assise toute ramassée sur elle-même ; ses yeux verts étincelaient, et ses joues étaient toutes roses. Elle racontait des histoires du voyage, et des histoires de l'Inde ; mais ce qui fascinait le plus Ermengarde, c'était son imagination au sujet des poupées qui marchaient et parlaient, qui pouvaient faire tout ce qu'elles voulaient quand les êtres humains avaient quitté la pièce, mais qui devaient garder leurs capacités secrètes, et retournaient à leur place avec la vitesse de l'éclair quand des gens rentraient dans la chambre.

« Nous ne pourrions pas faire ça, dit Sara sérieusement. Voyez-vous, c'est une espèce de magie. »

Quand Sara lui raconta l'histoire de ses recherches pour découvrir Émilie, Ermengarde vit sa physionomie changer subitement. Un nuage sembla passer dessus, et voiler la lumière de ses yeux brillants. Ermengarde eut l'idée que si Sara avait été comme les autres petites filles, elle aurait bien pu tout à coup éclater en sanglots et fondre en larmes. Mais cela n'arriva pas.

« Avez-vous... mal ? risqua Ermengarde.

— Oui, répondit Sara après un moment de silence, mais ce n'est pas dans mon corps. Puis elle ajouta quelque chose d'une voix basse qu'elle essayait de maintenir ferme, et c'était ceci : Aimez-vous votre père plus que quoi que ce soit au monde ? »

La bouche d'Ermengarde s'ouvrit et demeura ouverte. Elle savait que ce ne serait pas se conduire en enfant respectable, élevée dans une institution de premier ordre, que de dire qu'elle n'avait jamais songé qu'elle pourrait aimer son père, qu'elle ferait n'importe quoi pour éviter de rester toute seule en sa compagnie pendant dix minutes. Elle était, en somme, très embarrassée :

« Moi, c'est rarement que je le vois, balbutia-t-elle enfin. Il est toujours dans sa bibliothèque, en train de lire des tas de choses.

— Eh bien moi, j'aime le mien dix fois plus que tout au monde, dit Sara. C'est cela mon mal : il est parti. »

Elle appuya doucement la tête sur ses petits genoux relevés, et resta immobile pendant quelques minutes.

« Elle va se mettre à pleurer tout haut », pensait Ermengarde épouvantée ; mais elle ne pleura pas ; elle parla sans relever la tête :

« Je lui ai promis que je supporterais ça, et je le supporterai. On a bien des choses à supporter. Pensez à ce que supportent les soldats ! Papa est soldat. S'il y avait une guerre, il faudrait bien qu'il supporte les marches, et la soif, et peut-être de graves blessures. Et il ne dirait jamais un mot de plainte, pas un seul mot. »

Ermengarde ne pouvait que la contempler, mais elle sentait qu'elle commençait à l'adorer. Elle était si merveilleuse, si différente de toutes les autres !

Au bout d'un moment, Sara releva la tête, secoua en arrière ses courtes boucles noires, avec un drôle de petit sourire.

« Si je continue à parler comme ça, dit-elle, et à vous dire comment on fait pour faire semblant, je supporterai mieux son absence ; on n'oublie pas, non, mais on supporte mieux. »

Ermengarde ne comprenait pas pourquoi elle avait la gorge serrée, ni pourquoi elle sentait ses yeux se remplir de larmes.

« Lavinia et Jessie sont *bonnes amies*, dit-elle d'une voix étouffée. Je voudrais bien que nous puissions être *bonnes amies*. Voulez-vous me prendre pour *bonne amie* ? Vous êtes intelligente, et je suis l'enfant la plus stupide de l'école ; mais... je vous aime tant !

— J'en suis bien contente, dit Sara. On est reconnaissant quand on vous aime. Oui, nous serons amies. Et je vais vous dire quelque chose — un rayon soudain lui éclaira le visage —, je vous aiderai à vos leçons de français. »

CHAPITRE IV

LOTTIE

Si Sara avait été une enfant différente, la vie qu'elle mena à « l'institution de premier ordre » de Miss Minchin pendant les années suivantes ne lui aurait pas fait de bien du tout. Elle était traitée plutôt comme un hôte de distinction dans l'établissement que comme une simple petite élève. Si elle eût été une enfant vaniteuse, autoritaire, elle aurait pu devenir odieuse et impossible par trop d'indulgence et de flatterie. Si elle avait été une enfant indolente, elle n'aurait absolument rien appris. En secret, Miss Minchin la détestait, mais elle était beaucoup trop intéressée pour faire ou dire quoi que ce soit qui pût inspirer à une élève si désirable l'envie de quitter son école. Elle savait fort bien que si Sara écrivait à son papa pour lui dire qu'elle était malheureuse, le Capitaine Crewe la retirerait sur-le-champ. L'opinion de Miss Minchin était que si on louait continuellement une enfant, si on ne l'empêchait jamais de faire ce qu'elle voulait, cette enfant ne pourrait manquer d'aimer beaucoup la maison où elle serait ainsi traitée. En conséquence, on louait Sara pour la vivacité avec laquelle elle apprenait, pour ses bonnes manières, pour son amabilité envers ses compagnes, pour sa générosité si elle donnait dix sous à un mendiant ; et si elle n'avait pas eu un caractère sensé et un petit cerveau clairvoyant, elle aurait pu devenir une jeune personne très vaniteuse. Mais son clairvoyant petit cerveau lui révélait quantité de choses sensées et vraies sur elle-même et sur sa situation, et de temps en temps, elle parlait de cela avec Ermengarde.

« Les choses arrivent aux gens par accident, répétait-elle souvent. Moi, il m'est arrivé quantité d'accidents favorables. C'est le fait d'un accident si j'ai toujours aimé les leçons et les livres, et si je suis capable de me rappeler ce que j'apprends. C'est un accident aussi si je suis née avec un père beau, gentil, intelligent, qui pouvait me donner tout ce qui me faisait plaisir. Peut-être je n'ai pas véritablement un bon caractère ; mais si vous avez tout ce que vous voulez, et si tout le monde est bon pour vous, comment pourriez-vous ne pas avoir bon caractère ? Peut-être ne suis-je qu'une enfant abominable, et que personne n'en saura jamais rien, tout simplement parce que je n'ai jamais d'épreuves.

— Lavinia n'a pas d'épreuves, protesta Ermengarde ; ça ne l'empêche pas d'être horrible. »

Sara frotta d'un air réfléchi le bout de son petit nez pour tâcher de trouver la solution.

« Ma foi, dit-elle enfin, peut-être... peut-être c'est parce que Lavinia grandit trop. » Ceci était le résultat charitable d'un souvenir : elle avait entendu Miss Amelia dire que Lavinia grandissait si vite, qu'elle croyait bien que cela agissait sur sa santé et sur son caractère.

Lavinia, en réalité, était rageuse. Elle était farouchement jalouse de Sara. Jusqu'à l'arrivée de cette nouvelle élève, elle s'était considérée comme la tête de l'école : elle avait acquis de l'influence parce qu'elle était capable de se rendre extrêmement désagréable pour celles qui ne la suivaient pas. Elle dominait sur les petites, et prenait de grands airs avec celles qui étaient assez âgées pour être ses compagnes. Elle était plutôt jolie, et elle avait été l'élève la mieux habillée dans les rangs quand « l'institution de premier ordre » sortait, avec les élèves deux par deux. Cela avait duré jusqu'à ce que les manteaux de velours et les manchons de zibeline de Sara aient apparu, combinés avec les onduleuses plumes d'autruche, et que Miss Minchin ait placé tout cela à la tête des rangs. Cela, dès le début, avait semblé plutôt amer à Lavinia ; mais avec le temps il apparut que Sara, elle aussi, était une entraîneuse, non pas parce qu'elle pouvait se rendre désagréable, mais parce qu'elle ne l'était jamais.

« Il y a quelque chose en faveur de Sara Crewe, dit un jour honnêtement Jessie, ce qui mit sa grande amie en rage, c'est qu'elle n'affecte jamais de grands airs ; et vous savez bien qu'elle pourrait en prendre, Lavinia. Je crois que moi, je ne pourrais pas m'empêcher d'en prendre un peu, juste un peu, si j'avais autant de belles choses, et si l'on faisait tant de cas de moi. C'est dégoûtant comme Miss Minchin la fait mousser quand les parents viennent.

« Il faut que la chère Sara vienne au salon, et parle de l'Inde à Mrs. Musgrave », singeait Lavinia, en une imitation de haut goût de Miss Minchin. « Il faut que la chère Sara vienne parler français à Lady Pitkin ; son accent est si parfait... » Ce n'est toujours pas à l'institution qu'elle l'a appris, son français. Et il n'y a rien de si malin pour elle à le savoir. Elle dit bien elle-même qu'elle ne l'a pas appris du tout. Elle l'a juste ramassé au passage, parce qu'elle a toujours entendu son papa le parler. Et quant à son papa, un officier des Indes, ce n'est pas si important que ça !

— Pourtant, dit Jessie lentement, il a tué des tigres. Il a tué celui dont la peau est dans la chambre de Sara ; et c'est pour cela qu'elle aime tant cette peau. Elle se couche dessus, lui caresse la tête et lui parle comme si c'était un chat.

— Elle fait toujours des choses ridicules, lança Lavinia. Maman dit que sa manière de *faire semblant* est stupide. »

C'était tout à fait vrai que Sara ne prenait jamais de grands airs. C'était une petite âme affectueuse, et elle partageait généreusement ses privilèges et tout ce qu'elle possédait. Les petites qui avaient l'habitude de se voir dédaignées et rudoyées par les « dames mûres » qui se vantaient d'avoir de dix à douze ans, elle ne les faisait jamais pleurer, elle que toutes les autres enviaient.

Elle était une jeune personne à instincts maternels ; et quand les petites tombaient et s'écorchaient les genoux, elle courait à leur aide pour les relever, et trouvait toujours dans sa poche un bonbon, ou quelque autre article de nature consolante ; elle ne les repoussait jamais sur son passage, et ne faisait jamais allusion à leur âge pour les humilier et en faire une tache à leur réputation.

« Si vous avez quatre ans, vous avez quatre ans, dit-elle sévèrement à Lavinia une fois que celle-ci avait, il faut bien le dire, giflé Lottie, et l'avait traitée de sale mioche ; mais l'année d'après vous en aurez cinq, et six l'année suivante. Et — elle ouvrait de grands yeux convaincus — quand vous avez quatre ans il ne s'en faut que de seize pour que vous en ayez vingt !

— Oh, la la ! dit ironiquement Lavinia, comme nous sommes forte en calcul ! » En fait on ne pouvait nier que seize et quatre font vingt ; et vingt ans, c'est un âge auquel les plus hardies avaient à peine l'audace de penser.

Aussi, les plus jeunes adoraient Sara. De plus, on avait su qu'elle avait offert un thé à ces pauvres méprisées, et cela, dans sa propre chambre. On avait joué avec Émilie, et l'on s'était servi du service à thé d'Émilie, celui dont les tasses contenaient une quantité vraiment honorable de thé léger bien sucré, et avaient des fleurs bleues. Personne n'avait jamais vu un service à thé de poupée qui fût un si vrai service à thé. À partir de cette réception, Sara fut considérée comme une reine... non ! comme une déesse par toute la division élémentaire.

Lottie Legh lui rendait un tel culte que si Sara n'avait pas été une petite personne maternelle, elle l'aurait trouvée assommante. Lottie, envoyée à l'école par un jeune papa féru d'indépendance qui ne voyait pas la possibilité d'en rien faire d'autre, avait perdu sa jeune mère ; et comme l'enfant avait été traitée comme une poupée favorite, un singe apprivoisé, ou un chien de salon très gâté, dès les premières heures de son existence elle était devenue une petite créature insupportable. Quand elle voulait quelque chose, ou qu'elle ne voulait pas quelque chose, elle pleurait et hurlait. Et comme elle voulait toujours ce qu'elle ne pouvait pas avoir, et ne voulait pas ce qui aurait été bon pour elle, sa petite voix perçante se faisait continuellement entendre dans tous les coins de la maison.

Son arme la plus efficace, c'était que, d'une façon mystérieuse, elle avait découvert qu'une toute petite fille sans mère avait tous les droits. Aussi, elle abusait journellement de cet argument.

La première fois que Sara se chargea d'elle, c'était un matin où, passant près d'un petit salon, elle entendit à la fois Miss Minchin et Miss Amelia essayer de calmer les cris de colère d'une enfant qui, évidemment, refusait complètement de se taire. Elle refusait si énergiquement que Miss Minchin était obligée presque de crier, d'une manière majestueuse et sévère autant qu'elle le pouvait, pour se faire entendre.

« Pourquoi pousse-t-elle des cris ? » cria encore plus fort Miss Minchin. Et Sara entendit l'enfant : « Oh... oh... oh.... Moi, j'ai pas de ma... ma... man !

— Oh, Lottie ! s'écria Miss Amelia. Taisez-vous, ma chérie, ne pleurez pas ! Je vous en prie, taisez-vous !

— Oh... oh... oh... hurlait de plus belle Lottie, moi... ai pas de ma... ma... man...

— Il n'y a qu'à la fouetter, proclama Miss Minchin. On va vous donner le fouet, vilaine enfant ! »

Et Lottie de hurler encore plus fort. Miss Amelia se mit à pleurer ! La voix de Miss Minchin s'éleva en un véritable tonnerre, puis tout à coup, dans son impuissante indignation, elle bondit à la porte et sortit précipitamment de la pièce, laissant Miss Amelia arranger les affaires comme elle pourrait.

Sara s'était arrêtée dans le vestibule, se demandant si elle devait entrer dans la pièce, parce que, ayant commencé des relations amicales avec Lottie, elle serait peut-être capable de l'apaiser. Quand Miss Minchin sortit et la vit, elle eut l'air assez ennuyée.

« Oh ! Sara ! s'écria-t-elle en essayant de produire un sourire de circonstance.

— Je me suis arrêtée ici, expliqua Sara, parce que j'ai bien compris que c'était Lottie... Et j'ai pensé que peut-être... oh seulement peut-être... je pourrais la faire rester tranquille. Me permettez-vous d'essayer, Miss Minchin ?

— Si vous pouvez le faire, vous êtes une enfant supérieure », dit Miss Minchin en pinçant les lèvres. Puis voyant que Sara paraissait plutôt découragée par son âpreté, elle changea de manière. « Vous êtes supérieure en tout, continua-t-elle d'un ton approbateur. Je crois volontiers que vous serez capable de la calmer. Entrez donc ! » Et elle la quitta.

Quand Sara entra dans la pièce, Lottie était couchée par terre, poussant des cris et gigotant violemment de ses petites jambes potelées ; Miss Amelia était penchée sur elle dans la consternation et le désespoir, toute rouge, et le front couvert de sueur. Lottie avait fait la découverte qu'en gigotant et en criant, elle obtenait qu'on lui donne pour la calmer ce qu'elle voulait. La pauvre boulotte qu'était Miss Amelia essayait alternativement de deux méthodes.

« Pauvre chérie ! disait-elle à un moment. Je sais bien que vous n'avez pas de maman, ma pauvre petite... » Puis changeant complètement de ton : « Si vous ne vous arrêtez pas, Lottie, je vais vous secouer d'importance ! » Nouveau changement : « Pauvre petit ange, allons... allons... » Volte-face encore : « Oh ! la méchante, la mauvaise, la détestable enfant ! Je vais vous gifler, je vous le dis ! »

Sara s'approcha du groupe très tranquillement. Elle ne savait pas du tout ce qu'elle allait faire, mais elle avait une vague conviction qu'il serait préférable de ne pas dire tant de choses contradictoires, d'une façon excitée, et sans aucun résultat.

« Miss Amelia, dit-elle à voix basse, Miss Minchin m'a dit que je pouvais essayer de la faire taire ; me le permettez-vous ? »

Miss Amelia se tourna vers elle, et lui jeta un regard désespéré.

« Oh, vous croyez vraiment que vous pourrez ? lui dit-elle.

— Je ne sais pas si je pourrai, répondit Sara, toujours à voix basse, mais je veux essayer. »

Miss Amelia, qui était à genoux, se releva péniblement avec un grand soupir, tandis que les petites jambes potelées de Lottie gigotaient aussi fort que jamais.

« Si vous voulez sortir tout doucement de la pièce, dit Sara, moi, je resterai avec elle.

— Oh, Sara, larmoya presque Miss Amelia, nous n'avons jamais eu à l'école une enfant si impossible ; je ne crois pas que nous pourrons la garder. » Mais elle sortit du petit salon, très soulagée d'avoir une raison d'en sortir.

Sara resta debout pendant quelques instants auprès de l'enfant hurlante et furieuse, et la regarda sans rien dire. Puis elle s'assit sur le plancher à côté d'elle et attendit. À part les cris de colère de Lottie, la pièce était tout à fait silencieuse. Cela constituait pour la petite Miss Legh un état de choses tout à fait inattendu. Elle avait l'habitude, quand elle criait, d'entendre les gens protester, l'implorer, la menacer, la conjurer tout à tour. Mais être couchée par terre, gigoter et crier, et constater que la seule personne qui est près de vous n'a pas même l'air de s'en apercevoir, cela n'était pas normal. Elle ouvrit ses petits yeux qu'elle fermait énergiquement, pour voir qui était cette personne, et elle découvrit simplement une autre petite fille ! Mais c'était celle qui possédait Émilie, et tant de choses charmantes. Et cette petite fille la regardait attentivement, en ayant l'air de réfléchir. Lottie s'arrêta quelques secondes à cette découverte ; puis elle pensa qu'elle devait continuer son caprice ; mais le calme de la pièce et la drôle de figure intéressée de Sara enlevèrent à ses premiers hurlements la moitié de leur intensité.

« Je... je... n'ai... pas de ma... ma... man... an ! » fit-elle en sanglotant, mais sa voix avait perdu de la force.

Sara la regarda avec encore plus d'intensité, mais avec de la sympathie dans les yeux : « Je n'en ai pas non plus », dit-elle.

Cela était si inattendu que c'en était stupéfiant. Lottie immobilisa ses jambes, se tortilla un peu par terre, puis demeura couchée, les yeux grands ouverts. Une idée inattendue arrête un enfant de pleurer, alors que rien n'y réussissait. Il est vrai aussi que Lottie n'aimait pas Miss Minchin, toujours de mauvaise humeur, ni Miss Amelia, qui était sottement indulgente, mais qu'elle aimait assez Sara, quoiqu'elle ne la connût guère. Elle ne voulait pas, assurément, renoncer à son caprice, mais sa pensée s'en détourna, elle se tortilla encore un peu, et après un sanglot, elle dit : « Où est-elle ? »

Sara se tut un moment. On lui avait dit que sa mère était au ciel ; elle y avait beaucoup réfléchi, et ses réflexions ne ressemblaient guère à celles des autres enfants. « Elle est allée au ciel, dit-elle, mais je suis sûre qu'elle en sort quelquefois pour me voir, quoique, moi, je ne la voie pas. La vôtre fait pareil. Peut-être qu'elles nous regardent toutes les deux. Peut-être qu'elles sont toutes les deux dans la pièce. »

Lottie s'assit, toute redressée, et regarda autour d'elle. C'était une jolie petite créature aux cheveux bouclés ; et ses yeux ronds ressemblaient à des myosotis mouillés. Si sa maman l'avait vue pendant la dernière demi-heure, elle se serait dit que cette enfant-là... on ne pouvait guère la comparer à un ange.

Sara continua à parler. Sans doute bien des gens auraient pensé que ce qu'elle disait ressemblait assez à un conte de fées ; mais c'était si réel pour sa propre imagination que Lottie commença à l'écouter en dépit d'elle-même. Sara avait l'air de raconter une histoire vraie au sujet d'un pays charmant où il y avait de vraies personnes.

« Il y a des champs et des champs de fleurs, disait-elle, ne pensant plus aux réalités une fois qu'elle avait commencé, et parlant comme dans un rêve ; des champs et des champs de lis ; et quand une douce brise souffle dessus, elle emporte leur parfum dans les airs, et tout le monde le respire ; d'ailleurs, la douce brise souffle toujours. Les petits enfants courent de tous les côtés dans les champs de lis ; ils en cueillent des brassées en riant, et ils en font des guirlandes. Toutes les rues sont brillantes, là-haut. On n'est jamais fatigué, si loin qu'on aille ; on peut flotter sur la brise partout où l'on veut. Il y a des murs faits d'or et de perles tout autour de la Cité, mais ils ne sont pas hauts pour que les habitants puissent s'accouder dessus, regarder ce qui se passe sur la terre, et y envoyer de beaux messages. »

Si Sara avait raconté une autre histoire, Lottie, sans aucun doute, se serait arrêtée de pleurer, fascinée par le récit ; mais on ne pouvait nier que cette histoire-là fût plus ravissante que la plupart des autres ; Lottie vint se serrer contre Sara, dont elle buvait les paroles, jusqu'à ce que l'histoire finît, bien trop tôt à son avis. Quand la fin arriva, elle fut si désolée qu'elle fit une moue de mauvais augure.

« Je veux aller là-haut, cria-t-elle ; je... je n'ai pas de maman, à l'école. »

Sara vit ce dangereux signal, et sortit de son rêve. Elle s'empara de la main potelée, attira l'enfant à elle avec un petit rire câlin.

« C'est moi qui serai votre maman, dit-elle ; nous jouerons à un jeu où vous serez ma petite fille, et Émilie sera votre sœur. »

Les fossettes de Lottie commencèrent à reparaître sur son visage. « Vraiment ? dit-elle.

— Oui, répondit Sara, sautant sur ses pieds ; allons le lui dire tout de suite ; et puis je vous laverai la figure et je brosserai vos cheveux. »

Lottie accepta joyeusement cette proposition ; elle trottina dans le vestibule et monta l'escalier avec Sara, sans se rappeler en aucune façon que toute la tragédie de l'heure précédente avait été causée par son refus de se laisser laver et coiffer pour le déjeuner, et que l'on avait appelé Miss Minchin pour qu'elle use de sa majestueuse autorité.

Et depuis ce temps-là, Sara devint mère adoptive.

CHAPITRE V

BECKY

Le plus grand pouvoir que possédait Sara, celui qui lui gagnait plus d'admiratrices que son luxe, c'était son pouvoir d'inventer des histoires, la faculté de faire que tout ce dont elle parlait avait l'air d'une histoire, même si ce n'en était pas une.

Sara non seulement savait raconter, mais elle aimait beaucoup à le faire. Elle voyait ses personnages féeriques et vivait avec eux, ainsi qu'avec les rois, les reines et les belles dames dont elle narrait les aventures.

Il y avait environ deux ans qu'elle était à l'école de Miss Minchin quand, par un brumeux après-midi d'hiver, en sortant de sa petite voiture, confortablement emmitouflée dans ses velours et ses plus chaudes fourrures qui lui donnaient plus grand air qu'elle ne s'en rendait compte, elle aperçut, en traversant le trottoir, une petite gamine mal mise sur les marches extérieures du sous-sol. Cette petite bonne femme tendait le cou pour pouvoir la regarder à travers les grilles. Quelque chose, dans l'ardeur mêlée de timidité de la figure mâchurée, fit que Sara la regarda et lui sourit, parce que c'était son habitude de sourire aux gens.

Mais la propriétaire de la figure mâchurée et des yeux écarquillés avait évidemment peur d'être en faute, en se laissant surprendre à regarder une élève si importante. Elle disparut comme un diable qui rentre dans sa boîte, et se sauva dans la cuisine d'une façon si soudaine que si elle n'avait pas été une si pauvre petite créature, Sara en aurait ri en dépit d'elle-même.

Ce même soir, comme Sara était assise au milieu de tout un auditoire dans un coin de la classe et racontait une de ses histoires, la même petite figure mâchurée entra timidement dans la salle, portant un seau de charbon bien trop lourd pour elle, et s'agenouilla sur le tapis de foyer pour remplir la grille et balayer les cendres.

Évidemment, elle avait peur de regarder les élèves, ou d'avoir l'air de les écouter. Elle mettait les morceaux de charbon un par un, tout doucement, avec ses doigts, pour ne pas faire de bruit, et elle balayait le tour de la grille silencieusement. Mais Sara, au bout de deux minutes, vit qu'elle s'intéressait beaucoup à son récit, et qu'elle faisait son travail lentement, dans l'espoir de saisir un mot par-ci par-là. Quand elle s'en aperçut, elle éleva la voix, et parla plus clairement.

« ... Les sirènes nageaient doucement dans l'eau verte et cristalline ; elles tiraient derrière elles un filet de pêche tissé de perles marines, dit-elle. La princesse était assise sur le rocher blanc et les regardait. »

C'était une histoire merveilleuse au sujet d'une Princesse aimée par un Prince des Dieux Marins et elle allait habiter avec lui dans des grottes resplendissantes sous la mer.

La petite souillon agenouillée devant la grille du foyer en balaya le tour une fois, puis elle recommença. L'ayant balayé deux fois... elle le balaya trois ! Et pendant qu'elle le faisait pour la troisième fois, elle ne put résister à l'enchantement du récit, et oublia bel et bien qu'elle n'avait aucun droit d'écouter. Elle s'assit sur ses talons au milieu du tapis du foyer, et son petit balai demeura inactif entre ses doigts. La voix de la conteuse ne s'arrêtait pas, et l'emmenait avec elle dans les grottes sous-marines, éclairées d'une ravissante lumière bleue, pavées de sable d'or. D'étranges fleurs des mers, et des algues flottaient autour d'elle et dans le lointain on entendait l'écho de chants légers et de musique.

Le balai de foyer échappa des mains gercées par le travail, et Lavinia Herbert se retourna.

« Cette fille-là nous a écoutées ! » dit-elle.

La coupable ressaisit son balai, et se remit péniblement debout. Elle attrapa également le seau à charbon, et tout simplement, s'esquiva de la salle comme un lapin épouvanté.

Sara se sentit irritée : « Je savais bien qu'elle nous écoutait, dit-elle. Au fait, pourquoi n'écouterait-elle pas ? »

Lavinia secoua la tête avec élégance. « Bien, remarqua-t-elle, je ne sais pas si votre maman serait contente de vous voir raconter des histoires à des filles de cuisine ; mais je sais, moi, que la mienne n'aimerait pas cela du tout.

— Ma maman ? dit Sara avec un air étrange ; je ne crois pas que cela lui ferait mauvais effet. Elle sait bien que les histoires appartiennent à tout le monde.

— Je croyais, répliqua Lavinia d'un ton sévère, que votre maman était morte. Comment alors, peut-elle savoir des choses comme ça ?

— Alors, vous vous imaginez qu'elle ne connaît pas les choses ? dit Sara d'une petite voix grave.

— La maman de Sara sait tout, intervint la petite voix flûtée de Lottie. Et ma maman aussi ; seulement, ici, chez Miss Minchin, c'est Sara qui est ma maman ; mais mon autre maman, elle sait tout. Les rues, là-haut, sont toutes brillantes, et il y a des champs et des champs de lis, et tout le monde peut les cueillir. Sara me raconte ça quand elle me couche.

— C'est très mal, dit Lavinia se tournant vers Sara : vous faites des contes de fées au sujet du ciel !

— Il y en a encore de bien plus beaux dans les livres de la Bible, repartit Sara. Réfléchissez un peu ! Comment pouvez-vous savoir que ce que j'en dis, c'est des contes de fées ? Mais il y a une chose que je peux vous dire — et elle affirma cela d'un ton qui n'avait plus rien de céleste —, vous ne verrez jamais si ce sont des contes ou non, car vous n'irez pas au ciel si vous n'êtes pas plus charitable pour les gens que vous ne venez de l'être maintenant. Venez avec moi, Lottie. » Et elle sortit vivement de la classe, espérant revoir la petite servante à une place ou à l'autre ; mais elle n'en trouva aucune trace en arrivant dans le vestibule.

« Qui donc est cette petite fille qui entretient les feux ? » demanda-t-elle à Mariette ce soir-là. Mariette se lança dans un déluge de renseignements.

Ah, vraiment, Mademoiselle Sara pouvait bien demander cela. C'était une petite créature abandonnée qu'on avait prise comme laveuse de vaisselle ; mais, en dehors de laveuse de vaisselle, elle était toutes sortes d'autres choses. Elle cirait les souliers, noircissait les grilles de foyers, portait du haut en bas de la maison de lourds seaux à charbon, frottait les carrelages et lavait les vitres, tout le monde dans la maison lui donnait des ordres. Elle avait quatorze ans, mais était si mal poussée qu'elle en paraissait à peine douze. En vérité, Mariette la plaignait.

« Comment s'appelle-t-elle ? » demanda Sara qui s'était assise près de la table, le menton dans les mains en écoutant d'un air absorbé ces renseignements.

Son nom, c'était Becky. Au sous-sol, Mariette entendait tout le monde crier : « Becky, faites ceci... Becky, faites ça... » toutes les cinq minutes, d'un bout à l'autre de la journée.

Sara demeurait assise, contemplant le feu et pensant à Becky, longtemps après que Mariette l'eut quittée. Elle inventait une histoire où Becky était une héroïne maltraitée. Elle se disait que Becky avait l'air de n'avoir jamais eu assez à manger. Elle avait des yeux affamés. Sara espérait qu'elle pourrait la revoir ; mais bien qu'elle l'eût aperçue plusieurs fois, Becky avait toujours l'air si pressée et semblait avoir si peur qu'on ne la voie, qu'elle n'avait jamais pu lui parler.

Enfin, quelques semaines plus tard, par un autre jour de brouillard, en entrant dans son petit salon, Sara se trouva en présence d'un tableau plutôt pathétique : dans son propre fauteuil de prédilection, devant un beau feu, Becky, avec des traces de charbon sur le nez et sur son tablier, avec son pauvre petit bonnet pendant sur le côté, et le seau à charbon vide à côté d'elle sur le plancher, Becky était assise profondément endormie, épuisée au-delà de ce que pouvait supporter son pauvre petit corps, pourtant endurci au travail. On l'avait envoyée ranger les chambres pour le soir. Il y avait beaucoup de chambres, et elle avait couru tout l'après-midi de l'une à l'autre. Elle avait gardé la chambre de Sara pour la dernière. Ses deux pièces n'étaient pas comme les autres, vides et nues. Les élèves ordinaires, on considérait qu'elles devaient se contenter du strict nécessaire. Le confortable petit salon de Sara semblait un sanctuaire de luxe à la pauvre souillon, quoique ce ne fût, en somme, qu'une petite pièce gaie et bien arrangée. Mais il y avait des tableaux et des livres et de curieux bibelots des Indes. Il y avait un sofa et un fauteuil bas et moelleux ; un bon feu brûlait toujours, dans une grille bien polie. Becky la conservait pour la fin de son service de l'après-midi ; parce que c'était un vrai repos pour elle d'y entrer, et elle espérait toujours se ménager quelques minutes pour s'asseoir dans le fauteuil moelleux, regarder autour d'elle, et s'imaginer la merveilleuse bonne fortune de l'enfant qui possédait un tel entourage, et qui, par les jours froids, sortait en beaux chapeaux et en beaux manteaux.

Cet après-midi-là, quand elle s'assit dans le fauteuil, la sensation de soulagement dans ses courtes jambes endolories avait été si extraordinaire et si délicieuse que cela avait semblé lui reposer tout le corps ; la douce pénétration de chaleur et le réconfort du bon feu s'étaient glissés en elle comme un enchantement jusqu'à ce que, en regardant rougeoyer les charbons, un pauvre sourire fatigué avait envahi son visage mâchuré, sa tête avait dodeliné en avant sans qu'elle s'en aperçoive, ses yeux s'étaient fermés, et elle s'était profondément endormie. Son sommeil était aussi profond que si elle avait été la Belle au Bois Dormant sommeillant depuis cent ans ! Pourtant, elle ne ressemblait pas du tout, la pauvre Becky, à la Belle au Bois Dormant ; elle n'avait l'air que d'une pauvre petite souillon, laide, rabougrie, épuisée.

Ce jour-là, Sara avait pris sa leçon de danse, et l'après-midi où venait le maître de danse était un jour extraordinaire dans l'institution. Les élèves mettaient leurs plus jolies robes, et comme Sara dansait particulièrement bien, on la mettait fort en avant, et Mariette recevait des instructions pour la faire aussi délicieuse et diaphane que possible. Ce jour-là, Mariette lui avait mis une robe couleur de rose, et avait acheté de vrais boutons de roses dont elle avait fait une couronne, que l'enfant portait sur ses boucles noires. Elle avait appris une nouvelle danse charmante, dans laquelle elle glissait et voltigeait dans la salle comme un grand papillon rose ; le plaisir et l'exercice avaient apporté un brillant reflet de joie sur son visage.

Quand elle entra dans son petit salon, elle aperçut Becky la mâchurée dodelinant de la tête avec son bonnet sur l'oreille ! « Oh ! s'écria Sara à demi-voix, quand elle la vit : la pauvre créature ! »

Elle n'eut pas même l'idée de se fâcher en trouvant son fauteuil favori occupé par cette petite silhouette malpropre. À dire vrai, elle fut même tout à fait contente de la trouver là. Quand « l'héroïne maltraitée » de son histoire se réveillerait, elle pourrait lui parler. Elle s'approcha sans bruit et la regarda. Becky poussa un léger ronflement. « Je voudrais bien qu'elle s'éveille toute seule, se disait Sara. Je ne voudrais pas la réveiller. Mais Miss Minchin serait fâchée si elle découvrait ça ! Je vais attendre encore quelques minutes... »

Elle s'assit sur le bord de la table, en balançant ses jambes minces, se demandant ce qu'elle devait faire. Miss Amelia pouvait entrer d'un moment à l'autre ; et si elle entrait, Becky serait sûrement grondée. « Mais elle est fatiguée, se disait-elle, elle est si fatiguée ! »

Un morceau de charbon enflammé mit fin, à ce moment, à ses perplexités. Il se sépara d'une grosse masse, et tomba sur le devant de feu. Becky sursauta, et ouvrit les yeux et la bouche avec une expression de terreur. Elle ne s'était pas rendu compte qu'elle avait dormi ; elle s'était simplement assise un moment pour profiter de la bonne chaleur, et elle se retrouvait là, regardant en alarme l'extraordinaire élève assise, ou plutôt perchée tout près d'elle, comme une fée des roses, qui, de son côté, la regardait avec intérêt.

Elle se dressa brusquement, cherchant de la main son bonnet. Elle le trouva pendant sur son oreille, et tenta en gestes désordonnés de le remettre d'aplomb. Eh bien, elle allait être dans un beau tracas ! S'être impudemment endormie dans le fauteuil d'une demoiselle comme celle-là ! On allait la mettre à la porte, sans lui payer ses gages !

Elle produisit un son qui ressemblait à un gros sanglot.

« Oh, Miss ! Oh, Miss ! balbutia-t-elle, j'vous d'mande ben pardon, Miss. Oh oui, j'vous assure, Miss ! »

Sara sauta à bas de sa table et vint tout près d'elle.

« N'ayez pas peur, lui dit-elle, absolument comme si elle parlait à une petite fille comme elle : ça n'a pas la moindre importance.

— J'étais pas v'nue exprès pour ça, Miss, protesta Becky. C'est l'feu ben chaud, et pis qu'j'étais si fatiguée. C'était pas... c'était pas d'l'insolence ! »

Sara eut un petit rire amical et lui mit la main sur l'épaule. « Vous étiez fatiguée, dit-elle, vous n'y pouviez rien. Même maintenant, vous n'êtes pas encore bien réveillée. »

Comme la pauvre Becky la regardait avec de grands yeux ! Cette fillette, dans la splendeur de sa toilette de danse couleur de rose, la regardait comme si elle n'était pas une criminelle, comme si elle avait le droit d'être fatiguée... et même de s'endormir ! Le contact de cette petite patte douce et mince sur son épaule, c'était la sensation la plus extraordinaire qu'elle eût jamais éprouvée.

« V's'êtes pas... v's'êtes pas en colère, Miss ? finit-elle par sortir. V's'allez pas l'dire à la maîtresse ?

— Mais non ! s'écria Sara, bien sûr que non ! »

L'épouvantable frayeur sur la face mâchurée de charbon la rendait si triste qu'elle pouvait à peine le supporter. Une de ses drôles d'idées lui vint à l'esprit. Elle mit sa main contre la joue de Becky.

« Voyez-vous, dit-elle, nous sommes pareilles toutes les deux : je ne suis qu'une petite fille comme vous. C'est juste un accident qui fait que je ne suis pas vous, et que vous n'êtes pas moi ! »

Becky n'y comprit absolument rien. Son esprit ne pouvait pas saisir des pensées si transcendantes. Pour elle, *un accident* représentait une calamité, quelqu'un qui était écrasé dans la rue, ou qui tombait d'une échelle, et qu'on conduisait à l'hôpital.

« Un... accident, Miss... balbutia-t-elle respectueusement, alors c'est ça ?

— Oui », répondit Sara, et elle la regarda un moment d'un air rêveur ; l'instant d'après, cependant, elle lui parla d'un ton tout différent, car elle se rendit compte que Becky ne voyait pas du tout ce qu'elle voulait dire.

« Avez-vous fini votre ouvrage ? lui demanda-t-elle ; oseriez-vous rester ici quelques minutes de plus ? »

Becky en eut encore la respiration coupée : « Ici, Miss, moi ? »

Sara alla à la porte, l'ouvrit, regarda au-dehors, et écouta.

« Il n'y a personne dans le voisinage, expliqua-t-elle. Si vos chambres sont faites, peut-être pourriez-vous rester ici un petit moment. Je me dis que, sans doute, un morceau de gâteau vous ferait plaisir.

Les dix minutes suivantes firent à Becky l'effet d'une crise de délire. Sara ouvrit un placard et lui donna une épaisse tranche de cake. Cela lui faisait plaisir de voir dévorer la tranche en bouchées affamées. Elle parlait, posait des questions, riait de telle façon que les craintes de Becky finirent par se calmer ; une fois ou deux, elle s'enhardit même au point de poser elle-même une question, tout en se disant que c'était bien du toupet !

« Est-ce que c'est... » se risquait-elle à dire, en regardant d'un air d'envie la robe couleur de rose, et elle termina en baissant la voix, « est-ce que c'est vot' pu belle robe ?

— C'est une de mes robes pour les leçons de danse, répondit Sara. Je l'aime assez ; et vous ? »

Pendant quelques secondes, Becky en perdit la parole ; puis elle déclara d'une voix pleine de respect :

« Une fois, j'ai vu une princesse ; j'étais dans la rue, au milieu d'la foule, près du théât' à Covent Garden, à r'garder les gens chics entrer à l'Opéra. Et y en avait une qu'tout l'monde r'gardait l'plus. Et, qu'i's disaient entre eux : Ça, c'est la princesse ! C'était une grande demoiselle, tout habillée en rose, la robe, l'manteau, les fleurs et tout. Je m'l'ai rappelée au moment que j'vous ai vue là su la table, Miss. V's'aviez l'air comme elle !

— J'ai souvent pensé, dit Sara de sa voix réfléchie, que je voudrais bien être une princesse. Je crois que je vais me mettre à faire semblant d'en être une. »

Becky la regarda avec admiration, mais comme la fois précédente, elle ne comprit absolument rien. Bientôt, Sara sortit de ses réflexions, et se tourna vers elle avec une nouvelle question.

« Becky, dit-elle, est-ce que vous n'écoutiez pas l'histoire que je racontais, l'autre jour ?

— Oui, Miss, avoua Becky sentant revenir ses alarmes. J'savais ben qu'j'avais pas l'droit ; mais c'était si, si beau qu'j'ai pas pu faire autrement.

— Ça me faisait plaisir que vous m'écoutiez, dit Sara ; si vous racontez une histoire, vous n'aimez rien tant que de la dire à des gens qui ont envie de l'écouter. Ça vous ferait-il plaisir d'entendre la suite ? »

Becky en perdit encore le souffle. « Moi, l'entendre ? cria-t-elle, comme si qu'j'étais une élève, Miss ? Toute l'histoire du Prince et des p'tits bébés de mer tout blancs, qui nageaient partout en riant, avec des étoiles dans leurs ch'veux ? »

Sara fit signe que oui. « Vous n'avez pas le temps de l'entendre maintenant, j'en ai peur, dit-elle ; mais si vous voulez me dire à quelle heure vous venez faire ma chambre, j'essaierai d'y être, et je vous raconterai un morceau de l'histoire tous les jours jusqu'à ce qu'elle soit finie.

— Oh, alors, souffla Becky dévotement, ça me sera bien égal que les seaux d'charbon soient lourds, ou tout c'que la cuisinière pourra m'faire, si... si j'ai des choses comme ça à penser.

— Vous pouvez y penser, dit Sara, je vous raconterai tout. »

Quand Becky redescendit, elle n'était plus la même Becky, qui avait monté en trébuchant sous le poids du seau à charbon. Elle avait dans sa poche un morceau de cake supplémentaire ; elle avait été restaurée et réchauffée, mais pas seulement par le cake et le feu. Quelque chose d'autre l'avait réchauffée et restaurée, et ce quelque chose, c'était la gentillesse de Sara.

Quand elle fut partie, Sara retourna à son perchoir favori, au bout de la table ; elle mit ses pieds sur une chaise, ses coudes sur ses genoux, et son menton dans ses mains.

« Si j'étais une princesse, mais une vraie princesse, murmura-t-elle, je pourrais répandre des largesses sur la populace. Mais si je fais semblant d'être une princesse, je peux trouver des petits plaisirs à faire aux gens : des choses comme tout à l'heure avec Becky. Elle a été aussi contente que si je lui avais fait des largesses, comme on dit des princes. Je ferai semblant que faire des choses qui plaisent aux gens, c'est la même chose que répandre des largesses ; eh bien, aujourd'hui, j'ai répandu des largesses ! »

CHAPITRE VI

LES MINES DE DIAMANTS

Peu de temps après cette scène, un événement très excitant se produisit. Non seulement Sara, mais l'école tout entière, le trouva excitant ; et il constitua le sujet principal de conversation pendant des semaines après qu'il se fut produit. Dans une de ses lettres, le Capitaine Crewe racontait une histoire très intéressante. Un ami qui avait été à l'école avec lui dans son enfance était venu, de façon tout à fait inattendue, lui faire une visite dans l'Inde. Il y était propriétaire d'un vaste domaine dans lequel on avait découvert des diamants, et il était en train d'en exploiter les mines. Si tout allait comme on avait de sérieuses raisons d'y compter, il deviendrait le possesseur de telles richesses que cela donnait le vertige, rien que d'y penser. Et comme il aimait baucoup son vieux camarade d'école, il lui avait offert de partager cette énorme fortune au titre d'associé à son entreprise. Ceci, au moins, était ce que Sara avait compris d'après la lettre. Des « mines de diamants », ça avait tellement l'air d'un conte des Mille et Une Nuits, que personne ne pouvait y demeurer indifférent. Sara y trouvait tout un enchantement, et faisait des descriptions, pour Ermengarde et Lottie, de labyrinthes, de galeries dans les entrailles de la terre, où des pierreries étincelantes tapissaient les murs, les voûtes et les plafonds, et que de fantastiques hommes bruns extrayaient avec de grands pics. Ermengarde s'épanouissait à ces récits ; et Lottie insistait pour qu'on recommence à les lui conter tous les soirs. Cela mettait

Lavinia hors d'elle-même, et elle déclarait à Jessie qu'elle ne croyait pas que des mines de diamants, cela existait.

« Maman a une bague avec un diamant qui a coûté quarante livres, disait-elle ; et le diamant n'est pas très gros, avec ça ! S'il y avait des mines pleines de diamants, les gens deviendraient si riches que ça serait ridicule...

— Peut-être Sara deviendra si riche qu'elle en sera ridicule, disait Jessie en riant.

— Elle est assez ridicule sans être riche, répliqua Lavinia.

— Je crois vraiment que vous la détestez, dit Jessie.

— Non, je ne la déteste pas, coupa sèchement Lavinia, mais je ne crois pas aux mines pleines de diamants.

— Pourtant, il faut bien qu'on les tire de quelque part », répondit Jessie ; puis avec un nouveau rire : « Lavinia, que pensez-vous de ce que dit Gertrude ?

— Je n'en sais rien, je vous jure ; et je m'en soucie peu si c'est quelque chose sur cette sempiternelle Sara.

— Oui, c'est sur elle. Un de ses "faire semblant", c'est d'être une princesse. Elle y joue tout le temps, même en classe ! Elle dit que ça lui fait mieux apprendre ses leçons. Elle voudrait qu'Ermengarde fasse semblant d'en être une aussi ; mais Ermengarde dit qu'elle est trop grasse pour cela.

— Sûrement elle est trop grasse, approuva Lavinia, mais Sara, elle, est trop maigre.

— Nous allons nous mettre à l'appeler : "Son Altesse Royale". »

Les leçons du jour étaient finies ; les élèves étaient assises devant le feu dans la classe, jouissant du moment de la journée qu'elles aimaient le mieux. À cette heure-là, on causait beaucoup, on échangeait des quantités de secrets, en particulier si les petites se tenaient bien et ne jacassaient pas trop, ou ne couraient pas bruyamment de tous les côtés ; il faut bien avouer, pourtant, que c'est ce qu'elles faisaient habituellement. Quand elles chahutaient, les plus grandes intervenaient avec des gronderies, ou les secouaient ferme. On comptait qu'elles maintiendraient l'ordre et il y avait danger, si elles ne le maintenaient pas, que Miss Minchin ou Miss Amelia vienne mettre fin aux plaisirs de l'heure.

Juste au moment où Lavinia exposait son projet à Jessie, la porte s'ouvrit, et Sara entra avec Lottie, qui maintenant la suivait partout comme un petit chien.

« La voilà, avec cette affreuse gamine ! siffla Lavinia. Si elle l'aime tant, pourquoi ne la garde-t-elle pas dans sa chambre ? D'ici cinq minutes, elle se mettra à piailler, pour une raison ou pour une autre. »

Lottie alla se joindre à un groupe de petites qui jouaient dans un coin. Sara se pelotonna sur le siège d'embrasure, ouvrit un livre, et se mit à lire. C'était un livre sur la Révolution française, et elle fut bientôt perdue dans un tableau émouvant des prisonniers de la Bastille.

Elle était si loin de la classe que ce lui fut très désagréable d'y être ramenée soudainement par un cri perçant de Lottie. Jamais elle ne trouvait aussi difficile de garder sa sérénité que quand elle était tout à coup dérangée pendant qu'elle s'absorbait dans un livre. « Il faut que je fasse un effort pour ne pas lancer quelque chose de méchant et d'agressif », disait-elle.

C'est cet effort-là qu'elle fit quand elle posa son livre sur le siège d'embrasure et s'élança de son coin paisible.

Lottie avait glissé sur le plancher de la classe, et après avoir irrité Lavinia et Jessie en faisant du bruit, avait fini par tomber, et se faire mal à son petit genou tout rond. Elle pleurait, criait, trépignait au milieu d'un groupe d'amies et d'ennemies qui, alternativement, la grondaient et la conjuraient.

« Arrêtez immédiatement, espèce de pleurnicharde, taisez-vous tout de suite, commanda Lavinia.

— Je ne suis pas une pleurnicharde, pleurnichait Lottie, non, je n'en suis pas une ! Sara... Sa... ra !

— Si, elle ne se tait pas, Miss Minchin va l'entendre, s'écria Jessie. Taisez-vous, Lottie, ma chérie, et je vous donne deux sous !

— Je ne veux pas de vos deux sous », sanglota

Lottie, et elle regarda son petit genou tout rond et voyant dessus une goutte de sang, elle se remit à hurler.

Sara traversa vivement la classe et, s'agenouillant, prit la petite dans ses bras. « Allons, Lottie, dit-elle, allons Lottie... Vous avez promis à Sara.

— Elle a dit que j'étais une espèce de pleurnicharde ! » pleura Lottie. Sara la caressa, mais parla d'une voix ferme que Lottie connaissait bien : « Mais si vous pleurez comme ça, vous en serez une, petite Lottie. Vous m'avez promis. » Lottie se souvenait bien qu'elle avait promis, mais elle aimait mieux protester.

« Je n'ai pas de maman, moi ! proclama-t-elle. Je n'ai pas, mais pas du tout, de maman !

— Mais si, vous en avez une, dit Sara d'un ton encourageant. Avez-vous oublié ? Est-ce que vous ne savez pas que Sara est votre maman ? Vous ne voulez pas de Sara comme maman ? »

Lottie se blottit contre elle avec un reniflement de consolation.

« Venez vous asseoir avec moi sur le siège d'embrasure, et je vous raconterai tout bas une histoire pour vous toute seule.

— Vraiment ? fit Lottie entre deux sanglots. Vraiment... vous me raconterez... les mines de diamants ?

— Les mines de diamants ! éclata Lavinia. Oh ! la désagréable petite créature gâtée ! J'ai envie de lui donner une taloche ! »

Sara fut immédiatement debout. Sara n'était pas un ange, et elle ne pouvait pas souffrir Lavinia.

« Ah bien, dit-elle avec feu, moi, j'ai envie de vous donner une taloche, à vous ; mais je ne vous en donnerai pas, dit-elle en se dominant. Oui, j'ai envie de vous taper dessus, ça me ferait plaisir, mais je ne le ferai pas ! Nous ne sommes pas des gamines des rues. Nous sommes toutes les deux assez grandes pour savoir nous conduire. »

C'était une bonne occasion pour Lavinia !

« Ah ! oui, Votre Altesse Royale, dit-elle. Nous sommes des princesses à ce qu'il paraît. Au moins, une de nous deux en est une. L'école devra devenir encore plus de premier ordre, maintenant que Miss Minchin a une princesse comme élève. »

Sara fit un pas vers elle, comme si elle allait lui tirer les oreilles. Sa manière de « faire semblant » était une des joies de sa vie. Son nouveau « semblant », celui d'être une princesse, lui tenait fort au cœur, et, sur ce point-là, elle était très susceptible. Elle avait voulu que ce soit un secret, et voilà que Lavinia s'en moquait devant toute l'école ! Elle sentit le sang lui monter à la tête. Elle eut bien du mal à s'arrêter. Si vous êtes une princesse, vous ne devez pas vous mettre en rage. Sa main retomba, et elle demeura immobile un petit moment. Quand elle parla, ce fut d'une voix tranquille et ferme, elle redressait la tête, et tout le monde l'écouta.

« C'est vrai, dit-elle, quelquefois je fais semblant d'être une princesse. Je prétends que j'en suis une, pour essayer de me conduire comme une princesse. »

Lavinia ne put trouver ce qu'elle devait répondre à cela. Plusieurs fois déjà elle avait constaté qu'elle était incapable de trouver une réponse satisfaisante quand elle avait affaire à Sara. La raison, c'est qu'en quelque sorte, les autres avaient l'air de sympathiser avec son adversaire. Elle vit maintenant que toutes dressaient l'oreille avec intérêt. La vérité, c'est que les princesses les intéressaient, et qu'elles espéraient entendre quelque chose de plus précis à leur sujet. Tout ce que put trouver Lavinia comme réponse ne produisit aucun effet.

« Mon Dieu ! dit-elle, j'espère que quand vous monterez sur le trône, vous ne nous oublierez pas.

— Je ne vous oublierai pas », dit Sara, et ce fut tout ; elle demeura silencieuse, et regarda Lavinia sans flancher, tandis que celle-ci prenait le bras de Jessie et s'éloignait.

Après cela, les élèves qui étaient jalouses d'elle l'appelèrent « Princesse Sara », chaque fois qu'elles voulaient être particulièrement méprisantes ; et celles qui étaient ses amies lui donnaient le titre entre elles comme terme d'affection. Miss Minchin, en l'apprenant, le mentionna plus d'une fois aux parents en visite, ayant l'impression qu'elle suggérait par là une sorte de pensionnat royal.

À Becky, cela semblait la chose la plus naturelle du monde. La connaissance ébauchée par l'après-midi de brouillard où elle s'était réveillée brutalement, terrifiée, de son sommeil dans le fauteuil moelleux, s'était développée et avait mûri, quoiqu'il faille avouer que Miss Minchin et Miss Amelia ne s'en doutaient guère. Elles savaient bien que Sara se montrait charitable envers la souillon mais elles ne savaient rien du tout de certains moments délicieux, dangereusement ménagés quand, une fois les chambres d'en haut bien faites avec la rapidité de l'éclair, on arrivait au petit salon de Sara et qu'on déposait avec un soupir de joie le lourd seau à charbon. À ces moments-là, on racontait les histoires par tranches ; les provisions réconfortantes étaient offertes et absorbées, ou bien précipitamment enfouies dans des poches pour en jouir en fin de soirée, quand Becky montait se coucher dans sa mansarde.

« Mais faut que j'les mange soigneusement, Miss, dit-elle une fois, pa'ce que si j'laisse des miettes, les rats i'viennent les ramasser.

— Les rats ! s'écria Sara horrifiée. Il y a des rats, là-haut ?

— Y en a des tas, Miss, répondit Becky comme si c'était tout naturel. Y a toujours des rats et des souris dans les mansardes. On s'habitue au potin qu'i font en trottant partout. Moi, ça m'est égal, pourvu qu'i viennent pas courir su mon oreiller.

— Pouah ! fit Sara.

— On s'habitue à tout avec le temps, dit Becky ; i faut ben, Miss, si qu'vous êtes une fille de cuisine. J'aime enco'mieux avoir des rats qu'des cafards.

— Moi aussi, je crois, j'aimerais mieux, dit Sara. Je suppose qu'on peut, avec le temps, se lier d'amitié avec un rat ; mais je ne crois pas que j'aimerais à me lier avec un cafard. »

Parfois Becky n'osait pas demeurer plus de quelques minutes dans la pièce claire et chaude et dans ces cas-là, on ne pouvait échanger que quelques mots et glisser quelque petit achat dans la poche que Becky portait sous sa robe, attachée à la taille avec un cordon. La recherche et la découverte de comestibles satisfaisants qu'on pouvait se procurer sous un petit volume, ajoutait un nouvel intérêt à l'existence de Sara. Quand elle sortait en voiture ou à pied, elle regardait toujours avec attention les vitrines de comestibles. La première fois qu'elle eut l'idée de rapporter deux ou trois petits pâtés de viande, elle eut l'impression d'avoir fait une découverte. Quand elle les présenta, les yeux de Becky étincelèrent positivement.

« Oh, Miss, murmura-t-elle, ça sera bon, et ça vous remplit. C'est d'êt'rempli, qu'ça vaut l'mieux. Les biscuits à la cuillère, c'est divin, ça ; mais ça fond tout d'suite, vous comprenez, Miss. C'est à peine si ça vous arrive dans l'estomac !

— Ma foi, dit Sara en hésitant, je ne crois pas que ça serait bon que ces pâtés y restent trop longtemps ; mais je crois qu'ils vous donneront satisfaction. »

Ils donnèrent satisfaction, de même que les sandwiches de bœuf achetés dans une rôtisserie, de même que les petits pains fourrés d'une saucisse de Bologne. Avec le temps, Becky commença à perdre la sensation de faim et de fatigue, et le seau de charbon ne lui parut plus si terriblement lourd.

Il restait lourd ; pourtant et en dépit de la mauvaise humeur de la cuisinière, et de la dureté du travail qu'on lui entassait sur les épaules, Becky avait toujours devant elle la perspective de la joie de l'après-midi, l'espoir que Miss Sara aurait pu s'arranger pour être dans son petit salon. En fait, la simple vue de Miss Sara lui aurait suffi, même sans les pâtés de viande. Si l'on n'avait que le temps d'échanger quelques paroles, c'étaient toujours des mots affectueux, joyeux, et si l'on avait plus de temps il y avait une tranche d'histoire à raconter ou quelque autre chose qu'on pouvait se rappeler ensuite. Et alors on restait souvent éveillée dans son lit de la mansarde, rien que pour y penser. Sara, qui faisait simplement ce qu'inconsciemment elle aimait le mieux au monde, car la nature l'avait créée pour donner, n'avait pas la moindre idée de ce que cela représentait pour Becky.

Becky n'avait qu'à peine su ce que c'était de rire, au cours de sa pauvre petite vie d'esclave. Sara la faisait rire, et riait avec elle, et le rire lui donnait une sensation de plénitude, autant que les pâtés de viande.

Quelques semaines avant le onzième anniversaire de sa naissance, Sara reçut de son père une lettre qui n'avait pas l'air d'avoir été écrite avec autant de gaminerie que d'habitude. Il ne se portait pas très bien et se trouvait évidemment surchargé par les affaires que lui imposaient les mines de diamants.

« Voyez-vous, petite Sara, écrivait-il, votre papa n'est pas du tout un homme d'affaires ; les chiffres et les documents l'assomment. Il n'y comprend rien, et tout lui semble formidable. Peut-être, si je n'avais pas la fièvre, je ne resterais pas réveillé la moitié de la nuit, à me retourner dans mon lit, et je ne passerais pas l'autre moitié en mauvais rêves. Si ma petite demoiselle était ici, je suis sûr qu'elle me donnerait quelques bons conseils solennels, n'est-ce pas, petite demoiselle ? »

Il avait fait des préparatifs extraordinaires pour l'anniversaire de la petite demoiselle. Entre autres choses, il avait commandé à Paris une nouvelle poupée, dont la garde-robe devait être une merveille inouïe de perfection.

En répondant à la lettre qui lui demandait si la poupée lui ferait plaisir, Sara s'était montrée très originale.

— Je deviens bien âgée, écrivait-elle. Celle-ci sera ma dernière poupée. Il y a en elle quelque chose de solennel. Si je savais écrire en vers, je suis sûre qu'un poème intitulé "La Dernière Poupée" serait très joli. Mais je ne sais pas écrire en vers. J'ai essayé et le résultat m'a fait rire, tout simplement. Ça ne ressemblait pas du tout à du Coleridge ou à du Shakespeare. Personne ne pourra jamais prendre la place d'Émilie ; mais j'aurai beaucoup de respect pour la Dernière Poupée et je suis sûre que toute l'école en sera folle ! Elles aiment toutes les poupées, quoique les plus grandes, celles qui ont presque quinze ans, prétendent qu'elles sont trop âgées pour les aimer. »

Le Capitaine Crewe avait un terrible mal de tête quand il lut cette lettre dans son bungalow aux Indes. La table, devant lui, était surchargée de paperasses et de lettres qui l'alarmaient et le remplissaient d'anxiété, mais il se mit à rire comme il n'avait pas ri depuis des semaines.

« Oh ! dit-il, elle est de plus en plus drôle d'année en année. Que Dieu fasse que toute cette affaire tourne bien et me laisse libre de rentrer en Angleterre et de la voir. Qu'est-ce que je ne donnerais pas pour avoir ses petits bras autour de mon cou en ce moment ! »

L'anniversaire devait être célébré par de grandes fêtes. On devait décorer la classe et il y aurait une vraie réception. Les caisses contenant les présents devaient être ouvertes en grande cérémonie et il devait y avoir un goûter mirobolant, servi dans le sanctuaire de Miss Minchin.

Quand le jour arriva, toute la maison était sens dessus dessous. On décorait la classe avec des guirlandes de houx ; on avait enlevé les pupitres et mis des housses rouges sur les bancs rangés autour de la salle le long des murs.

Quand Sara pénétra le matin dans son petit salon, elle trouva sur la table un petit paquet vaguement ficelé dans un bout de papier d'emballage. Elle vit que c'était un présent et elle devina tout de suite de qui il venait ! Elle l'ouvrit, tout émue : c'était une pelote à épingles carrée, faite en flanelle rouge pas très propre, et des épingles à tête noire y avaient été piquées pour former les mots : « Bocou d'eureu aniversère. »

« Oh ! s'écria Sara, avec un sentiment qui lui réchauffait le cœur, quelle peine elle a prise ; je l'aime beaucoup sa pelote, et je suis vraiment touchée. » L'instant d'après, elle était complètement mystifiée. À l'envers de la pelote était épinglée une carte portant en jolie gravure le nom de Miss Amelia Minchin. Sara la tourna et la retourna dans tous les sens. « Miss Amelia Minchin ! pensait-elle, qu'est-ce que cela veut dire ! »

Juste à ce moment, elle entendit pousser la porte avec précaution et elle vit Becky qui la regardait par la fente. Il y avait un sourire heureux et affectueux sur sa figure ; elle entra d'un pas ou deux et demeura immobile en se tirant nerveusement les doigts.

« L'aimez-vous, Miss Sara ? demanda-t-elle. Dites !

— Si je l'aime ! s'écria Sara. C'est vous, gentille Becky, qui l'avez faite toute seule ! »

Becky eut un reniflement de joie et ses yeux se mouillèrent d'émotion.

« C'est jamais qu'un bout de flanelle et encore qu'elle est pas neuve, la flanelle ! Mais j'voulais vous donner que'qu'chose et j'ai fait ça pendant les nuits. J'savais ben qu'vous sauriez faire semblant qu'c'était du satin, avec des épingues de diamant d'sus. J'ai essayé aussi d'faire semblant d'ça quand que j'la faisais. Oui... mais la carte ! J'ai pas eu tort, s'pas, d'la ramasser dans la boîte à ordures ? Miss Melia l'avait j'tée et moi, j'avais pas d'carte à moi et j'savais qu'ça s'rait pas un cadeau distingué, si y avait pas une carte avec. Alors, j'ai pinglé la carte à Miss Melia. »

Sara s'élança vers elle et l'embrassa. « Oh, Becky, cria-t-elle, avec un petit rire tout drôle, je vous aime beaucoup, Becky, beaucoup, beaucoup.

— Oh, Miss, souffla Becky, merci, Miss ; ça n'valait pas ça... La flanelle était pas neuve, vous savez. »

CHAPITRE VII

ENCORE LES MINES
DE DIAMANTS

Quand, dans l'après-midi, Sara pénétra dans la pièce ornée de guirlandes de houx, elle y entra à la tête d'une espèce de procession. Miss Minchin, dans sa plus majestueuse robe de soie, la conduisait par la main. Un domestique la suivait, portant la boîte qui contenait la Dernière Poupée ; une femme de chambre portait une autre boîte et Becky formait l'arrière-garde, portant une troisième boîte et parée d'un tablier propre et d'un bonnet neuf. Sara aurait beaucoup mieux aimé entrer sans tout ce cérémonial, mais Miss Minchin l'avait envoyé chercher et après une entrevue dans son salon particulier, avait exprimé ses désirs : « Ce n'est pas une occasion ordinaire, dit-elle, je désire qu'elle ne soit pas traitée ordinairement. »

Ainsi Sara fut introduite en grande cérémonie et se trouva intimidée quand, à son entrée, les grandes la regardèrent en se poussant le coude et les petites commencèrent à se démener joyeusement sur leurs bancs.

« Silence, Mesdemoiselles ! dit Miss Minchin, au murmure qui s'éleva. James, posez la boîte sur la table et enlevez le couvercle. Emma, mettez votre boîte sur une chaise... Becky ! » cria-t-elle soudain d'un ton rogue. Becky, dans son excitation, avait tout à fait oublié les exigences de sa condition et souriait à Lottie, qui se tortillait dans une attente ravie. Elle lâcha presque sa boîte, tant cette interpellation sévère la surprit et sa révérence effrayée en manière d'excuse fut si comique que Lavinia et Jessie partirent d'un rire qu'elles essayaient de dissimuler.

« Ce n'est pas dans votre rôle de regarder ces demoiselles, continua Miss Minchin. Vous oubliez votre condition ! Posez votre boîte par terre ! »

Becky obéit avec une hâte apeurée et se retira précipitamment vers la porte. « Vous pouvez disposer », annonça Miss Minchin aux domestiques avec un geste de la main.

Becky se mit de côté respectueusement pour permettre aux domestiques supérieurs de sortir les premiers. Elle ne pouvait s'empêcher de jeter des regards de curiosité à la boîte ouverte sur la table.

« S'il vous plaît, Miss Minchin, dit tout à coup Sara, Becky ne pourrait-elle pas rester là ? »

C'était vraiment de la hardiesse ! Miss Minchin eut, malgré elle, un léger sursaut. Elle mit son face-à-main devant ses yeux et regarda d'un air anxieux son élève-réclame.

« Becky ? s'écria-t-elle. Voyons ma chère Sara ! »

Sara s'avança d'un pas vers elle : « Je désire qu'elle reste là, expliqua-t-elle, parce que je sais bien qu'elle aimerait beaucoup voir les cadeaux. Elle aussi, elle est une petite fille, vous savez. »

Miss Minchin fut positivement scandalisée. Elle regardait tantôt l'une, tantôt l'autre.

« Ma chère Sara, dit-elle enfin, Becky est la fille de cuisine. Les filles de cuisine... hem... ne sont pas des petites filles. » En réalité, il ne lui était jamais arrivé de considérer une fille de cuisine sous cet aspect-là.

« Mais Becky en est une ! protesta Sara et je sais qu'elle serait bien contente. Je vous en prie, permettez-lui de rester, parce que c'est mon anniversaire. »

Miss Minchin répondit avec beaucoup de dignité :

« Puisque vous me demandez cela comme une faveur d'anniversaire... elle peut rester. Rebecca, remerciez Miss Sara pour sa grande bonté. »

Becky s'était retirée dans un coin, tortillant le bord de son tablier en une attente pleine d'espoir. Elle avança avec une série de révérences plongeantes ; mais entre les yeux de Sara et les siens passait un regard d'amicale compréhension tandis que ses mots se bousculaient sur ses lèvres : « Oh ! s'i'ous plaît, Miss, c'que j'suis r'connaissante, Miss ! J'avais ben envie d'voir la poupée, Miss, ah oui, qu'j'en avais envie. Merci, Miss et merci aussi Mâme..., continua-t-elle en se tournant vers Miss Minchin avec une nouvelle révérence, pour m'avoir permis d'prendre c'te liberté. »

Miss Minchin eut un nouveau geste de la main, cette fois dans la direction du coin près de la porte. « Allez vous tenir là-bas, commanda-t-elle, pas trop près de ces demoiselles. »

Becky alla à sa place en souriant d'une oreille à l'autre. Ça lui était bien égal qu'on l'envoie là ou ailleurs, pourvu qu'elle ait la chance de rester dans la salle au lieu de redescendre dans la souillarde, au sous-sol, pendant que la fête se déroulait. Miss Minchin s'éclaircit la voix en toussant d'un air majestueux et reprit la parole.

« Maintenant, Mesdemoiselles, j'ai quelques mots à vous dire, annonça-t-elle.

— Elle va nous faire un discours ! chuchota une des grandes. Je voudrais bien que ça soit fini. »

Sara se sentait gênée. Comme la fête était en son honneur, il était probable que le discours allait être en son honneur également.

« Vous savez, Mesdemoiselles, commença le discours, car c'en était bien un, vous savez que notre chère Sara a onze ans aujourd'hui.

— Notre *chère* Sara ! murmura Lavinia.

— Plusieurs d'entre vous ont également eu leurs onze ans ; mais les anniversaires de Sara sont assez différents des anniversaires des autres petites filles. Quand elle sera plus grande, elle sera l'héritière d'une fortune énorme qu'elle aura le devoir de dépenser d'une façon méritoire.

— Les mines de diamants ! » pouffa Jessie derrière sa main.

Sara ne l'entendit pas ; mais comme elle était debout, fixant ses yeux gris-vert sur Miss Minchin, elle sentit le sang lui monter au visage. Quand Miss Minchin parlait argent, elle la détestait cordialement, ce qui l'ennuyait, car ce n'est pas respectueux de détester les grandes personnes.

« Quand son cher papa, le Capitaine Crewe, l'amena des Indes, et la remit à mes bons soins, continuait le discours, il m'a dit, en manière de plaisanterie : J'ai bien peur qu'elle ne devienne très riche, Miss Minchin. Et je lui répondis : Son éducation dans mon institution, Capitaine Crewe, sera telle qu'elle la mettra à la hauteur de la plus grande fortune. Sara est bien devenue mon élève la plus accomplie. Son français et sa danse sont un crédit pour l'institution. Ses manières, qui vous l'ont fait appeler la Princesse Sara, sont parfaites. Son amabilité, elle la manifeste en vous offrant cette charmante réception. J'espère que vous appréciez sa générosité. Je désire que vous lui exprimiez la façon dont vous l'appréciez, en lui disant tout haut, toutes ensemble : Merci, Sara ! »

Toute la classe se leva.

« Merci, Sara ! » crièrent-elles toutes.

Et il faut avouer que Lottie en sautait sur place ! Sara eut l'air embarrassée pendant un moment, puis elle fit une révérence qui était, ma foi, très élégante.

« C'est moi qui vous remercie, dit-elle, d'être venues à ma petite fête.

— Très joli, vraiment, Sara, approuva Miss Minchin. C'est ce que dirait une vraie princesse quand la populace l'applaudit. Lavinia, continua-t-elle d'un air agressif, l'exclamation que vous venez de faire ressemblait fort à une manifestation de mépris. Si vous êtes jalouse de votre compagne, je vous demanderai d'exprimer vos sentiments d'une façon plus distinguée. Maintenant Mesdemoiselles, je vous laisse à vos plaisirs. »

À l'instant même où elle sortit de la classe, d'un pas majestueux qui faisait bruisser sa robe de soie, l'effet de gêne que produisait toujours sa présence se dissipa. La porte était à peine refermée que toutes avaient quitté leurs sièges. Il y eut un véritable assaut vers les boîtes. Sara était penchée sur l'une de celles-ci avec une figure rayonnante.

« Ce sont des livres, j'en suis sûre ! » dit-elle.

Les petites eurent un murmure désappointé, et Ermengarde en resta effarée.

« Est-ce que votre papa vous envoie des livres comme cadeau d'anniversaire ? s'écria-t-elle. Ma foi, il ne vaut pas mieux que le mien. Ne les ouvrez pas, Sara !

— Ils me font plaisir, à moi », fit Sara en riant, mais elle se tourna vers la plus grande boîte. Quand elle en sortit la Dernière Poupée, celle-ci était si magnifique que les enfants laissèrent échapper des cris de joie et s'écartèrent un peu en un petit cercle pour mieux l'admirer.

« Elle est presque aussi grande que Lottie ! » souffla l'une d'elles.

Lottie battait des mains et dansait autour de la poupée en riant aux éclats.

« Elle est en toilette de théâtre, dit Lavinia. Son manteau est doublé d'hermine.

— Oh, mais, s'écria Ermengarde, elle a une jumelle d'opéra à la main, une jumelle bleu et or.

— Voici sa malle, dit Sara. Ouvrons-la pour voir toutes ses toilettes. »

Elle s'assit sur le plancher et tourna la clef de la malle. Les enfants se pressaient autour d'elle avec des cris d'admiration, tandis qu'elle levait l'un après l'autre les plateaux superposés de la malle et en révélait le contenu. Il y avait des cols de dentelle et des bas de soie ; puis ce fut un coffret à bijoux contenant un collier et un diadème qui avaient l'air d'être en vrais diamants ; un grand manteau de loutre avec un manchon ; des robes de bal et des robes de promenades, des robes de visites, des chapeaux et des robes de réception, des éventails. Même Lavinia et Jessie oublièrent qu'elles étaient bien trop grandes pour s'intéresser à une poupée ; elles poussaient des exclamations de joie, et s'emparaient des vêtements pour les mieux examiner.

« Supposons, dit Sara debout près de la table,

supposons qu'elle comprend le langage humain, et qu'elle est fière d'être admirée.

— Il faut toujours que vous supposiez des choses ! dit Lavinia d'un air tout à fait supérieur.

— Je le sais bien, dit Sara sans être aucunement troublée. Ça me fait plaisir. Il n'y a rien de si charmant que de supposer ; on a presque l'air d'une fée : si vous supposez quelque chose avec assez d'intensité, cela a l'air d'être vrai.

— C'est très joli d'imaginer des choses quand rien ne vous manque, dit Lavinia. Pourriez-vous, si vous étiez une mendiante et viviez dans un grenier, supposer des choses, comme ça, ou faire semblant de les avoir ?

Sara s'arrêta d'arranger les plumes d'autruche de la Dernière Poupée et parut pensive.

— Je crois sincèrement que je le pourrais, dit-elle. Si on était une mendiante, on aimerait encore plus à supposer et à *faire semblant*. Mais ce ne serait peut-être pas très facile.

Sara pensa souvent dans la suite comme il était étrange que, juste au moment où elle finissait de dire cela, juste à ce moment, Miss Amelia entra dans la salle.

« Sara, dit-elle, l'homme d'affaires de votre papa, Mr. Barrow, est venu voir Miss Minchin et comme il veut causer avec elle en particulier, et que le goûter est préparé dans notre salon, vous feriez bien de vous y rendre toutes pour votre petit festin, afin que ma sœur puisse recevoir Mr. Barrow dans la classe. »

Il est évident qu'un bon goûter n'est négligeable à aucun moment, et beaucoup de paires d'yeux prirent un vif éclat ! Miss Amelia arrangea les rangs selon le décorum, et avec Sara en tête, elle emmena toutes les fillettes, laissant la Dernière Poupée assise sur une chaise avec les gloires de sa garde-robe éparpillées autour d'elle ; les robes et les manteaux jetés sur le dos des chaises, les piles de lingerie à dentelles entassées sur les sièges.

Becky, qui n'était pas invitée au goûter, eut l'indiscrétion de s'attarder un moment pour voir de plus près toutes ces splendeurs ; c'était bien en effet une indiscrétion !

« Allez à votre travail, Becky », avait dit Miss Amelia. Mais Becky était restée pour ramasser respectueusement d'abord un manchon, puis un manteau et tandis qu'elle les contemplait avec adoration, elle entendit Miss Minchin sur le seuil, et frappée de terreur à la pensée d'être accusée de prendre des libertés, elle se précipita sans réfléchir sous la table dont le long tapis la dissimula entièrement.

Miss Minchin entra, accompagnée par un petit monsieur tout sec, à nez pointu, qui avait l'air plutôt ennuyé.

Miss Minchin elle-même, il faut bien l'admettre, avait l'air fort troublée, et elle regardait le petit monsieur sec avec une expression irritée et embarrassée.

Elle s'assit avec une dignité raide, et lui fit signe de prendre un siège. « Asseyez-vous, je vous prie, Mr. Barrow », lui dit-elle. Mr. Barrow ne s'assit pas tout de suite. Son attention semblait être attirée par la Dernière Poupée et les objets qui l'entouraient. Il assura son lorgnon et regarda tout cela, avec un air de désapprobation nerveuse.

« Au moins cent livres, remarqua succinctement Mr. Barrow. Des tissus chers, et tout cela confectionné par une couturière parisienne. Il dépensait en prodigue, ce jeune homme... »

Miss Minchin en fut offensée. Cela semblait être une critique de son meilleur client : c'était prendre une liberté. Même les hommes d'affaires n'ont aucun droit de prendre des libertés.

« Je vous demande pardon, Mr. Barrow, dit-elle sèchement, je ne comprends pas.

— De tels présents d'anniversaire, dit Mr. Barrow, du même ton critique, pour une enfant de onze ans ! C'est de la folie, de l'extravagance ! Voilà ce que c'est. »

Miss Minchin se redressa avec encore plus de raideur.

« Le Capitaine Crewe est un personnage fortuné, dit-elle ; les mines de diamants, à elles seules... »

Mr. Barrow retourna brusquement sa chaise vers elle : « Les mines de diamants, dit-il froidement, il n'y en a pas. Il n'y en a jamais eu. »

Cette fois, Miss Minchin se leva de son siège.

« Quoi ! s'écria-t-elle. Que voulez-vous dire ?

— En tout cas, répondit d'un air hargneux Mr. Barrow, il aurait bien mieux valu qu'il n'en soit jamais question.

— Pas de mines de diamants ! gémit Miss Minchin, s'agrippant au dossier de sa chaise, avec la sensation que son rêve splendide s'écroulait.

— Les mines de diamants, ça signifie plus souvent la ruine que la fortune, dit Mr. Barrow. Quand un homme se remet entre les mains d'un très cher ami, et qu'il n'est pas lui-même un homme d'affaires, il ferait mieux de se tenir à distance des mines de diamants du très cher ami, de ses mines d'or ou de toute espèce de mines dans lesquelles le très cher ami veut lui faire mettre son argent. Feu le Capitaine Crewe... »

Ici, Miss Minchin l'arrêta avec un cri rauque : « Feu le Capitaine Crewe ! cria-t-elle. Vous n'allez pas me dire que le Capitaine Crewe est...

— Il est mort, Madame, coupa brusquement Mr. Barrow. Il est mort de la fièvre des jungles combinée avec les troubles causés par ses affaires. La fièvre des jungles ne l'aurait peut-être pas tué, s'il n'avait pas été affolé par l'état de ses affaires ; et l'état de ses affaires ne l'aurait sans doute pas emmené dans l'autre monde, si la fièvre des jungles n'y avait contribué. Le Capitaine Crewe est mort, tout simplement. »

Miss Minchin retomba sur sa chaise, les mots qu'elle venait d'entendre l'avaient remplie d'alarmes. « Qu'est-ce que c'était que ces difficultés d'affaires ? dit-elle : qu'est-ce que c'était ?

— Les mines de diamants... répondit Mr. Barrow et le très cher ami... et la ruine finale ! »

Miss Minchin en perdit le souffle. « La ruine ! » fit-elle.

« Perdu jusqu'à son dernier sou. Ce jeune homme avait trop d'argent ; le cher ami s'emballa sur ses mines de diamants. Il y mit tout son argent et tout l'argent du Capitaine Crewe. Puis le cher ami a pris la fuite. Le Capitaine Crewe était déjà atteint de la fièvre quand il apprit la nouvelle. Le choc fut plus qu'il ne pouvait supporter. Il est mort dans le délire en parlant de sa petite fille, et il n'a pas laissé un sou. »

Maintenant, Miss Minchin comprit. Son élève-réclame, son client-réclame, balayés d'un seul coup de son institution de premier ordre ! Cela lui fit l'effet qu'elle était insultée et volée, et que le Capitaine Crewe, Sara et Mr. Barrow étaient également blâmables.

« Alors, vous prétendez me dire, s'écria-t-elle, qu'il n'a rien laissé du tout ? Que Sara n'aura aucune fortune ? Que cette enfant est une mendiante ? Qu'on me laisse sur les bras une gamine dans l'indigence au lieu d'une héritière ?

— Elle est évidemment laissée à la mendicité, répondit-il. Et elle est aussi évidemment laissée sur vos bras, Madame, car elle n'a pas au monde la moindre famille que nous ayons pu découvrir. »

Miss Minchin fit un bond. Elle eut l'air de s'élancer vers la porte pour se précipiter hors de la classe, et aller mettre fin à la fête qui se continuait à ce moment joyeusement, et même bruyamment avec le goûter.

« C'est monstrueux ! dit-elle. Elle est actuellement dans mon salon, en robe de mousseline de soie et en jupons de dentelle, et elle offre un magnifique goûter à mes frais !

— Si elle offre un goûter, Madame ! elle l'offre sans aucun doute à vos frais, dit Mr. Barrow avec calme. La firme Barrow et Skipworth n'est aucunement responsable pour quoi que ce soit. Jamais on n'a vu s'évanouir plus complètement la fortune d'un homme. Le Capitaine Crewe est mort sans nous payer notre dernière note et elle était considérable. »

Miss Minchin revint de la porte dans une indignation croissante. C'était pire que tout ce qu'elle pouvait imaginer.

« Voilà bien ce qui devait m'arriver ! cria-t-elle. J'étais si sûre de ses paiements que j'ai fait pour cette enfant les dépenses les plus ridicules. C'est moi qui ai payé les notes pour cette ridicule poupée et sa ridicule garde-robe. Je devais donner à l'enfant tout ce qu'elle désirait. Elle a une voiture, un poney, une femme de chambre ! Et c'est moi qui ai payé tout cela depuis le dernier chèque ! »

Mr. Barrow, évidemment, n'avait pas l'intention de rester là à écouter les jérémiades financières de Miss Minchin, après avoir établi nettement la position de sa firme, et rapporté les faits dans toute leur sécheresse.

« Vous ferez bien de ne rien payer désormais, Madame, remarqua-t-il, à moins que vous n'ayez l'intention de faire des cadeaux à cette jeune fille. Elle n'a pas un liard qu'elle puisse considérer comme lui appartenant.

— Mais qu'est-ce qu'il faut que je fasse ? demanda Miss Minchin, comme si elle considérait que c'était le rôle de l'homme d'affaires de la tirer de là. Qu'est-ce qu'il faut que je fasse ?

— Il n'y a absolument rien à faire », dit Mr. Barrow en retirant son lorgnon et le glissant dans sa poche. « Le Capitaine Crewe est mort, l'enfant est absolument sans le sou. Personne n'en a la responsabilité sauf vous.

— Mais je n'en ai pas la responsabilité ! Je refuse absolument cette responsabilité. »

Miss Minchin en était pâle de rage. Mr. Barrow fit un pas pour se retirer.

« Ceci ne me regarde en rien, Madame, dit-il sans manifester aucun intérêt. La firme Barrow et Skipworth n'a en cela aucune responsabilité. Désolé que les choses aient tourné ainsi, naturellement.

— Si vous vous imaginez qu'on va me l'imposer de force, vous êtes grandement dans l'erreur, lança Miss Minchin. J'ai été volée, trompée. Je vais la jeter à la rue. »

Si elle n'avait pas été si furieuse, elle aurait été trop discrète pour déclarer cela. Elle se voyait avec le fardeau d'une enfant élevée d'une façon extravagante, qu'elle n'avait jamais aimée et elle perdait tout contrôle sur elle-même. Mr. Barrow continua à marcher sans aucune émotion vers la porte.

« À votre place, Madame, je ne ferais pas cela, commença-t-il, ça ferait mauvais effet ; cela constituerait une histoire désagréable pour votre institution. Pensez donc ! Une élève jetée à la rue alors qu'elle n'a ni un sou, ni un seul parent, ni un seul protecteur. »

C'était un homme d'affaires avisé et il savait ce qu'il disait. Il savait aussi que Miss Minchin était assez femme d'affaires pour comprendre la vérité. Elle ne pouvait évidemment pas se permettre de faire une chose qui ferait parler d'elle comme d'une personne cruelle et sans cœur.

« Mieux vaut la garder et vous servir d'elle, ajouta-t-il. C'est une enfant intelligente, je crois. Vous pourrez beaucoup tirer d'elle quand elle sera plus grande.

— J'espère bien tirer beaucoup d'elle avant qu'elle ne soit plus grande ! s'exclama Miss Minchin.

— Je suis persuadé que vous saurez très bien vous y prendre, dit Mr. Barrow avec un petit sourire sinistre. J'en suis persuadé. Au revoir, Madame. »

Il sortit avec un petit salut et referma la porte.

Il faut avouer que Miss Minchin demeura un instant devant cette porte, à la regarder avec fureur. Ce qu'avait dit Mr. Barrow n'était que trop vrai. Elle n'avait absolument aucun recours. Son élève-réclame s'était complètement évaporée, ne laissant à sa place qu'une petite fille dans la misère et sans amis. Tout l'argent que la directrice avait avancé était perdu sans espoir de le retrouver.

Tandis qu'elle se tenait là, toute pénétrée du tort qu'on lui avait fait, il lui arriva aux oreilles une bouffée de voix joyeuses, venant de son propre sanctuaire transformé en salle de festin. Elle pouvait du moins mettre fin à cet abus.

Pendant qu'elle avançait la main vers la poignée de la porte, celle-ci s'ouvrit devant Miss Amelia qui, apercevant ce visage changé, furieux, recula d'un pas, tout alarmée.

« Qu'est-ce qu'il y a, ma sœur ? » s'écria-t-elle.

La voix de Miss Minchin prit une sonorité vraiment féroce quand elle répondit : « Où est Sara Crewe ? »

Miss Amelia en était tout ahurie. « Sara ? marmonna-t-elle. Ma foi, elle est avec ses compagnes dans votre salon, naturellement.

— A-t-elle une robe noire dans sa somptueuse garde-robe ? » Ceci dit avec une amère ironie.

« Une robe noire ? balbutia de nouveau Miss Amelia ; une *noire* ?

— Elle a des robes de toutes les couleurs. En a-t-elle une noire, oui ou non ? »

Miss Amelia devint toute pâle : « Non... Ah ! si, dit-elle, mais elle est trop courte pour elle. Elle n'a que sa vieille robe de velours noir qui est maintenant bien trop petite.

— Allez lui dire d'enlever cette absurde robe de mousseline de soie rose, et de mettre la noire, trop courte ou non. Elle en a fini avec ses fanfreluches. »

La pauvre Miss Amelia se mit à tordre ses mains grasses et à pleurer. « Oh ma sœur ! pleurnicha-t-elle, oh ma sœur ! qu'est-ce qui est arrivé ?... »

Miss Minchin ne perdit pas de paroles en circonlocutions.

« Le Capitaine Crewe est mort, dit-elle. Il est mort sans le sou. Cette enfant gâtée, volontaire, me retombe sur les bras comme une indigente. »

Miss Amelia tomba lourdement assise sur la chaise la plus proche.

« Des centaines de livres que j'ai dépensées en niaiseries pour elle ! Et je n'en reverrai jamais un sou. Allez mettre fin à cette ridicule réception qu'elle donne ! Allez lui dire de changer sa robe immédiatement.

— Moi ! dit Miss Amelia, la respiration coupée, que... que... j'aille lui dire ça... maintenant ?

— À l'instant même ! fut la réponse catégorique : Ne restez pas à me regarder comme une oie ! Allez ! »

La pauvre Miss Amelia avait bien l'habitude d'être traitée d'oie. Elle savait, en somme, qu'elle était plutôt une oie et que c'était aux oies à faire beaucoup de choses désagréables. C'était assez embarrassant d'aller au milieu d'une salle remplie d'enfants en liesse pour dire à l'hôtesse qui offrait le régal qu'elle venait brusquement de se transformer en petite mendiante, qu'elle devait monter mettre une vieille robe noire trop petite pour elle. Mais il fallait que cela se fasse. Ce n'était pas le moment de discuter la question.

Elle se tamponna les yeux avec son mouchoir et sortit de la pièce sans oser risquer un autre mot. Miss Minchin traversa la salle ; elle se parlait tout haut sans même s'en rendre compte. Au cours de la dernière année l'histoire des mines de diamants lui avait suggéré toutes sortes de possibilités. Même les directrices d'institution pouvaient faire fortune dans des placements avec l'aide de propriétaires de mines. Et aujourd'hui, au lieu d'envisager des bénéfices, elle ne pouvait enregistrer que des pertes. « La Princesse Sara, vraiment ! dit-elle. Cette enfant-là a été gâtée comme si elle était une vraie reine ! » En disant cela, elle passait avec colère à côté de la table et l'instant d'après elle sursauta en entendant un mélange de sanglots et de reniflements qui sortait de dessous le tapis de table.

« Qu'est-ce que c'est que ça ? » glapit-elle, encore plus en colère. Le mélange de sanglots et de reniflements se fit entendre de nouveau. La directrice s'arrêta et releva les plis tombants du tapis de table.

« Comment osez-vous ! cria-t-elle. En voilà une audace ? Sortez de là, tout de suite ! »

Et la pauvre Becky sortit à quatre pattes, son bonnet neuf tombé d'un côté, et la figure toute rouge d'avoir refoulé ses larmes.

« Si vous plaît, Mâme... C'est... c'est moi, Mâme, expliqua-t-elle. J'sais qu'j'aurais pas dû... Mais je r'gardais la poupée, Mâme... Et j'ai eu peur quand qu'vous êtes entrée, et j'm'ai glissée sous la table.

— Alors, vous avez été là tout le temps à nous écouter ? dit Miss Minchin.

— Non, Mâme, protesta Becky, avec des révérences plongeantes, j'écoutais pas... J'ai cru que j'pourrais m'sauver sans qu'vous m'voyiez, mais j'ai pas pu. Il a fallu que j'reste. Mais j'ai pas écouté, Mâme. J'aurais jamais voulu... mais j'ai pas pu pas entendre ! » Puis, tout à coup, comme si elle avait perdu toute crainte de l'imposante personne qui était devant elle, elle éclata en une nouvelle crise de larmes : « Ah, j'sais ben qu'vous allez m'donner mes huit jours, Mâme, mais ça m'fait tant d'peine pour la pauv' Miss Sara, tant d'peine !

— Sortez de cette pièce », ordonna Miss Minchin.

Becky fit une nouvelle révérence, en laissant les larmes lui couler sur les joues. « Oui, Mâme, j'sors, Mâme, dit-elle en tremblant, mais y a queq'chose que j'voulais vous d'mander... Miss Sara, qu'elle a été une demoiselle si riche, et qu'elle a eu des domestiques, qu'est-ce qu'elle va d'venir à c't'heure, sans femme de chambre ? Si... si... qu'vous vouliez m'permette d'la servir quand j'ai fini d'laver mes pots et mes chaudrons... j'peux les faire très vite, v'savez... si qu'vous voudriez m'laisser la servir maint'nant qu'elle est pauv'e... Ah ! pauv'ptite Miss Sara, qu'on l'appelait la Princesse !... » Nouveau déluge de larmes.

Du coup, Miss Minchin fut encore plus furieuse. Elle se mit à frapper du pied.

« Non ! Certainement non ! dit-elle. Elle se servira elle-même et elle servira aussi les autres. Quittez cette pièce immédiatement, ou vous perdrez votre place. »

Becky jeta son tablier sur sa tête et se sauva ; elle courut se réfugier dans sa souillarde, au milieu de ses pots et de ses chaudrons et pleurer comme si son cœur allait se fendre.

Miss Minchin n'avait jamais paru si calme et si douce que quand Sara vint la trouver quelques heures plus tard, en réponse à un message qu'elle lui avait envoyé.

Tous les signes de fête avaient disparu : plus de houx sur les murs de la classe, tables et bancs revenus à leur place. Le salon de Miss Minchin avait repris son aspect habituel, toutes traces du goûter étaient effacées et Miss Minchin avait repris sa robe de tous les jours. Les élèves avaient reçu l'ordre de quitter, toutes, leurs toilettes de fête ; elles étaient retournées en classe et formaient des petits groupes où l'on chuchotait avec excitation.

« Dites à Sara de venir dans mon salon, avait dit Miss Minchin à sa sœur et faites-lui comprendre nettement que je ne veux pas de larmes ou de scènes déplaisantes.

— Ma sœur, répondit Miss Amelia, c'est l'enfant la plus étrange que j'aie jamais vue. Elle n'a pas fait la moindre scène. Quand je lui ai dit ce qui était arrivé, elle est restée silencieuse et m'a regardée sans un mot. Elle est devenue toute pâle. Quand j'ai eu fini de parler, elle m'a encore regardée pendant quelques secondes, puis son menton s'est mis à trembler ; elle s'est alors retournée, elle est sortie de la pièce en courant et montée au premier. Plusieurs des autres enfants se sont mises à pleurer, mais elle n'a pas eu l'air de les entendre, ni de s'occuper d'autre chose que de ce que je lui disais. Ça m'a fait un très drôle d'effet, de voir qu'elle ne me répondait rien. Quand vous dites quelque chose d'extraordinaire et d'inattendu, vous vous attendez que les gens vous disent quelque chose, n'importe quoi ! »

Personne, en dehors de Sara elle-même, ne sut jamais ce qui s'était passé dans sa chambre quand elle y fut arrivée, et eut fermé la porte à clef. Elle-même d'ailleurs ne se souvenait que d'une chose, c'est qu'elle marchait de long en large en répétant sans arrêt : « Mon papa est mort... Mon papa est mort... »

Une fois, elle s'arrêta devant Émilie, qui la regardait, impassible dans son petit fauteuil et elle cria violemment : « Émilie, entendez-vous ? Entendez-vous que mon papa est mort ? Il est mort aux Indes, à des milliers de milles d'ici ! »

Quand elle entra dans le salon de Miss Minchin en réponse à son appel, son visage était blanc, et elle avait des cernes noirs autour des yeux. Ses lèvres étaient serrées comme si elle ne voulait pas qu'elles révèlent ce qu'elle avait souffert et ce qu'elle souffrait encore. Elle ne ressemblait plus du tout à l'enfant-papillon couleur de rose qui tout à l'heure voltigeait de l'un à l'autre de ses trésors, dans la classe décorée.

Elle avait revêtu sans l'aide de Mariette la robe de velours noir mise de côté comme trop petite. Elle était trop courte et trop étroite, cette robe et au-dessous, ses jambes fines paraissaient maigres. Comme elle n'avait pas trouvé un morceau de ruban noir, ses épais cheveux noirs, assez courts, tombaient autour de son visage, dont ils faisaient ressortir la pâleur. Elle tenait Émilie serrée dans ses bras et Émilie était emmaillotée d'étoffe noire.

« Posez là votre poupée, dit Miss Minchin. Qu'est-ce que cela signifie, de l'apporter ici ?

— Non, répondit Sara. Je ne la poserai pas. Elle est tout ce qui me reste ; c'est mon papa qui me l'a donnée. »

Elle avait toujours eu la particularité de mettre Miss Minchin mal à l'aise, et ce fut le résultat maintenant. Elle ne parlait pas avec rudesse, mais plutôt avec une décision froide avec laquelle Miss Minchin ne se sentait pas de force à lutter, d'autant moins qu'elle savait bien que ce qu'elle faisait était d'une personne sans cœur et inhumaine.

« Vous n'aurez à l'avenir pas de temps pour vos poupées ; il vous faudra travailler, vous rendre utile. »

Sara continuait à la regarder de ses grands yeux, mais elle ne dit pas un mot.

« Tout sera pour vous très différent désormais, continua Miss Minchin. Je suppose que Miss Amelia vous a expliqué ce qu'il en est.

— Oui, répondit Sara. Mon papa est mort ; il ne m'a pas laissé d'argent ; je suis tout à fait pauvre.

— Vous n'êtes qu'une mendiante ! cria Miss Minchin, redevenant furieuse à la pensée de ce que cela signifiait pour elle. Il paraît que vous n'avez pas de famille, pas de foyer, personne pour s'occuper de vous. »

Un moment, la petite figure pâle se contracta ; mais Sara ne dit toujours rien.

« Que veut dire ce regard fixe ? demanda aigrement Miss Minchin. Êtes-vous assez stupide pour ne pas comprendre ? Je vous dis que vous êtes seule au monde, sans personne pour vous aider, à moins que moi, je ne décide de vous garder ici par charité.

— Je comprends, répondit Sara d'une voix basse et étranglée, je comprends très bien.

— Cette poupée, cria Miss Minchin, montrant du doigt le splendide présent d'anniversaire, calé sur une chaise voisine, cette poupée ridicule, avec toutes ses toilettes extravagantes et absurdes, c'est moi qui ai payé les notes pour tout cela ! »

Sara tourna la tête vers la chaise. « La Dernière Poupée, dit-elle, la Dernière Poupée... » et sa petite voix désolée eut une intonation étrange.

« Ah, oui, la dernière poupée, vraiment ! dit Miss Minchin. D'ailleurs, elle est à moi, et non à vous. Tout ce que vous prétendez avoir est à moi.

— Alors, s'il vous plaît, emportez-la, dit Sara. Je ne la désire pas du tout. »

Si elle avait pleuré, sangloté, eu l'air épouvantée, Miss Minchin aurait presque pu être plus patiente avec elle. C'était une femme qui prenait son plaisir à dominer, à jouir de son pouvoir. Et en regardant la petite figure pâle mais décidée de Sara, en entendant sa petite voix frêle, elle sentait que sa domination était réduite à zéro.

« Ne prenez pas vos grands airs, dit-elle. Le temps est passé pour cela. Vous n'êtes plus une princesse. Votre voiture et votre poney vont être vendus ; votre femme de chambre, renvoyée. Vous porterez vos vêtements les plus vieux et les plus ordinaires ; vos toilettes extravagantes ne s'accordent plus avec votre situation : vous êtes comme Becky : dès lors, vous devez travailler pour vivre. »

À sa surprise, elle vit dans les yeux de l'enfant comme un rayon de lumière, un air de soulagement.

« Suis-je capable de travailler ? répondit Sara. Si je suis capable de travailler, tout cela n'a plus grande importance. Qu'est-ce que je puis faire ?

— Vous pouvez faire tout ce qu'on vous dira de faire, fut la réponse. Vous êtes une enfant intelligente, et vous acquérez facilement des capacités. Si vous vous rendez utile, je puis vous permettre de rester ici. Vous parlez bien le français et vous pouvez nous aider auprès des petites.

— Vous voulez bien ? s'écria Sara. Oh, s'il vous plaît, laissez-moi essayer. Je sais que je puis leur apprendre bien des choses. Je les aime et elles m'aiment bien.

— Ne dites pas de sottises en prétendant qu'on vous aime bien, dit Miss Minchin. Vous aurez à faire tout autre chose qu'à enseigner aux petites. Vous ferez les commissions et vous aiderez à la cuisine autant qu'en classe et si vous ne donnez pas satisfaction, je vous renverrai. N'oubliez pas cela. Maintenant, allez-vous-en. »

Sara ne dit rien, mais la regarda encore un moment. Dans sa jeune âme, elle remuait des pensées profondes et étranges. Puis elle quitta le salon.

« Arrêtez ! dit Miss Minchin. Ne pouvez-vous pas me dire merci ? »

Sara s'arrêta et ses pensées étranges et profondes lui montèrent aux lèvres : « De quoi ? dit-elle.

— De ma bonté pour vous ! répondit Miss Minchin, de la bonté que j'ai de vous donner un foyer. »

Sara fit deux ou trois pas vers elle. Sa petite poitrine mince se levait et s'abaissait tandis qu'elle parlait d'une façon étrange et farouche qui n'avait rien d'enfantin.

« Vous n'avez pas de bonté pour moi, dit-elle, pas de bonté et ce que vous m'offrez n'est pas un foyer. » Elle se retourna et s'échappa de la pièce avant que Miss Minchin pût l'arrêter, ou faire autre chose que de la regarder s'en aller, avec une colère froide.

Sara monta l'escalier lentement, mais quand même tout essoufflée, serrant Émilie dans ses bras.

« Comme je voudrais qu'elle puisse parler ! disait-elle en la regardant. Si seulement elle pouvait parler ! »

Elle voulait rentrer dans sa chambre, se coucher sur la peau de tigre, avec sa joue sur la tête de ce gros chat, regarder brûler le feu, et réfléchir à toutes sortes de choses. Mais juste au moment où elle arrivait au palier, Miss Amelia sortit de la chambre, referma la porte derrière elle et se tint en travers avec un air de nervosité et d'embarras. La vérité, c'est qu'elle avait secrètement honte d'accomplir ce qu'on lui avait dit de faire.

« Vous... vous ne pouvez pas rentrer ici, dit-elle.

— Ah ? Je ne puis pas y rentrer ? et elle recula de quelques pas.

— Ce n'est plus votre chambre, maintenant », répondit Miss Amelia en devenant toute rouge.

Sara, alors, comprit tout ce qu'avait dit Miss Minchin.

« Où est ma chambre ? demanda-t-elle, faisant tous ses efforts pour que sa voix ne tremble pas.

— Vous coucherez dans la mansarde à côté de celle de Becky. »

Sara savait bien où c'était. Becky le lui avait expliqué ; elle s'écarta et monta deux étages de plus. Le dernier étage de l'escalier était étroit et couvert de morceaux usés de vieux tapis.

Quand elle arriva à la porte de la mansarde et qu'elle l'ouvrit, elle eut un petit battement de cœur. Puis elle referma la porte et regarda autour d'elle. La pièce était mansardée et blanchie à la chaux ; l'enduit était malpropre et écaillé par endroits. Il y avait une grille de foyer rouillée, un vieux lit de fer avec un matelas dur comme une planche et une courtepointe fanée. Quelques meubles trop abîmés pour servir aux autres étages avaient été relégués là. Sous la fenêtre à tabatière ouvrant sur le toit, par où l'on n'apercevait qu'un rectangle de ciel gris et triste, il y avait un vieux tabouret de pieds rouge, boiteux et tout défoncé. Sara alla s'asseoir dessus. Elle pleurait très rarement : dans cette circonstance elle ne pleura pas. Elle posa Émilie sur ses genoux, mit sa figure contre celle de la poupée, ses bras autour d'elle, sa petite chevelure noire étalée sur le maillot noir d'Émilie, sans dire un mot, sans faire le moindre bruit.

Tandis qu'elle était assise là en silence, elle entendit vaguement un petit coup frappé à la porte ; un petit coup si léger et si humble qu'elle ne l'entendit pas tout d'abord et ne s'en rendit bien compte que quand la porte fut poussée tout doucement et une pauvre figure toute barbouillée de larmes s'y montra. C'était celle de Becky et Becky avait pleuré dans un coin pendant des heures et frotté ses yeux avec son tablier de cuisine, ce qui leur avait donné un drôle d'aspect.

« Oh, Miss, dit-elle tout bas, est-ce que j'pourrais... m'permettez-vous... d'entrer un peu ? »

Sara releva la tête et la regarda ; elle essaya de lui sourire, mais elle ne put y arriver. Soudain, et cela à cause de la tristesse affectueuse des yeux larmoyants de Becky, son visage, à elle, ressembla plus à celui d'une enfant qui ne serait pas trop vieille pour son âge. Elle lui tendit la main avec un sanglot.

« Oh, Becky, dit-elle, je vous avais bien dit que nous étions toutes pareilles, rien que deux petites filles, tout simplement deux petites filles. Vous voyez bien que c'était vrai ! Il n'y a plus aucune différence maintenant entre nous : je ne suis plus une princesse ! »

Becky courut à elle et lui saisit la main, qu'elle serra contre sa poitrine ; elle s'agenouilla à côté de Sara et sanglota d'amitié et de chagrin.

« Si, Miss, qu'vous en êtes toujours une, cria-t-elle avec des accents brisés. Quoi qu'ça soit qui vous arrive, vous s'rez bien toujours une princesse et qu'y aurait rien à faire pour qu'vous en soyez pas une ! »

CHAPITRE VIII

DANS LA MANSARDE

La première nuit qu'elle passa dans sa mansarde, Sara ne l'oublia jamais. Elle y vécut des heures de souffrance exaspérée, dont elle ne parla jamais à personne, car personne n'aurait pu la comprendre.

Malgré tout, son esprit était de temps en temps distrait par l'étrangeté de l'endroit où elle se trouvait. S'il n'en avait pas été ainsi, elle n'aurait pas pu supporter ses angoisses, car une seule idée la hantait : « Mon papa est mort... mon papa est mort. »

Longtemps après qu'elle fut couchée, elle se rendit compte que son lit était si dur qu'elle se retournait et s'agitait sans cesse pour trouver une place où reposer. Le vent hurlait sur le toit entre les cheminées comme un être qui se lamentait tout haut. Puis il y eut quelque chose de pire.

Il y eut des bruits de course, des grattements, des petits cris aigus dans les murs et derrière les plinthes. Elle savait ce que c'était parce que Becky lui en avait parlé. Cela voulait dire qu'il y avait là des rats et des souris qui se battaient ou bien jouaient entre eux. Une fois ou deux elle entendit même des petites pattes griffues qui traversaient vivement le plancher et elle se souvint plus tard, qu'en entendant ces courses, elle se dressa dans son lit, y demeura assise et toute tremblante et quand elle se recoucha, elle s'enfouit la tête sous ses couvertures.

Le changement de son existence ne se produisit pas graduellement, mais d'un seul coup.

« Il faut qu'elle commence comme elle doit continuer, avait dit Miss Minchin à Miss Amelia. Il faut qu'elle apprenne immédiatement ce à quoi elle doit s'attendre. »

Quand elle descendit pour déjeuner, elle vit que sa place à côté de Miss Minchin était occupée par Lavinia et Miss Minchin lui parla froidement.

« Vous allez commencer votre nouveau service, Sara, lui dit-elle, en allant vous asseoir à la petite table avec les plus jeunes élèves. Vous devez les faire rester tranquilles, veiller à ce qu'elles se tiennent convenablement et à ce qu'elles ne gaspillent pas la nourriture. Vous auriez dû descendre plus tôt. Lottie a déjà renversé son thé. »

C'était un début et de jour en jour les devoirs qu'on lui imposait s'accumulaient. Elle apprenait le français aux petites, leur faisait réciter leurs autres leçons et c'était là le moindre de ses labeurs. On découvrit qu'on pouvait l'utiliser pour de nombreux services. On pouvait l'envoyer faire des commissions à n'importe quel moment et par n'importe quel temps. On pouvait lui faire faire le travail que d'autres avaient négligé. La cuisinière et les femmes de chambre prenaient à son égard le ton que Miss Minchin employait envers elles ; elles étaient heureuses d'accabler d'ordres « la gosse » dont pendant si longtemps on avait fait un tel cas. Elles trouvaient souvent commode d'avoir sous la main un souffre-douleur, sur qui on pût faire retomber le blâme.

Plus de bonne volonté elle mettait à accomplir les tâches qu'on lui donnait, plus les femmes de chambre devenaient exigeantes et autoritaires et plus la cuisinière grondeuse lui faisait de reproches.

Si elle avait été plus âgée, Miss Minchin lui aurait fait donner des leçons aux plus grandes et aurait réalisé des économies en supprimant une sous-maîtresse. Mais tant qu'elle resterait une enfant, surtout qu'elle en aurait l'air, il serait plus avantageux d'en faire une commissionnaire et une espèce de bonne à tout faire. On pouvait confier à Sara des commissions délicates et des messages compliqués. On l'envoyait même payer des notes et à ces capacités elle ajoutait celle de bien épousseter une pièce et de la mettre en ordre.

Son instruction, il n'en était plus question. On ne lui apprenait plus rien et c'est à peine si après de longues journées de travail, passées à courir çà et là sur l'ordre de tout le monde, on lui permettait parcimonieusement d'aller dans la classe abandonnée, avec une pile de vieux livres pour étudier toute seule une partie de la nuit.

« Si je ne repasse pas ce que j'ai appris, peut-être que je l'oublierai, se disait-elle. Je ne suis plus guère qu'une souillon de cuisine ignorante, je serai juste comme la pauvre Becky. Je me demande si je pourrais oublier absolument tout, me mettre à ne plus me rappeler qu'Henri VIII a eu six femmes. »

Une des choses les plus curieuses dans sa nouvelle existence, c'était son changement de situation envers les élèves. Au lieu d'être parmi elles une sorte de personnage royal, elle ne semblait même plus appartenir à leur caste. Elle était si continuellement à son travail de servante que c'est à peine si elle avait jamais l'occasion de parler à l'une ou à l'autre et elle voyait bien que Miss Minchin préférait qu'elle vécût une vie complètement étrangère à celle des élèves.

« Je ne veux pas qu'elle contracte des amitiés avec les autres enfants et leur parle, disait la directrice. Les filles aiment à se plaindre et si elle se met à raconter des histoires romantiques sur sa situation, elle deviendra une héroïne maltraitée et les parents en auront des impressions fausses. Il vaut mieux qu'elle mène une existence entièrement distincte, une existence en rapport avec sa position. Je lui donne un foyer et c'est plus que ce qu'elle avait le droit d'attendre de moi. »

Sara d'ailleurs n'en attendait pas grand-chose. Elle était bien trop fière pour chercher à continuer une intimité avec des jeunes filles qui visiblement étaient embarrassées et hésitantes envers elle. Le fait est que les élèves de Miss Minchin avaient l'habitude de vivre dans la richesse et le confort. Au fur et à mesure que les robes de Sara devenaient plus étriquées et plus minables, qu'elle portait, le fait était certain, des souliers percés, qu'on l'envoyait chercher de l'épicerie et rapporter ses emplettes dans un panier à son bras, elles eurent l'impression qu'en lui parlant, elles s'adressaient à une domestique inférieure.

« Et dire qu'elle était la fille aux mines de diamants ! commentait Lavinia. Elle a l'air d'une miséreuse et elle est encore plus bizarre que jamais. Je ne l'aimais pas beaucoup, mais je ne puis supporter cette manière qu'elle a maintenant de regarder les gens sans leur parler, juste comme si elle les épiait.

— C'est justement ce que je fais ! dit vivement Sara quand elle apprit cette appréciation de Lavinia. C'est pour cela que je regarde ainsi certaines personnes. J'aime à savoir d'elle tout ce que je peux, et à en profiter ensuite. »

La vérité, c'est qu'elle s'était évité certains ennuis en tenant l'œil sur Lavinia toujours prête à lui faire des niches.

Sara, elle, travaillait comme un manœuvre ; elle trottait dans les rues trempées en portant des paquets et des paniers, elle luttait contre l'inattention enfantine des petites à leurs leçons de français et elle devenait de jour en jour plus fanée et plus minable dans sa tenue. Quand cela devint trop marquant, on lui dit qu'elle ferait mieux de prendre ses repas au sous-sol. Elle en souffrait, mais n'en était que plus fière et personne n'en savait rien.

« Les soldats ne se plaignent pas, disait-elle entre ses petites dents serrées. Je ne me plaindrai pas non plus, je *ferai semblant* que je vis un épisode de guerre. » Mais il y avait des heures où son cœur était près de se briser dans son isolement.

L'abandon, pourtant, n'était pas général ; il y avait trois exceptions.

La première était, avouons-le, Becky, rien que Becky. D'un bout à l'autre de cette première nuit passée dans la mansarde, Sara avait ressenti une vague consolation, en sachant que, de l'autre côté de la cloison il y avait la pauvre Becky. Et pendant les nuits suivantes, la consolation s'affirma. Elles n'avaient guère d'occasions de se parler dans la journée. Chacune avait son travail absorbant, et toute tentative de conversation aurait été regardée comme une tendance à traîner et à perdre son temps.

« Vous occupez pas d'moi, Miss, lui chuchota Becky pendant la première matinée. Vous fâchez pas si j'vous dis rien d'poli. On nous tomb'rait d'sus si que j'f'rais ça, j'veux dire des choses comme : s'i'ou'plaît... et : ben l'merci... et : d'mande pardon. Mais j'os'rais pas vous l'dire. »

Mais avant le point du jour, elle se glissait dans la mansarde de Sara, lui boutonnait sa robe et lui donnait toute l'aide dont elle avait besoin, avant de descendre allumer le feu de la cuisine. Et quand venait la nuit, Sara entendait toujours l'humble petit coup à sa porte, qui lui disait que sa femme de chambre était prête à lui rendre service si elle en avait besoin. Durant les premières semaines de son chagrin, Sara avait l'impression qu'elle était trop ahurie pour causer, de sorte qu'il se passa un certain temps avant qu'elles se fréquentent beaucoup ou se fassent des visites. Le cœur de Becky lui faisait comprendre qu'il valait mieux laisser tranquilles les gens dans l'affliction.

La seconde du trio de consolatrices était Ermengarde, mais il se passa des choses bizarres avant qu'Ermengarde remplît ce rôle.

Quand l'esprit de Sara sembla se réveiller et rentrer dans la vie qui l'entourait, elle se rendit compte qu'elle avait totalement oublié qu'il existait au monde une Ermengarde. Elles avaient été amies, mais Sara avait toujours eu l'impression d'être son aînée de plusieurs années. Il n'y avait pas à se dissimuler qu'Ermengarde était aussi terne d'esprit qu'elle était affectueuse. Elle était attachée à Sara d'une manière simple, abandonnée. Mais, elle-même, elle n'avait rien d'intéressant à dire et elle avait horreur des livres, quels qu'ils soient. Ce n'était pas, en somme, une personne à laquelle on pouvait penser quand on était emporté dans une grande douleur, et Sara l'avait oubliée.

Elle l'avait d'autant plus facilement oubliée qu'Ermengarde avait été rappelée pendant plusieurs semaines dans sa famille. Quand elle revint, elle ne vit pas Sara le premier et le second jour, et, quand elle la rencontra pour la première fois, ce fut dans un corridor. Sara avait les bras pleins de vêtements qu'elle descendait au sous-sol pour les raccommoder. Elle était toute pâle et ne se ressemblait plus guère, habillée qu'elle était dans sa robe trop courte qui laissait voir si long de jambes minces en bas noirs.

Cette vue rendit Ermengarde toute malheureuse, mais elle ne trouva rien d'autre qu'un petit rire nerveux et une exclamation insignifiante : « Ô Sara, c'est vous ?

— Oui », répondit Sara, et soudain une pensée étrange lui traversa l'esprit et fit rougir son visage. Quelque chose dans le regard droit de ses yeux fit perdre encore davantage la tête à Ermengarde. Sara lui parut être changée en une autre fille qu'elle n'avait jamais connue.

« Oh !... balbutia-t-elle, comment... comment allez-vous ?

— Je n'en sais rien, répondit Sara. Et vous ? Comment allez-vous ?

— Je... je vais très bien », dit Ermengarde de plus en plus intimidée ; puis brusquement il lui vint à l'idée de dire quelque chose qui ait l'air plus intime : « Êtes-vous... êtes-vous très malheureuse ? » lança-t-elle.

Sara alors commit une réelle injustice. À ce moment, son cœur déchiré se gonfla et elle se dit que si quelqu'un était si stupide que cela, le mieux, c'était de s'en éloigner.

« Qu'en pensez-vous ? dit-elle. Croyez-vous que je sois très heureuse ? »

Elle continua son chemin, s'éloignant d'Ermengarde sans une autre parole.

Avec le temps, elle se rendit compte que si sa misère ne lui avait pas fait tout oublier, elle aurait compris que cette pauvre lourde Ermengarde n'était pas à blâmer pour ses manières gauches et lentes. Elle avait toujours été gauche, et plus elle était émue, plus cela la rendait stupide. Mais la pensée soudaine qui avait envahi Sara avait exaspéré sa sensibilité : « Elle est comme les autres, avait-elle pensé. Elle n'a aucune envie de me parler. »

Ainsi, pendant plusieurs semaines, une barrière se dressa entre elles. Quand elles se rencontraient par hasard, Sara détournait la tête, et Ermengarde se sentait trop gênée pour rien dire. Quelquefois elles se faisaient un petit signe de tête au passage, mais bien souvent il n'y avait aucun signe de reconnaissance.

« Si elle aime mieux ne pas me parler, pensait Sara, j'éviterai de me trouver sur son passage. C'est une chose que Miss Minchin me facilite assez. »

Miss Minchin facilitait tellement la chose, qu'à la longue elles s'aperçurent très rarement. Tout le monde remarqua, à ce moment-là, qu'Ermengarde était plus stupide que jamais, qu'elle avait l'air malheureuse et ne savait que faire. Elle allait généralement s'asseoir sur le siège d'embrasure, tout écroulée en tas, et regardant vaguement par la fenêtre sans parler à personne. Une fois, Jessie, en passant, s'arrêta pour la regarder curieusement.

« Pourquoi pleurez-vous, Ermengarde ? lui demanda-t-elle.

— Je ne pleure pas, répondit Ermengarde d'une voix voilée et hésitante.

— Mais si, vous pleurez ! dit Jessie, une grosse larme vient juste de couler le long de l'arête de votre nez et de tomber en arrivant au bout. Et tenez, en voilà une autre.

— Eh bien, dit Ermengarde, c'est parce que je suis malheureuse et ça ne regarde personne. » Sur ce, elle lui tourna son gros dos rond, sortit son mouchoir et y enfouit sa grosse face sans plus dissimuler.

Ce soir-là, quand Sara remonta à sa mansarde, il était plus tard que d'habitude. Elle avait eu du travail jusqu'après l'heure à laquelle les élèves montaient se coucher, puis ensuite elle était allée étudier dans la classe vide. Quand elle arriva en haut de l'escalier, elle fut surprise de voir un rai de lumière sous la porte de sa mansarde.

« Personne n'entre là sauf moi, pensa-t-elle, et pourtant quelqu'un y a allumé une bougie ! »

En effet, quelqu'un y avait allumé une bougie et cette bougie ne brûlait pas dans un chandelier de cuisine dont on se servait là-haut, mais dans un bougeoir appartenant à une chambre de pensionnaire. Le quelqu'un, assis sur le tabouret de pieds boiteux, était en chemise de nuit et enveloppé dans un grand châle rouge : c'était Ermengarde.

« Ermengarde ! » s'écria Sara. Elle était si surprise qu'elle en était presque effrayée. « Vous allez vous faire des ennuis ! »

Ermengarde se leva lourdement de son tabouret, elle traversa la mansarde en traînant les pieds dans ses pantoufles sans quartier, ses yeux et son nez étaient rouges d'avoir pleuré.

« Je sais bien que j'en aurai, dit-elle, au moins si l'on me découvre, mais ça m'est égal, oui, ça m'est bien égal. Oh, Sara, dites-moi, je vous en prie, qu'est-ce qu'il y a ? Pourquoi ne m'aimez-vous plus ? »

À l'accent de cette voix, Sara sentit sa gorge se serrer. Elle était si affectueuse, si simple ! C'était bien cette même Ermengarde qui lui avait demandé un jour d'être « bonnes amies ».

« Mais je vous aime toujours bien, répliqua Sara. J'ai cru... Vous voyez bien comme tout est changé, maintenant... J'ai cru... que vous aussi vous étiez changée. »

Ermengarde ouvrit tout ronds ses yeux trempés de larmes.

« Mais non ! C'était vous qui étiez changée ! criat-elle. Vous ne vouliez pas me parler. Je ne savais pas comment faire. C'est vous qui étiez toute différente quand je suis revenue. »

Sara réfléchit un moment, elle vit qu'elle s'était trompée.

« C'est vrai que je suis changée, expliqua-t-elle, mais non de la manière que vous croyez. Miss Minchin n'aime pas que je parle aux élèves ; la plupart d'entre elles ne désirent pas me parler. J'ai pensé que peut-être vous n'y teniez pas. Alors, j'ai essayé d'éviter de vous rencontrer.

— Oh, Sara », gémit Ermengarde dans son désarroi. Et après avoir échangé un nouveau regard, elles se jetèrent dans les bras l'une de l'autre. La petite tête noire de Sara reposa pendant quelques minutes sur l'épaule recouverte du châle rouge. Quand Ermengarde avait paru se détacher d'elle, elle s'était sentie affreusement isolée.

Ensuite, elles s'assirent toutes deux sur le plancher, Sara entourait ses genoux de ses bras et Ermengarde se balançait, enroulée dans son châle rouge. Elle contemplait avec adoration l'étrange petit visage aux grands yeux.

« Je ne pouvais plus supporter ça, dit-elle. Bien sûr, vous pouviez vous passer de moi, Sara, mais moi, je ne pouvais pas me passer de vous. Aussi, ce soir, comme je pleurais sous mes couvertures, j'ai pensé tout d'un coup à grimper ici pour vous demander que nous soyons toujours amies.

— Vous valez mieux que moi, dit Sara. J'étais trop fière pour vous demander de rester mon amie. Vous voyez, maintenant que les épreuves sont venues, elles ont montré que je n'étais pas une bonne enfant. J'avais peur que cela n'arrive. Peut-être, ajouta-t-elle, c'est pour cela qu'elles m'ont été envoyées !

— Moi, je n'y vois aucun intérêt, fit Ermengarde avec décision.

— Moi non plus, à dire vrai, admit Sara franchement, mais je suppose qu'il peut y avoir du bon dans les choses, même si nous ne le voyons pas. Peut-être même — mais cela avec un certain doute — il peut y avoir du bon en Miss Minchin ! »

Ermengarde regardait la mansarde d'un air de curiosité effrayée.

« Sara, dit-elle, croyez-vous que vous puissiez supporter d'habiter ici ? »

Sara à son tour regarda la pièce. « Si je *fais*

semblant que tout est différent, je le peux, dit-elle, ou bien si je *fais semblant* que c'est un endroit dans une histoire. » Elle parlait lentement. Son imagination commençait à agir comme elle ne l'avait pas encore fait depuis ses malheurs, elle lui avait paru endormie.

« D'autres gens ont vécu dans des endroits pires que celui-là. Pensez au Comte de Monte-Cristo dans les donjons du Château d'If. Et songez aux prisonniers de la Bastille !

— La Bastille... » murmura Ermengarde en regardant Sara, et en commençant déjà à être fascinée. Elle se rappelait des histoires de la Révolution française que Sara avait fini par lui fixer dans l'esprit grâce aux récits dramatiques qu'elle en faisait. Seule, Sara avait été capable d'obtenir un tel résultat.

Un éclat bien connu jadis reparut dans les yeux de Sara. « Oui, dit-elle, toujours serrant ses genoux dans ses bras et se balançant. Ce sera bien l'endroit où il faut faire semblant d'être, ici. Je suis prisonnière à la Bastille. Il y a des années et des années que j'y suis : tout le monde m'a oubliée. Miss Minchin est le geôlier et Becky — ici une nouvelle lumière d'amusement parut dans ses yeux — Becky est la prisonnière du cachot voisin. »

Elle se tourna vers Ermengarde : cette fois elle était redevenue absolument l'ancienne Sara. « Je vais faire semblant de cela, continua-t-elle, ce sera un grand réconfort. »

Ermengarde était à la fois ravie et épouvantée.

« Et vous me raconterez tout sur la Bastille ? dit-elle. Est-ce que je pourrai monter ici le soir, quand il n'y aura pas de danger et écouter tout ce que vous aurez imaginé dans la journée ? comme ça, on aura l'air d'être les meilleures amies du monde.

— Oui, répondit Sara. L'adversité éprouve les peuples, la mienne vous a éprouvée et a montré combien vous êtes gentille. »

CHAPITRE IX

MELCHISSEDECH

Le troisième membre du trio consolateur était Lottie. Elle était encore très enfant et les changements qu'elle voyait chez sa jeune mère adoptive étaient pour elle incompréhensibles. Le bruit avait couru qu'il était arrivé à Sara des choses étranges, mais elle ne comprenait pas pourquoi Sara avait un aspect différent : pourquoi elle portait une vieille robe noire et ne venait en classe que pour enseigner aux autres au lieu d'occuper sa place d'honneur et d'apprendre pour elle-même. On avait beaucoup chuchoté, chez les petites, quand on avait découvert que Sara n'habitait plus les pièces où Émilie avait si longtemps siégé en majesté. La principale difficulté de Lottie tenait à ce que Sara ne disait presque rien quand on lui posait des questions. À sept ans, il faut que l'on vous explique très clairement les mystères, si l'on veut que vous les compreniez.

« Êtes-vous très pauvre, maintenant, Sara ? » demanda-t-elle confidentiellement le premier matin où son amie prit en charge la petite classe de français. « Êtes-vous aussi pauvre qu'une mendiante ? » Elle mit sa grosse petite patte dans la main fine de Sara en ouvrant de grands yeux larmoyants. « Je ne veux pas que vous soyez aussi pauvre qu'une mendiante ! » Elle allait se mettre à pleurer : Sara se hâta de la consoler.

« Les mendiantes, elles n'ont pas de maison pour y habiter, dit-elle courageusement, moi j'ai un endroit où habiter.

— Où habitez-vous ? continua Lottie. C'est la

nouvelle qui couche dans votre chambre, qui n'est plus du tout aussi jolie.

— J'habite dans une autre chambre, dit Sara.

— Est-ce qu'elle est jolie ? demanda Lottie. Je veux aller la voir.

— Il ne faut pas parler, dit Sara. Miss Minchin nous regarde, elle sera fâchée contre moi si je vous laisse parler. »

Elle s'était déjà rendu compte qu'elle serait tenue responsable de tout ce qui n'irait pas tout droit. Si les petites n'étaient pas attentives, si elles causaient, si elles remuaient, c'était elle qui serait blâmée.

Mais Lottie était une petite personne très décidée. Si Sara ne voulait pas lui dire où elle habitait, elle saurait bien le trouver toute seule. Elle interrogeait ses petites compagnes, elle tournait autour des grandes et les écoutait bavarder. Aussi, agissant d'après certaines informations qu'elles avaient laissé échapper sans s'en rendre compte, un après-midi, vers le soir, Lottie partit pour un voyage de découvertes ; elle monta un escalier dont jusque-là elle avait ignoré l'existence et atteignit l'étage des mansardes. Là, elle découvrit deux portes l'une près de l'autre et en ouvrant une, elle vit sa chère Sara debout sur une vieille table et regardant par une drôle de fenêtre.

« Sara ! cria-t-elle, tout affolée, maman Sara ! » Elle était affolée parce que la mansarde était si nue et si laide et semblait si en dehors du monde habité. Cela lui faisait l'effet que ses courtes jambes avaient grimpé des centaines d'étages.

Au son de sa voix, Sara se retourna. Ce fut à son tour d'être affolée. Qu'allait-il arriver ? Si Lottie se mettait à pleurer tout haut et qu'on l'entende, elles étaient perdues toutes les deux. Elle sauta de sa table et courut à l'enfant.

« Ne pleurez pas, ne faites pas de bruit, implora-t-elle. Je serai grondée si vous faites du bruit et j'ai déjà été grondée toute la journée. C'est... ce n'est pas une si vilaine chambre, Lottie.

— Elle n'est pas vilaine ? » fit Lottie sans comprendre pourquoi ; mais tout en inspectant la chambre, elle se mordait les lèvres. Elle était toujours l'enfant gâtée ; mais elle aimait assez sa mère adoptive pour faire un effort et se calmer dans son intérêt. D'ailleurs, cela lui paraissait très possible qu'une place où Sara habitait pût être, en somme, une place agréable. « Comment n'est-elle pas vilaine ? » dit-elle tout bas.

Sara la prit dans ses bras et fit un effort pour rire.

« D'ici, vous pouvez voir des quantités de choses que vous ne verriez pas d'en bas, dit-elle.

— Qu'est-ce qu'on peut voir ? » demanda Lottie avec cette curiosité que Sara savait toujours éveiller, même chez des filles beaucoup plus grandes.

— Des cheminées ; on les voit de tout près, avec la fumée qui en sort en guirlandes et en nuages qui montent dans le ciel, et des moineaux qui sautillent partout et qui bavardent entre eux, juste comme s'ils étaient des personnes et d'autres fenêtres de mansardes où, à n'importe quel instant, des têtes peuvent se montrer et alors on se demande à qui elles appartiennent. Et tout cela, c'est si haut, si haut, qu'on se croit dans un autre monde.

— Oh, laissez-moi voir ! s'écria Lottie, faites-moi monter sur la table. »

Sara la fit monter et elles restèrent debout sur la vieille table, appuyées sur le rebord de la fenêtre à tabatière et regardèrent sur le toit. Les ardoises s'étendaient des deux côtés des spectatrices et descendaient en pente jusqu'aux chéneaux des gouttières. Les moineaux, qui là se sentent chez eux, pépiaient et sautillaient partout sans la moindre crainte. Deux d'entre eux, perchés sur le haut de la cheminée la plus proche, se querellaient violemment, jusqu'à ce que l'un d'eux vînt donner de grands coups de bec à l'autre et le chassa de la cheminée. La fenêtre de mansarde la plus voisine de la leur était fermée parce que la maison d'à côté était inhabitée.

« Je voudrais bien que quelqu'un habite là, dit Sara. C'est si près que s'il y avait une petite fille dans la mansarde, nous pourrions causer par les fenêtres et grimper nous faire des visites par le toit, si nous n'avions pas peur de tomber. »

De cette fenêtre dans le toit, entre les cheminées, les choses qui se passaient dans le monde inférieur semblaient presque irréelles. On croyait à peine à l'existence de Miss Minchin, de Miss Amelia et de la salle de classe.

« Oh, Sara ! cria Lottie, se serrant dans le bras protecteur qui l'entourait, je l'aime, cette mansarde ; je l'aime beaucoup : c'est bien plus joli qu'en bas !

— Regardez ce moineau, chuchota Sara. Je voudrais bien avoir des miettes à lui jeter.

— J'en ai, moi, flûta la petite voix de Lottie. J'ai un morceau de brioche dans ma poche. J'en ai acheté une hier avec mes deux sous, et j'en ai gardé un petit bout ! »

Quand elles lui lancèrent quelques miettes, le moineau s'envola sur la cheminée voisine. Évidemment, il n'avait pas d'amis intimes dans les mansardes et ces miettes inattendues lui faisaient peur. Mais Lottie resta absolument immobile et quand Sara se mit à gazouiller tout doucement, presque comme si elle était elle-même un moineau, il comprit que ce qui l'avait alarmé représentait, somme toute, de l'hospitalité. Il pencha sa tête de côté, et, de son perchoir sur la cheminée, il regarda en bas les miettes avec la petite perle noire et brillante de son œil rond. Lottie avait bien du mal à ne pas bouger !

« Va-t-il venir ?... Va-t-il venir ? murmurait-elle.

— Son œil semble bien dire qu'il va venir, souffla Sara en réponse. Il réfléchit ; il se demande s'il va oser... Oui, il va oser... le voilà qui vient ! »

Il vola à bas de la cheminée et sautilla vers les miettes, mais s'arrêta à quelques pouces de celles-ci, mettant de nouveau sa tête de côté, comme s'il réfléchissait sur les chances qu'il y avait que Sara et Lottie soient en somme de gros chats et sautent sur lui. À la fin, son cœur de moineau lui dit qu'elles valaient mieux qu'elles n'en avaient l'air et il sautilla de plus en plus près, puis se précipita sur la plus grosse miette avec la rapidité de l'éclair, la saisit et l'emporta de l'autre côté de sa cheminée.

« Maintenant, il sait ce qu'il en est, dit Sara et il reviendra chercher les autres. »

En effet, il revint et amena même avec lui un ami. L'ami s'en alla, mais ramena bientôt un cousin et à eux trois, ils firent un bon repas en gazouillant, en jacassant, en poussant des exclamations, s'arrêtant de temps à autre pour mettre leur tête de côté et examiner Lottie et Sara. Lottie était si enchantée qu'elle oublia complètement l'impression choquante que lui avait faite la mansarde. Quand Sara la descendit de la table, elle sut lui montrer dans la pièce beaucoup de beautés, dont elle-même, d'ailleurs, n'avait jamais soupçonné l'existence.

« C'est si petit et si haut placé, lui dit-elle, que c'est presque comme un nid dans un arbre. Le plafond est bien drôle aussi, tout en pente. Regardez, c'est à peine si vous avez la place de vous tenir debout à ce bout-ci de la chambre. Et quand le matin commence à paraître, je peux rester dans mon lit et regarder tout droit dans le ciel par cette fenêtre plate qui est dans le toit. Ça fait un grand carré de lumière. Si le soleil va briller, de petits nuages roses flottent partout : on dirait que je vais pouvoir les attraper ! Et s'il pleut, les gouttes crépitent, crépitent comme si elles se racontaient des histoires amusantes ! Puis, regardez donc cette petite grille rouillée dans la cheminée. Si elle était bien frottée et qu'il y ait du feu dedans, pensez donc comme ça serait gentil. »

Elle faisait le tour de la chambre en tenant Lottie par la main et faisant des gestes qui évoquaient toutes les jolies choses qu'elle lui faisait voir. Et Lottie les voyait absolument : Lottie croyait toujours aux choses que Sara lui décrivait.

« Vous voyez, disait-elle, il pourrait y avoir par terre un joli tapis indien en douce laine bleue. Dans ce coin-là, il pourrait y avoir un petit sofa bien moelleux ; au-dessus, il y aurait un joli rayon plein de livres qu'on pourrait prendre sans se déranger ; il y aurait de jolis coussins sur le sofa et rien n'empêcherait de mettre un petit tapis de fourrure, juste devant la cheminée, des tentures sur les murs pour cacher l'enduit à la chaux et des tableaux. Il faudrait que ce soit de petits tableaux, mais ça ne les empêcherait pas d'être beaux ; il y aurait une lampe avec un grand abat-jour rose, une table au milieu avec un service à thé, une petite bouilloire de cuivre, toute en boule, qui chanterait sur le foyer. Le lit pourrait bien être arrangé autrement ; on y mettrait une jolie courtepointe en soie ; oh, ce serait bien joli. Et peut-être nous pourrions apprivoiser les moineaux au point d'en faire tellement nos amis qu'ils viendraient donner des coups de bec à la fenêtre, pour qu'on les laisse entrer.

— Oh ! Sara, s'écria Lottie, je voudrais bien habiter dans cette mansarde. »

Quand Sara l'eut persuadée de redescendre et, après l'avoir mise sur le chemin, rentra dans sa mansarde, elle se tint un moment au milieu et regarda autour d'elle. L'enchantement de son imagination pour Lottie avait disparu. Le lit était aussi dur et couvert de sa courtepointe souillée. Le mur blanchi à la chaux montrait toujours ses parties éraillées. Le plancher était froid et nu ; la grille était cassée et rouillée et le tabouret défoncé penchait d'un côté sur sa patte cassée et c'était le seul siège qu'il y eût dans la pièce. Elle s'assit dessus pendant quelques minutes et laissa tomber sa tête dans ses mains. Le simple fait que Lottie était venue et repartie faisait paraître la réalité encore plus triste.

« Comme elle est solitaire, cette chambre, dit-elle. Souvent, c'est la chambre la plus solitaire au monde ! »

Elle était encore assise sur son tabouret quand son attention fut attirée par un petit bruit tout près d'elle. Elle leva la tête pour voir d'où il venait ; si elle avait été une enfant nerveuse, elle aurait quitté précipitamment son tabouret défoncé... Un gros rat était dressé sur son arrière-train et reniflait l'air, d'une mine très intéressée. Quelques-unes des miettes de Lottie étaient tombées sur le plancher et leur odeur l'avait fait sortir de son trou.

Il avait l'air si bizarre et ressemblait tellement à un

nain ou à un gnome à moustaches grises, que Sara fut fascinée. Il la regardait avec ses yeux brillants comme s'il voulait lui poser une question. Il avait l'air si embarrassé qu'une de ses drôles d'idées vint à l'esprit de Sara.

« Je suis sûre que c'est très pénible d'être un rat, se disait-elle. Personne ne vous aime. Les gens en vous voyant bondissent et se sauvent en criant : Oh ! l'horrible rat ! Moi, je n'aimerais pas que les gens bondissent et se sauvent en me voyant, en criant : Oh ! l'horrible Sara !... Ni que les gens me dressent des pièges en voulant me faire croire que c'est mon dîner. Ce serait bien différent d'être un moineau. Mais personne n'a demandé à ce rat s'il voulait bien être un rat, quand il est né. Personne ne lui a dit : N'aimeriez-vous pas mieux être un moineau ? »

Elle était restée si immobile que le rat commença à se rassurer. Il avait très peur d'elle ; mais peut-être avait-il un cœur, comme le moineau, qui lui disait que Sara n'était pas un de ces êtres qui vous sautent dessus. Il avait aussi grand-faim ; il possédait une épouse et une nombreuse famille dans la muraille et ils avaient eu bien de la malchance pendant plusieurs jours. Il avait laissé ses enfants poussant des cris de faim et se disait qu'il était prêt à risquer beaucoup pour quelques miettes ; aussi il se remit avec précaution sur ses quatre pattes.

« Allons, venez, lui dit Sara. Je ne suis pas une ratière. Vous pouvez prendre les miettes, pauvre bête. Les prisonniers à la Bastille se faisaient souvent des amis avec les rats. Supposons que je me lie avec vous. »

Comment il se fait que les animaux comprennent les choses, je n'en sais rien ; mais il est certain qu'ils les comprennent. Peut-être y a-t-il un langage qui n'est pas fait de mots et que tous les êtres du monde comprennent. Mais, quelle qu'en soit la raison, le rat sut dès ce moment qu'il n'y avait pas de danger, même pour un rat. Il sut que cette jeune créature humaine assise sur le tabouret rouge défoncé n'allait pas sauter en l'air, le terrifier avec des bruits sauvages et assourdissants, ni lui lancer des objets pesants qui, s'ils ne tombaient pas sur lui et ne l'écrasaient pas, le feraient au moins décamper au plus vite vers son trou. Quand il s'était dressé sur son arrière-train en reniflant, avec ses yeux brillants fixés sur Sara, il avait espéré qu'elle comprendrait ce qu'il était et ne commencerait pas par le haïr comme un ennemi. Quand la puissance mystérieuse qui parle sans employer de mots lui eut dit qu'elle ne le haïrait pas, il trottina tout doucement vers les miettes et commença à les manger. Tout en les grignotant, il regardait de temps en temps Sara, tout comme avaient fait les moineaux et il avait tellement l'air de lui faire des excuses qu'elle en fut touchée.

Elle demeurait assise et l'examinait sans faire le moindre mouvement. Une miette était beaucoup plus grosse que les autres ; en fait, c'est à peine si l'on pouvait appeler cela une miette. Il est évident qu'il avait grande envie de ce morceau ; mais le morceau était si près du tabouret que l'animal demeurait, malgré tout, intimidé.

« Je crois bien qu'il veut le morceau pour le porter à sa famille dans le mur, pensait Sara. Si je ne bouge pas du tout, il viendra peut-être le chercher. »

C'est à peine si elle osait respirer, tant cela l'intéressait. Le rat se glissa un peu plus près, mangea encore quelques miettes, puis s'arrêta et renifla tout doucement, regardant du coin de l'œil l'occupante du tabouret ; puis il se précipita sur le morceau de brioche avec une hardiesse comparable à celle du moineau et dès l'instant qu'il l'eut en sa possession, il s'enfuit vers le mur, se glissa par un trou dans la plinthe et disparut.

Environ une semaine plus tard, par une des rares soirées où Ermengarde crut pouvoir se risquer sans danger jusqu'à la mansarde, lorsqu'elle frappa un petit coup à la porte, Sara ne vint pas ouvrir de deux ou trois minutes. Il y avait un tel silence dans la pièce, qu'Ermengarde se demanda si Sara ne s'était pas endormie. Puis, à sa grande surprise, elle l'entendit rire tout doucement et parler d'un ton caressant à quelqu'un.

« Là ! entendit Ermengarde. Prenez-le et rentrez chez vous, Melchissedech[1] ! Allez retrouver votre femme. »

Presque immédiatement, Sara ouvrit la porte et trouva sur le seuil Ermengarde avec des yeux effarés.

« À qui... à qui parliez-vous, Sara ? » finit-elle par dire.

Sara la fit entrer avec précaution ; mais elle avait l'air bien amusée.

« Promettez-moi de ne pas avoir peur, de ne pas pousser le moindre cri ; sans cela, je ne vous dirai rien. »

Ermengarde eut bien envie de commencer par pousser un cri, mais elle arriva à se dominer. Elle regarda dans toute la mansarde et ne vit personne. Et pourtant, Sara avait certainement parlé à quelqu'un. Ermengarde pensa à un fantôme !

« Est-ce... quelque chose qui doit me faire peur ? demanda-t-elle déjà épouvantée.

— Il y a des gens qui en ont peur, dit Sara. Moi, j'en ai eu peur pour commencer... mais plus maintenant.

— Est-ce que c'était... un fantôme ? fit Ermengarde, toute tremblante.

— Non ! dit Sara. C'était mon rat ! »

Ermengarde fit un bond formidable qui vint aboutir au milieu du petit lit minable ; elle entortilla ses pieds dans sa chemise de nuit et dans son châle rouge. Elle ne cria pas, mais resta bouche bée d'épouvante.

« Oh ! la ! la ! s'exclama-t-elle à mi-voix. Un rat ! Un rat !

— J'avais peur que ça ne vous épouvante, dit Sara, mais il ne faut pas être épouvantée. Je suis en train de l'apprivoiser. Il me connaît bien et il sort quand je l'appelle. Avez-vous trop peur pour désirer le voir ? »

---

1. Sara baptise ainsi le rat en souvenir de ses lectures de la Bible : dans la Bible, le roi et prêtre Melchissedech eut un règne si remarquable qu'il fut considéré comme le modèle du Christ. Sara compense donc, sur le mode de la plaisanterie, l'injustice du sort dont elle souffre elle-même. *(N.d.E.)*

La vérité, c'est qu'avec le temps et à l'aide de débris apportés de la cuisine, cette curieuse amitié s'était développée ; Sara avait peu à peu oublié que l'être craintif avec lequel elle se familiarisait était un rat.

Pour commencer, Ermengarde était trop alarmée pour faire autre chose que se pelotonner sur le lit, en s'entortillant les pieds ; mais la vue de la calme physionomie de Sara et l'histoire de la première apparition de Melchissedech excitèrent vite sa curiosité ; elle se pencha sur le bord du lit et regarda Sara se mettre à genoux près du trou de la plinthe.

« Il... il ne va pas sortir en courant et sauter sur le lit ?... En êtes-vous sûre ?

— Mais non ! répondit Sara. Il est aussi bien élevé que vous et moi ; c'est tout à fait comme une personne. Regardez. »

Elle commença à siffler doucement, presque tout bas. C'était si doux, si caressant qu'on ne pouvait entendre que dans un silence absolu. Elle recommença plusieurs fois ; elle avait l'air très absorbée. Enfin, évidemment en réponse à ces appels, une tête à moustaches grises, aux yeux brillants, se risqua hors du trou. Sara avait quelques miettes dans la main. Elle les éparpilla sur le plancher et Melchissedech sortit tranquillement et vint les manger. Il en saisit un morceau plus gros que les autres et l'emporta de l'air le plus affairé dans son trou.

— Vous voyez, dit Sara, c'est pour sa femme et ses enfants. Il est très gentil pour eux : il ne mange que les petits bouts. Quand il est rentré, j'entends toujours sa famille pousser des petits cris de joie. Il y a trois espèces de petits cris. Les plus aigus sont ceux des enfants ; puis il y a ceux de Mme Melchissedech et il y a un cri très reconnaissable, celui de Melchissedech lui-même. »

Ermengarde se mit à rire. « Oh, Sara ! dit-elle, que vous êtes drôle, mais que vous êtes bonne pour eux !

— Je le sais bien, que je suis drôle, admit Sara gaiement, et j'essaie d'être bonne. » Elle se frotta le front avec sa petite patte brunie et un regard tendre parut dans ses yeux. « Papa riait toujours de moi, dit-elle, mais ça me faisait plaisir. Il trouvait que j'étais drôle et il aimait bien que j'imagine toutes sortes de choses. Si je n'imaginais pas, je crois que je ne pourrais pas vivre. » Elle s'arrêta et jeta un regard circulaire sur sa mansarde. « En tout cas, je suis sûre que je ne pourrais pas vivre *ici* », ajouta-t-elle à voix basse.

Ermengarde commençait à s'intéresser, comme elle le faisait toujours, aux propos de Sara. « Quand vous parlez des choses, dit-elle, elles ont l'air d'être vraies. Vous parlez de Melchissedech comme s'il était une vraie personne.

— Mais il est bien une personne, dit Sara. Il a faim et il a peur, juste comme nous. Il est marié et il a des enfants. Comment pouvons-nous savoir s'il ne pense pas, tout comme nous ? Ses yeux ont l'air de ceux d'une personne. C'est pour cela que je lui ai donné un nom. »

Elle s'assit sur le plancher, dans son attitude préférée, en s'entourant les genoux avec ses bras et continua : « D'ailleurs, c'est un rat de la Bastille qu'on m'a envoyé ici pour être mon ami. Je peux toujours ramasser de petits bouts de pain que la cuisinière a jetés et cela suffit à son entretien.

— Ah, c'est toujours la Bastille ? demanda Ermengarde, très intéressée. Vous faites encore semblant que c'est la Bastille ?

— Presque toujours, dit Sara. Parfois j'essaye de *faire semblant* que c'est un autre endroit, mais la Bastille est toujours ce qui s'arrange le mieux, particulièrement quand il fait froid. »

Juste à ce moment, Ermengarde sauta presque en bas du lit, tant elle fut surprise par un bruit qu'elle entendit. C'était comme deux coups bien séparés sur le mur.

« Qu'est-ce que c'est que ça ? » cria-t-elle.

Sara se leva du plancher et répondit sur un ton dramatique :

« C'est la prisonnière du cachot voisin.

— Becky ! s'écria Ermengarde ravie.

— Oui, dit Sara. Écoutez bien. Deux coups, cela

veut dire : « Prisonnière, êtes-vous là ? » Puis elle frappa elle-même trois coups sur la cloison, comme en réponse. « Cela veut dire : Oui, je suis là, et tout va bien. »

Quatre coups répondirent, frappés sur la cloison, du côté de Becky.

« Cela signifie, expliqua Sara : Alors, compagne de souffrances, nous allons dormir en paix. Bonne nuit. »

Ermengarde en rayonnait de joie. « Oh, Sara, susurra-t-elle avec admiration, c'est comme une histoire !

— C'est une histoire, une vraie, dit Sara. Tout est une histoire. Vous êtes une histoire ; je suis une histoire. Miss Minchin est une histoire. »

Elle s'assit de nouveau et parla si bien qu'Ermengarde oublia qu'elle était elle-même une sorte de prisonnière échappée ; il fallut que Sara lui rappelât qu'elle ne pouvait pas demeurer toute la nuit à la Bastille, mais devait redescendre sans bruit se glisser dans son lit abandonné.

ENTRACTE

Pour Florence

AU PROGRAMME

■ FRANCES BURNETT, MODÈLE VIVANT
DE SARA CREWE

■ LE PARADIS PERDU
  • L'empire britannique : fastes de la réalité, immensité
    du rêve

■ L'ENFER
  • Être pauvre et orphelin, à Londres, vers 1870...
  • Des écrivains témoignent
  • Test historique
  • L'éducation à l'époque de la reine Victoria

  If, au féminin : un poème en version bilingue, à dédicacer

■ LE PARADIS RETROUVÉ
  DEVENEZ LE SCÉNARISTE DE FRANCES BURNETT,
  EN TROIS JEUX DE CINÉMA :
  • La recette du bon mélo
  • « Réussir le méchant » (Alfred Hitchcock)
  • L'art du dénouement heureux (ou « happy end »).

FRANCES BURNETT (1849-1924)
MODÈLE VIVANT DE SARA CREWE

Un soir de février 1879, à Boston, le très élégant et très prestigieux Papyrus Club, qui réunit des autorités du monde littéraire américain, s'apprête à accueillir un jeune écrivain qui commence à faire parler de lui. La dame, car c'est une dame, a juste trente ans, et son succès tout neuf l'effraie un peu. Pour l'encourager, la célèbre Mary Dodge, que nos lecteurs connaissent bien puisqu'elle est l'auteur des *Patins d'argent* (voir Pocket Junior n° J 020), lui a envoyé une gentille lettre amicale : « Peut-être, si vous n'avez personne pour vous escorter, aimerez-vous à vous rendre à Revere House, où je dois séjourner un jour ou deux : c'est là que doit avoir lieu le dîner, et ce sera commode, pour des femmes sans protection, de n'avoir qu'un escalier à descendre pour accéder à la salle à manger. » En fait, par la faute d'un jeune admirateur imprévoyant qui voulut lui faire faire du tourisme en attendant la réception, la jeune invitée arrivera en retard, et plus morte de trac que jamais !

Qu'importe d'ailleurs : Frances Hodgson Burnett, en effet c'est bien d'elle qu'il s'agit, venait de faire son entrée dans le cercle des gloires littéraires, et elle n'en sortirait plus jamais. Peut-être revit-elle en souvenir, ce soir-là, la brumeuse Manchester, sa ville natale ; ou son arrivée aux États-Unis, à l'âge de seize ans, après que la mort de son père, en 1853, eut précipité la famille de l'aisance bourgeoise dans la misère. Lut-elle, dans l'amitié de Mary Dodge et la présence de Louise Alcott, l'auteur des fameuses *Quatre Filles du Docteur March*, le signe d'une vocation et d'un destin ?

Le succès, en tout cas, devait trancher : sept ans plus tard, en 1886, *Le Petit Lord Fauntleroy* éclate comme une bombe dans le ciel de l'édition. L'histoire de ce jeune Américain, éloigné de sa mère parce qu'il est promis au destin d'un aristocrate britannique, bouleverse son public de part et d'autre de l'Atlantique (car Frances Burnett sera toujours publiée à la fois aux États-Unis et en Grande-Bretagne, où elle retourne faire de fréquents séjours).

L'année suivante, c'est *Sara Crewe*, roman qui prendra sa forme définitive après avoir été porté au théâtre en 1905, sous le titre *A Little Princess (Une petite princesse).*

Déjà se confirme un trait dominant du talent de Frances Burnett : un sens dramatique très sûr, une intuition de la « scène à faire » qui attirera l'intérêt du cinéma, toujours à l'affût de bons scénarios (voir les jeux de notre fin d'« entracte »). Et tandis que le petit lord devient un rôle de choix pour acteur en herbe, en 1939 la plus célèbre des enfants-stars d'Hollywood, Shirley Temple, crée le rôle à l'écran. Tout récemment, en 1994, le troisième des récits les plus connus de Frances Burnett, *Le Jardin secret*, a été tourné par la réalisatrice Agnieszka Holland.

France Burnett en 1888

Frances Burnett s'éteindra dans la sérénité après une œuvre abondante (environ quarante romans) qui fait d'elle l'un des grands auteurs pour la jeunesse. Mais son public est aussi largement composé d'adultes : chez elle, en effet, comme chez Sara, la fantaisie ne va jamais sans la gravité, ni la gravité sans la fantaisie. Derrière le beau visage lisse (nous reproduisons ici le portrait d'elle-même qu'elle préférait), se cachent une sensibilité toujours à vif, une imagination captivante — comme son héroïne, Frances avait le don de « faire voyager » son entourage dans les histoires fabuleuses qu'elle improvisait. Voici, repris par Ann Thwaite, le témoignage de sa sœur Edith, qui fut toujours sa confidente.

« Elle était exactement comme son personnage, Sara Crewe (c'est Edith qui parle ici). Ses histoires étaient très romantiques. Il s'y trouvait toujours quelqu'un d'abandonné, de malade ou de malheureux — quelqu'un de pitoyable, d'une manière ou d'une autre. Et il y avait un autre personnage, qui était brave, fort, et secourable. Le fort devait traverser toute sorte d'épreuves et de tribulations. Mais à la fin, les choses finissaient par s'arranger pour tout le monde, comme dans un conte de fées. Frances voulait toujours que tout finisse bien pour tout le monde. Dans ses histoires, elle pouvait faire qu'il en soit ainsi[1]. »

1. La majorité des renseignements sur Frances Burnett qui figurent dans cet entracte, de même que le poème « If », est tirée de la biographie très documentée d'Ann THWAITE, *Waiting for the Party, The life of Frances Hodgson Burnett*, David R. Gordine, Boston, coll. « Non Pareil Books », 1991. Traduction F. Gomez.

LE PARADIS PERDU

L'EMPIRE BRITANNIQUE : FASTES DE LA RÉALITÉ, IMMENSITÉ DU RÊVE

À l'époque où se situe notre histoire, c'est-à-dire dans une période comprise entre 1865 (date à laquelle Frances Burnett quitte l'Angleterre pour les États-Unis) et 1886 (date d'écriture du roman), **l'Angleterre est la première puissance du monde. La reine Victoria** incarne, par son règne fort long (1837-1901) et son incontestable autorité, cet apogée du XIXᵉ siècle, où il est devenu banal de dire que sur l'empire britannique, le soleil ne se couche jamais.

En effet, de la Nouvelle-Zélande à l'Afrique du Sud, en passant par Hong-Kong ou la Jamaïque, les richesses affluent. Au cœur de ce dispositif colonial, il y a l'**Inde**. Les lecteurs qui souhaitent connaître l'histoire des Indes britanniques peuvent se reporter avec profit à l'« Entracte » des *Aventures du Capitaine Corcoran*, roman d'Alfred Assolant, paru dans la même collection (Pocket Junior n° J 057). L'essentiel est ici de savoir que pour un Anglais du XIXᵉ siècle, l'Inde est tout à la fois **un immense réservoir de fortune et d'aventure**. Deux exemples, l'un historique, l'autre romanesque, suffiront à donner une idée de cette fascination.

1835 : Le géographe Alexander Burnes relate, dans son *Voyage de l'embouchure de l'Indus à Lahore*, l'expédition de reconnaissance qu'il vient d'achever. Son traducteur français la présente ainsi :

« Il a parcouru les mêmes contrées, vu les mêmes lieux où Alexandre le Grand porta ses pas après avoir renversé la monarchie des Perses (...) Cette coïncidence de la route de

M. Burnes avec celle des Macédoniens lui a fourni l'occasion de faire des rapprochements ingénieux et intéressants, d'expliquer plusieurs passages des auteurs anciens, et de corriger quelques assertions des modernes... »

Décembre 1993 : Dans leur roman **Les Paradis lointains**, Isabelle Lacamp et Jean-Marie Galliand imaginent ainsi les débuts indiens de leur héros, tout frais émoulu de l'École militaire de Sandhurst :

« Quelques jours plus tard, les troupes de Bundi furent réquisitionnées sur l'ordre de Lord Bentik pour mettre un terme aux exactions perpétrées par le rajah d'un petit territoire avoisinant. Tout à son délire de puissance et de gloire, William-Eryk était à cet instant bien trop occupé à écouter monter en lui la rumeur des tambours de la guerre pour entendre les Rajputs procéder à leurs ablutions dans la cour du fort, ou même prêter attention aux soupirs de Baba qui, seul dans son coin, invoquait Kali, déesse de la mort, en raccommodant son turban » (*Les Paradis lointains*, J.-C. Lattès, 1993, p. 81).

De l'explorateur qui a pour l'Inde les yeux du conquérant antique, à l'officier qui croit revivre l'épopée de Plassey (célèbre victoire de 1757 qui donna le Bengale à l'Angleterre), c'est le même rêve projeté, et aussi la même surdité à l'égard des indigènes. Ici prennent source tous les conflits à venir, quand les populations naguère soumises réclameront la reconnaissance de leur identité.

On ne peut donc trop en vouloir à Frances Burnett de partager les mentalités de son temps, et d'avoir fait de l'Inde avant tout un horizon fabuleux, un paradis perdu avec lequel se confond, pour la petite Sara, l'image de son père. C'est aussi des Indes que partira Mary, l'héroïne du *Jardin secret*, après être restée seule survivante d'une épidémie de choléra.

Mais, dira-t-on, **et les diamants dans tout cela ?**

L'Inde possède quelques gisements de diamants, connus dès avant la colonisation britannique : Panna, Chattapur et Satna, dans l'État du Madhya Pradesh, et Banda, dans l'État de l'Uttar-Pradesh. Le travail des pierres précieuses et l'art de la parure ont toujours tenu une place importante dans la civilisation indienne. C'est ainsi que le fameux **Koh-I-Noor**, diamant de 279 carats provenant du trésor des derniers grands Mongols, fut offert en 1850 à la reine Victoria par la Compagnie des Indes britanniques. Le visiteur de la Tour de Londres peut encore aujourd'hui l'admirer, ornant la couronne du Durbar parmi les joyaux de la Couronne. Cependant, ce n'est qu'en **Afrique du**

Sud qu'on trouve une exploitation du diamant à grande échelle, comme celle que suggère le roman de F. Burnett. Le fabuleux minerai sera d'ailleurs, avec l'or, l'enjeu de la guerre des Boers (1899-1902), qui verra s'affronter les Anglais et leurs rivaux européens. Quant aux fluctuations du gisement, dont le sort de Sara dépend si étroitement, elles évoquent un autre phénomène historique, qui fait justement son apparition vers 1885 : la fameuse **Ruée vers l'or**, qui bouleversera l'Alaska jusqu'à la fin du siècle.

Ainsi, trois continents se mêlent, dans l'imaginaire de la richesse que Frances Burnett déploie aux yeux de son lecteur. Il ne faut pas y chercher d'exactitude géographique rigoureuse. Mais on peut y voir la photographie d'une sensibilité : dans l'Angleterre victorienne, comme dans la jeune Amérique, existe une croyance puissante dans les chances et les revers de fortune, croyance dans le fait qu'un même individu peut, du jour au lendemain, se voir précipité du sommet de l'échelle sociale jusqu'au tréfonds de la misère, et inversement.

Thackeray, l'un des plus grands écrivains de cette période, et aussi l'un de ses plus vigoureux critiques, écrit en 1848 dans *Le Livre des snobs* :

« Nous disons à qui veut l'entendre : deviens immensément riche ; reçois, comme homme de loi, d'énormes honoraires ; distingue-toi ; gagne des batailles, et toi-même, oui, toi, je dis bien, tu entreras dans la classe privilégiée et tes enfants, tout naturellement, régneront sur les nôtres » (chap. III).

N'y avait-il pas là de quoi encourager tous les Capitaines Crewe en puissance à mettre au monde de « petites princesses » ?

L'ENFER

Les quartiers pauvres de Londres en 1872
(gravure de Gustave Doré)

ÊTRE PAUVRE ET ORPHELIN,
À LONDRES, VERS 1870...

Nous allons maintenant être amenés à noircir considérablement le tableau. Car l'itinéraire de Sara reflète avec vigueur la violence du contraste social que présente l'Angleterre au XIXᵉ siècle.

Benjamin Disraeli (1804-1881), qui fut écrivain avant de devenir l'un des plus grands ministres de Victoria, l'a pour toujours résumé en un titre-choc *(Sybil ou les Deux Nations*, 1845) : en Angleterre, il n'y a pas alors une nation, il y en a deux, celle des riches et celle des pauvres.

Or, selon un autre observateur, français celui-là, **Alexis de Tocqueville (1805-1859)** : « Toute la société anglaise est bâtie sur le privilège de l'argent. Comment s'étonner du culte de ce peuple pour l'argent ? dit-il plus loin. L'esprit, la vertu même paraissent peu de chose sans l'argent. [...] Les Anglais n'ont laissé aux pauvres que deux droits : celui d'être soumis à la même législation que les riches et de s'égaler à eux en acquérant une richesse égale. Encore ces deux droits sont-ils plus apparents que réels, puisque c'est le riche qui fait la loi »... et la fait, naturellement, à son profit.

L'affreux personnage de Miss Minchin s'explique donc par le contexte qui l'a produit. Bien loin d'être une exception, elle est un personnage type : la parfaite incarnation de cette mentalité commerciale pour qui l'être humain se résume à un compte en banque. Tocqueville, de nouveau : « Tandis que le Français dit : "Untel a 100 000 livres de rente", l'Anglais dit : "Untel vaut 100 000 livres de rente" » (*Voyage en Angleterre et en Irlande de 1835*).

On comprend le cri de l'Américain **Henry Colman** visitant Manchester : « Chaque jour de ma vie, je remercie le Ciel de ne pas être pauvre et chargé de famille en Angleterre » (rapporté par Asa Briggs dans *Victorian Cities*, 1963).

D'où vient que la métropole du plus brillant empire présente de telles inégalités ? C'est que l'Angleterre, « atelier du monde », est aussi le berceau de la première révolution industrielle, celle du charbon et de la machine à vapeur. Toute une population rurale, que la concentration des terres entre les mains des gros propriétaires a coupée de ses racines, ne cesse d'affluer vers les villes où elle constitue une main-d'œuvre malléable pour l'industrie textile et la métallurgie. Londres et les grandes villes du bassin houiller (Manchester, Liverpool, Sheffield et Birmingham) concentrent dans des *slums* (taudis) infects et obscurs des familles sous-payées et contraintes à des horaires de travail insensés. Pour la première fois au monde, se forme une classe ouvrière, qui ne possède d'autre bien que ses enfants : c'est la définition exacte du mot « prolétariat ». Ces enfants sont d'ailleurs les premières victimes de l'impitoyable système d'exploitation : il faut attendre 1833 pour qu'une réglementation interdise l'embauche des plus petits, qui parfois n'avaient pas six ans !

Là encore, lorsque Miss Minchin ne cesse de faire étalage de sa prétendue charité, alors qu'elle réduit Sara aux fonctions de bonne à tout faire et de souffre-douleur, elle ne manipule pas seulement une atroce ironie. Bien sûr, elle agit par calcul : il faut rentabiliser l'investissement qu'elle a fait sur son ancienne élève-vedette. Mais elle sait surtout que le sort des enfants pauvres à Londres est tel que Sara ne peut songer à s'échapper : être orphelin, sans ressources, et à la rue en ces années-là, c'est avoir, de fait, très peu d'espérance de vie...

DES ÉCRIVAINS TÉMOIGNENT

Petite Princesse, qui peut se lire comme un conte moderne, contient donc aussi, implicitement, **une sévère critique morale** à l'égard de l'inhumanité du libéralisme incontrôlé qui règne dans ces années-là.

Parallèlement les enquêtes s'accumulent, les lois finissent par changer (sous l'impulsion de Disraeli et de Gladstone, son brillant rival). Cette ouverture va de pair avec l'organisation progressive du mouvement ouvrier, qui représente bientôt une réelle force politique. Le mouvement socialiste se constitue, sous l'impulsion de Karl Marx et de Friedrich Engels ; ce dernier a dressé un constat célèbre de la situation du prolétariat anglais, tout comme le Français Tocqueville, dont on lira l'analyse à la suite. Un « TEST HISTORIQUE » vous permettra, enfin, de vérifier votre compréhension des faits.

Friedrich Engels

Le travail des enfants en Angleterre

Dans ce passage du chapitre : « Les diverses branches du travail », Engels prend pour pivot de sa description le « Factory Act », ou loi sur les fabriques, de 1833, premier texte à réglementer le travail des enfants en général. Il dépeint d'abord la situation d'après 1833.

« La grande mortalité parmi les enfants des ouvriers et, particulièrement, des ouvriers de fabrique, est une preuve assez forte de l'insalubrité des conditions dans lesquelles ils passent leurs premières années.

[...] L'enfant d'un ouvrier, à neuf ans, grandi dans le dénuement, les privations, les changements de situation, dans l'humidité, le froid, le manque de vêtements et l'insuffisance de logement, est loin d'avoir la même capacité de travail que l'enfant élevé dans des conditions de vie plus saines. À neuf ans, il est envoyé à l'usine, il travaille journellement six heures et demie (autrefois huit, antérieurement de douze à quatorze et même seize) jusqu'à treize ans ; à partir de là jusqu'à dix-huit ans, il travaille douze heures. Les causes d'affaiblissement persistent, et vient encore s'y ajouter le travail. »

Engels souligne ensuite que ce régime est le fruit d'une réforme. Avant le rapport de la Commission centrale de 1833, et la loi qui s'ensuivit, la situation, rappelle-t-il, était bien pire...

« Le rapport de la Commission centrale constate que les patrons commençaient à occuper des enfants rarement à cinq ans, fréquemment à six, très souvent à sept, la plupart du temps de huit à neuf ans ; que le travail (non comprises les heures de repos pour les repas) durait souvent de quatorze à seize heures par jour ; que les patrons laissaient frapper et maltraiter les enfants par les surveillants, que, souvent même, ils y mettaient la main ; on rapporte même un cas où un usinier écossais

courut après un ouvrier de seize ans qui s'était enfui, et le força
à revenir devant lui à l'allure de son cheval au trot, en le frappant continuellement d'un long fouet » (Stuart, *Preuves*).

Friedrich Engels, *La Condition de la classe
laborieuse en Angleterre,* 1845.
Traduction française de Bracke et P.J. Burthaud,
Alfred Costes, 1933.

Alexis de Tocqueville

Manchester en 1835

*D'un bord politique radicalement différent d'Engels, Tocque-
ville, ministre de la IIe République, qui fut d'abord magistrat
sous la Restauration, fut chargé par Louis-Philippe d'enquêter
sur le système pénitentiaire aux États-Unis. Il reviendra avec,
dans ses bagages, le brouillon d'une analyse plus vaste et restée
fort célèbre :* De la Démocratie en Amérique *(1835-1840). Mais
il a également parcouru à la même période l'Angleterre et
l'Irlande, d'où il rapporte des notes tout aussi pénétrantes.*

« Parmi ce labyrinthe infect, du milieu de cette vaste et sombre carrière de briques s'élancent de temps en temps de beaux
édifices de pierre dont les colonnes corinthiennes surprennent
les regards de l'étranger. On dirait une ville du Moyen Âge, au
milieu de laquelle se déploient les merveilles du XIXe siècle. Mais
qui pourrait décrire l'intérieur de ces quartiers placés à l'écart,
réceptacles du vice et de la misère, et qui enveloppent et serrent
de leurs hideux replis les vastes palais de l'industrie ? Sur un terrain plus bas que le niveau du fleuve et dominé de toutes parts
par d'immenses ateliers s'étend un terrain marécageux, que des
fossés fangeux tracés de loin en loin ne sauraient dessécher ni
assainir. Là aboutissent de petites rues tortueuses et étroites, que
bordent des maisons d'un étage, dont les ais mal joints et les
carreaux brisés annoncent de loin comme le dernier asile que

puisse occuper l'homme entre la misère et la mort. Cependant les êtres infortunés qui occupent ce réduit excitent encore l'envie de quelques-uns de leurs semblables. Au-dessous de leurs misérables demeures se trouve une rangée de caves à laquelle conduit un corridor demi-souterrain. Dans chacun de ces lieux humides et repoussants sont entassés pêle-mêle douze ou quinze créatures humaines.

[...] Levez la tête, et tout autour de cette place, vous verrez s'élever les immenses palais de l'industrie. Vous entendrez le bruit des fourneaux, les sifflements de la vapeur. Ces vastes demeures empêchent l'air et la lumière de pénétrer dans les demeures humaines qu'elles dominent, elles les enveloppent d'un perpétuel brouillard ; ici est l'esclave, là le maître. Là, les richesses de quelques-uns ; ici, la misère du plus grand nombre. Là, les forces organisées d'une multitude produisent, au profit d'un seul, ce que la société n'avait pas encore su donner ; ici, la faiblesse individuelle se montre plus débile et plus dépourvue encore qu'au milieu des déserts. Ici les effets, là les causes.

Une épaisse et noire fumée couvre la cité. Le soleil paraît au travers comme un disque sans rayons. C'est au milieu de ce jour incomplet que s'agitent sans cesse 300 000 créatures humaines. Mille bruits s'élèvent incessamment du milieu de ce labyrinthe humide et obscur, mais ce ne sont point les bruits ordinaires qui sortent des murs des grandes villes.

Les pas d'une multitude *affairée*, le craquement des roues qui frottent les unes contre les autres leur circonférence dentelée, les cris de la vapeur qui s'échappe de la chaudière, les battements réguliers des métiers, le roulement pesant des chars qui apportent, tels sont les seuls bruits qui frappent incessamment votre oreille.

[...] C'est au milieu de ce cloaque infect que le plus grand fleuve de l'industrie humaine prend sa source et va féconder l'univers. De cet égout immonde, l'or pur s'écoule. C'est là que l'esprit humain se perfectionne et s'abrutit, que la civilisation produit ses merveilles et que l'homme civilisé redevient presque sauvage. »

Voyage en Angleterre et en Irlande de 1835.

Locomotive à vapeur, prototype de 1803.

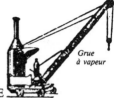

Grue à vapeur

TEST HISTORIQUE

Reportez vos réponses sur une feuille et confrontez-les ensuite aux réponses figurant ci-dessous à l'envers.

1. De 21 millions d'habitants en 1815, la population de l'Angleterre est passée en 1871 à :

   A. 28 millions   B. 32 millions   C. 40 millions

2. Londres, qui comptait un million d'habitants en 1801, en comportait :

   en 1851 : A. 1,8 million   B. 2,360 millions   C. 3,250 millions
   en 1880 : A. 3,250 millions   B. 4 millions   C. 5 millions

   (À titre de comparaison, la population de Paris sans sa banlieue était en 1968 de 2,6 millions habitants.)

3. À partir de 1845, un phénomène totalement nouveau au monde se produit en Angleterre : la population des villes commence à dépasser celle des campagnes.

   VRAI ou **FAUX** ?

4. Vers 1850, un grand seigneur gagne sans travailler de dix mille à cinquante mille livres (£) par an. Un travailleur manuel gagne, dans la même période :

   A. de 2 000 à 3 000 £   B. de 400 à 1 000 £   C. de 40 à 60 £

5. En 1845, l'espérance de vie d'un gentleman de Bath (ville résidentielle) est de 55 ans. Pour un manœuvre de Liverpool, elle est de :

   A. 30 ans   B. 20 ans   C. 15 ans

6. Jusqu'en 1846, en Angleterre, des lois de protection douanière barrent la route aux importations de blé étranger, rendant le pain trop cher pour les ouvriers.

   VRAI ou **FAUX** ? V

Marteau-pilon à vapeur

7. En usine, une femme gagne par rapport à un homme :

   A. Le même salaire
   B. La moitié de son salaire
   C. Le tiers de son salaire

XV

8. En 1870, la parole d'un ouvrier valait moins, juridiquement, que celle d'un patron.

VRAI ou FAUX ?

9. C'est à Londres, en 1864, que Karl Marx publia *Le Capital*, ouvrage économique fondateur pour le socialisme et le communisme.

VRAI ou FAUX ?

10. Dans le bassin minier, l'une des tâches les plus fréquentes auxquelles on employait les enfants était de pousser les chariots de charbon dans les galeries souterraines, où ils se faufilaient plus facilement que les adultes.

VRAI ou FAUX ?

11. Avant 1870 des « écoles en haillons » tentent de lutter contre l'analphabétisme dans le pays. Une enquête, faite par la *Quatterly Review* sur 1 600 élèves, établit un diagnostic précis. À vous de donner l'estimation qui vous paraît vraisemblable :
   - enfants orphelins de l'un ou des deux parents : **A. 100   B. 200   C. 300**
   - enfants n'ayant jamais dormi dans un lit : **A. 100   B. 250   C. 300**
   - enfants sans chaussures ni chaussettes : **A. 50   B. 100   C. 200**

12. En 1870, l'*Education Act*, ou loi sur l'éducation, présentée par le député Forster, institue l'école publique : après avoir constaté qu'en 1869 deux cinquièmes seulement des enfants de six à dix ans étaient scolarisés, Forster prévoit la généralisation de l'enseignement primaire. Selon quel principe ?

   A. Gratuité de l'enseignement pour tous ;
   B. École payante (un tiers des frais acquittés par les parents, les deux autres tiers revenant à l'État et aux collectivités locales), un système de bourses aidant les plus démunis.

   (À titre indicatif, l'école laïque, gratuite et obligatoire de Jules Ferry sera mise en place en France à partir de 1880.)

L'ÉDUCATION À L'ÉPOQUE
DE LA REINE VICTORIA

Nous venons de voir que c'est en 1870 que le gouvernement vota l'instruction publique : en l'espace d'une génération, l'analphabétisme devait, en effet, reculer de manière considérable. Cependant bien des inégalités demeurent, surtout dans la période qui nous intéresse (1865-1885). Voici trois témoignages, qui, s'échelonnant de bas en haut de l'échelle sociale, nous permettront de mieux situer la pension des sœurs Minchin.

1. L'hospice pour enfants trouvés

« De la manière dont fut élevé Olivier Twist, de sa croissance, de son éducation. »

On appréciera dans cette page l'ironie mordante de Dickens à l'égard des exploiteurs et des tortionnaires d'enfants, qui se drapent dans la respectabilité de soi-disant bienfaiteurs. Derrière cette ironie se perçoit la vibration de la révolte...

« [...] À peine était-il arrivé depuis un quart d'heure au dépôt, que M. Bumble [1] vint lui annoncer que le conseil était assemblé, et qu'on l'attendait au parquet. Il lui ordonna de le suivre en accompagnant cette recommandation de deux coups de canne. Olivier arriva dans une salle où dix messieurs gros et gras étaient assis autour d'une table.

— Salue le parquet, dit Bumble. Olivier salua.

— Comment t'appelles-tu, petit ?

Olivier, n'ayant jamais vu tant de personnages, et d'ailleurs ayant reçu de Bumble un vigoureux coup de canne en manière d'encouragement, se mit à pleurer. Ces messieurs le déclarèrent idiot. Puis on lui apprit qu'il était orphelin, à la charge de la paroisse, et qu'il était destiné à apprendre un état, qui consistait à effiler de vieilles cordes pour faire de l'étoupe. Et il fut emmené par le bedeau dans une chambrée où il s'endormit sur un lit bien dur, car les douces lois de ce bon pays permettent aux pauvres de dormir, peu il est vrai, mais enfin quelquefois.

Ce jour-là même, pendant qu'Olivier sommeillait dans son innocence, le conseil prenait une décision qui devait influer sur son avenir. En effet, l'administration trouva que les pauvres étaient trop bien, que le dépôt était un rendez-vous de passe-

_____

1. Bumble est le bedeau de la paroisse : il se charge des responsabilités matérielles à l'église, et aussi à l'hospice, qui est d'obédience religieuse.

temps agréable, où les déjeuners, les dîners, les soupers pleuvaient tout le long de l'année, un Élysée où tout était plaisir. Alors ils firent un règlement par lequel les pauvres avaient leur libre arbitre, ou de mourir de consomption [1] et de faim dans le dépôt, ou plus promptement hors de la maison. À cet effet, ils passèrent un marché avec l'administration des eaux pour en avoir une provision illimitée, et un autre avec un marchand de blé, qui devait fournir de temps en temps une petite quantité de farine d'avoine dont ils composèrent trois repas, d'un gruau clair, par jour, avec un oignon deux fois la semaine et la moitié d'un petit pain le dimanche.

Six mois après l'arrivée d'Olivier au dépôt, le nouveau système était en pleine activité. Il devint coûteux tout d'abord à cause de l'augmentation du mémoire de l'entrepreneur des pompes funèbres, mais le nombre des pensionnaires diminuait considérablement et l'administration était ravie. À l'heure des repas, chaque enfant recevait un plein bol de gruau et jamais plus, à l'exception des jours de fête, où il recevait en plus deux onces un quart de pain. Les bols n'avaient jamais besoin d'être lavés, les enfants les polissaient avec leurs cuillers jusqu'à ce qu'ils fussent redevenus brillants ; et quand ils avaient fini cette opération, qui ne demandait pas beaucoup de temps, ils fixaient sur le chaudron des yeux si avides qu'ils semblaient vouloir dévorer jusqu'aux briques qui le soutenaient. Ces malheureux mangeaient si peu et ils étaient devenus si voraces et si sauvages, qu'un d'entre eux donna à entendre à ses compagnons qu'à moins qu'on ne lui accordât un autre bol de gruau par jour il se verrait dans la nécessité, une belle nuit, de dévorer son camarade de lit. Il avait les yeux hagards en disant cela, et ils le crurent capable de le faire ; c'est pourquoi ils tirèrent à la courte paille pour savoir lequel d'entre eux irait à souper demander au chef un second bol de gruau. Le sort tomba sur Olivier. Tout enfant qu'il était, la faim l'avait exaspéré. Il se leva donc de table, et, alarmé lui-même de sa témérité, il s'avança vers le chef :

— Voudriez-vous m'en donner encore, s'il vous plaît, monsieur ?

Le chef devint pâle et tremblant. Il regarda le jeune rebelle avec un étonnement stupide. Les aides furent paralysés de surprise et les enfants de terreur.

— Que veux-tu ? demanda-t-il d'une voix altérée.

— J'en voudrais encore, monsieur, s'il vous plaît, répondit Olivier.

1. Consomption : tuberculose.

XVIII

Le chef visa un coup de sa cuiller à pot à la tête de l'enfant, lui mit les mains derrière le dos et appela à haute voix le bedeau.

Les administrateurs étaient assemblés en grand conclave, lorsque M. Bumble se précipita, tout hors d'haleine, dans la salle du conseil.

— Monsieur Limbkins, dit-il en s'adressant au gros monsieur qui occupait le fauteuil, pardon, si je vous dérange, monsieur Limbkins, Olivier a redemandé du gruau !

Un murmure général s'éleva dans l'assemblée, une expression d'horreur se peignit sur tous les visages.

— Il en a redemandé ! dit M. Limbkins. Calmez-vous, Bumble, et répondez-moi distinctement. Ai-je bien compris qu'il en a redemandé après avoir mangé la ration que la règle de cette maison lui accorde ?

— Oui, monsieur, répliqua Bumble.

— Cet enfant se fera pendre un jour, dit l'homme au gilet blanc. J'en suis certain.

Personne ne contesta la prophétie de l'orateur. Une vive discussion eut lieu, à la suite de laquelle Olivier fut condamné à être enfermé sur-le-champ ; et le lendemain une affiche fut posée sur la porte extérieure du dépôt, promettant une récompense de cinq livres sterling à quiconque débarrasserait la paroisse du jeune Olivier Twist : en d'autres termes, cinq livres sterling avec Olivier Twist étaient offerts à quiconque (homme ou femme) aurait besoin d'un apprenti pour le commerce, les affaires ou quelque genre d'état que ce fût.

— Jamais de ma vie je ne fus plus certain d'une chose, dit l'homme au gilet blanc, le lendemain matin, comme il parcourait l'affiche en frappant à la porte du dépôt de mendicité ; jamais de ma vie je ne fus plus certain d'une chose, c'est que cet enfant se fera pendre un jour. »

Charles Dickens, *Olivier Twist*, chap. II.
Traduction française d'Alfred Girardin, Hachette, 1881.

2. Les collèges de garçons

Les *Notes sur l'Angleterre* d'Hippolyte Taine
(1872)

Critique littéraire, philosophe et historien, Taine connaît bien la pensée et la culture anglaises. En 1872, il fait de ses carnets de voyage une sorte d'« état des lieux », dont le chapitre IV est consacré à l'éducation. Pour lui, la France n'a rien à envier au système anglais. Dans les colleges, *qui sont pourtant des établissements chers et sélectifs, les maîtres laissent régner, dit-il, une sorte de « loi de la jungle » entre petits et grands : censée forger le caractère, elle consacre aussi la violence comme mode de rapport humain. Qu'un élève soit réduit à être l'esclave des autres fait donc partie du paysage scolaire, à l'époque où écrit Frances Burnett : surtout lorsqu'il ne peut pas payer ses études ! Frances Burnett se montre en revanche très allusive sur un autre point : celui des châtiments corporels. Or, juste avant le passage qu'on va lire, Taine note l'usage systématique du fouet et du cachot.*

« Ici il faut parler d'une institution choquante, le *fagging*, ou obligation pour les petits d'être les domestiques des grands. [...] D'après des enquêtes officielles, les petits sont des valets et des esclaves. Chaque grand en a plusieurs qui sont tenus de faire ses commissions, de balayer sa chambre, de nettoyer ses chandeliers, de faire rôtir son pain et son fromage, de l'éveiller à l'heure dite, d'assister à ses jeux, souvent pendant deux ou trois heures par jour, de courir après ses balles et de les lui rendre, d'être à ses ordres pendant tout le temps qu'il travaille, de subir ses caprices. ''Au collège de Westminster, la vie d'un boursier de première année est une servitude si continue qu'il lui est impossible de trouver le temps nécessaire pour les études. Je mets en fait, dit l'un des témoins, que du 1er janvier au 31 décembre, le jeune boursier n'a pas à lui un seul moment qui soit à l'abri d'une interruption. À trois heures et demie du matin, deux des plus jeunes, désignés à tour de rôle, se lèvent pour allumer le feu, faire chauffer l'eau, réveiller ceux des grands qui leur en ont donné l'ordre. Souvent l'ancien, réveillé à quatre heures, ne se lève qu'à sept heures et demie ; il faut alors l'avertir de demi-heure en demi-heure... Cette corvée revient pour chaque enfant deux ou trois fois par semaine.'' Ajoutez toutes celles de la journée, toutes celles du soir. ''Les anciens aiment beaucoup le thé, il leur en faut trois fois par soirée, sans préjudice du café... Toutes les deux minutes, il lui faut remplir les bouilloires...'' Un des témoins raconte que le samedi soir, jour de sortie à Westminster, quand son fils arrivait du collège, l'enfant était tellement accablé par la privation du sommeil, qu'il n'avait rien de plus pressé que d'aller dormir. Pour maintenir une obéissance si ponctuelle et si minutieuse, les grands emploient la terreur. »

Hippolyte Taine,
Notes sur l'Angleterre, chap. IV : « L'éducation ».

3. L'éducation des filles à domicile

Peines de cœur d'une chatte anglaise, de Balzac
(1840)

Le siècle industriel et entreprenant de la reine Victoria a exalté le courage, la volonté, le sens du devoir civique et religieux. Mais on a aussi beaucoup reproché à cette époque son puritanisme, c'est-à-dire sa méfiance vis-à-vis du corps, et le contrôle répressif qu'elle a exercé sur les envies physiques. La maîtrise de soi, la force de caractère qui font de Sara une authentique princesse, peuvent aussi, lorsqu'elles sont inculquées sans discernement, aboutir à l'hypocrisie.

Le grand romancier français Balzac ne s'est pas privé d'en faire la satire dans un récit destiné aux enfants, sur des illustrations de Grandville (voir p. XXII), où il transpose l'éducation d'une jeune Anglaise dans le personnage d'une chatte. Celle-ci, naturellement, tombera amoureuse d'un matou français, alors qu'elle est promise à un respectable « lord »… Voici sa première mésaventure, lorsqu'elle est confiée, comme dans toute famille suffisamment aisée, à une gouvernante qui entreprend son éducation à domicile.

[…] Un matin, moi, pauvre petite fille de la nature, attirée par de la crème contenue dans un bol, sur lequel un *muffing* était posé en travers, je donnai un coup de patte au *muffing*, je lapai la crème ; puis, dans la joie, et peut-être aussi par un effet de la faiblesse de mes jeunes organes, je me livrai, sur le tapis ciré, au plus impérieux besoin qu'éprouvent les jeunes Chattes. En apercevant la preuve de ce qu'elle nomma *mon intempérance* et mon défaut d'éducation, elle me saisit et me fouetta vigoureusement avec des verges de bouleau, en protestant qu'elle ferait de moi une lady ou qu'elle m'abandonnerait.

— Voilà qui est gentil ! disait-elle. Apprenez, miss Beauty, que les Chattes anglaises enveloppent dans le plus profond mystère les choses naturelles qui peuvent porter atteinte au respect anglais, et bannissent tout ce qui est *improper*, en appliquant à la créature, comme vous l'avez entendu dire au révérend docteur Simpson, les lois faites par Dieu pour la création. Avez-vous jamais vu la Terre se comporter indécemment ? N'appartenez-vous pas d'ailleurs à la secte des *saints* (prononcez *sentz*), qui marchent très lentement le dimanche pour faire bien sentir qu'ils se promènent ? Apprenez à souffrir mille morts plutôt que de révéler vos désirs : c'est en ceci que consiste la vertu des *saints*. Le plus beau privilège des Chattes est de se sauver avec la grâce qui vous

La gouvernante tyrannique que Grandville imagina,
pour *Peines de cœur d'une chatte anglaise* :
une caricature animalière de la « Bible woman », « femme de la Bible »,
que l'on rencontrait beaucoup dans les œuvres de charité.

caractérise, et d'aller, on ne sait où, faire leurs petites toilettes. Vous ne vous montrerez ainsi aux regards que dans votre beauté. Trompé par les apparences, tout le monde vous prendra pour un ange. Désormais, quand pareille envie vous saisira, regardez la croisée, ayez l'air de vouloir vous promener, et vous irez dans un taillis ou sur une gouttière.

[...] Je trouvai, dans mon simple bon sens de Chatte, qu'il y avait beaucoup d'hypocrisie dans cette doctrine ; mais j'étais si jeune !

— Et quand je serai dans la gouttière ? pensai-je en regardant la vieille fille.

— Une fois seule, et bien sûre de n'être vue de personne, eh bien ! Beauty, tu pourras sacrifier les convenances, avec d'autant plus de charme que tu te seras plus retenue en public. En ceci éclate la perfection de la morale anglaise qui s'occupe exclusivement des apparences, ce monde n'étant, hélas ! qu'apparence et déception.

J'avoue que tout mon bon sens d'animal se révoltait contre ces déguisements ; mais, à force d'être fouettée, je finis par comprendre que la propreté extérieure devait être toute la vertu d'une Chatte anglaise. Dès ce moment, je m'habituai à cacher sous des lits les friandises que j'aimais. Jamais personne ne me vit ni mangeant, ni buvant, ni faisant ma toilette. Je fus regardée comme la perle des Chattes. »

Vous allez retrouver les mêmes dangers de l'éducation victorienne, mais dans un tout autre registre, en lisant le beau poème-confidence : « If ». Plainte douloureuse, il dit la difficulté de communiquer entre deux êtres qui s'aimèrent, se sont perdus, et sont retombés prisonniers des convenances et du masque impassible qu'ils croient devoir porter. Ce poème, vous pourrez le dédier à qui votre cœur le souhaite...

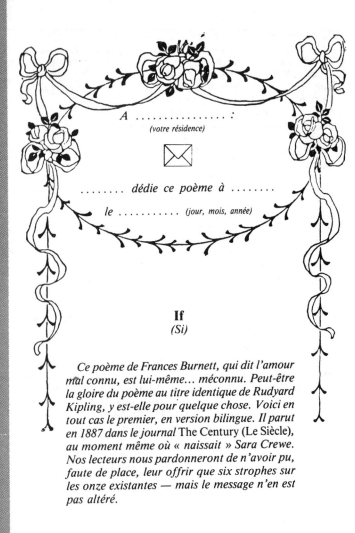

A . . . . :
(votre résidence)

. . . . dédie ce poème à . . . .
le . . . . *(jour, mois, année)*

If
(Si)

Ce poème de Frances Burnett, qui dit l'amour mal connu, est lui-même... méconnu. Peut-être la gloire du poème au titre identique de Rudyard Kipling, y est-elle pour quelque chose. Voici en tout cas le premier, en version bilingue. Il parut en 1887 dans le journal The Century (Le Siècle), *au moment même où « naissait » Sara Crewe. Nos lecteurs nous pardonneront de n'avoir pu, faute de place, leur offrir que six strophes sur les onze existantes — mais le message n'en est pas altéré.*

Il he had known that when her proud fair face
   Turned from him calm and slow
Beneath its cold indifference had place
   A passionate, deep woe.

S'il avait su, quand elle détournait, calme,
   Son beau visage fier,
Que sous son indifférence de glace
   Couvait un mal passionné.

XXIV

If he had known that when her hand lay still,
　Pulseless so near his own,
It was because pain's bitter, bitter chill
　Changed her to very stone.

S'il avait su, quand elle laissait sa main
　Sans vie si près de la sienne,
Que c'était le froid de l'amère douleur
　Qui la changeait en pierre. (...)

If he had known her eyes so cold and bright,
　Watching the sunset's red,
Held back within their deeps of purple light
　A storm of tears unshed.

S'il avait su que ses yeux si brillants,
　Si froids, fixant le rouge
Du soir, retenaient au fond de leur pourpre
　Une tempête de larmes. (...)

If she had known that when her calm glance swept
　Him as she passed him by
His blood was fire, his pulse madly leapt
　Beneath her careless eye.

Si elle avait su, en l'effleurant au passage
　De son calme regard,
Qu'il sentait un feu parcourir ses veines
　Sous cet œil négligent. (...)

If she had known that when her laughter rang
　In scorn of sweet past days
His very soul shook with a deadly pang
　Before her light dispraise.

Si elle avait su, quand résonnait son rire
　Raillant le doux passé,
Qu'elle lui portait à l'âme des coups mortels
　Par son dédain léger.

If she had known that when in the wide west
　The sun sank gold and red
He whispered bitterly, "'Tis like the rest;
　The warmth and light have fled."

Si elle avait su, quand à l'Occident
　Le soleil se noyait,
Rouge et or, qu'il murmurait amèrement :
　« Envolées, chaleur et lumière ! »

If she had known the longing and the pain,
　If she had only guessed,
One look — one word — and she perhaps had lain
　Silent upon his breast.

Si elle avait su le désir, et la douleur,
　Si elle avait seulement deviné,
Un seul regard — un mot — et peut-être
　Se serait-elle blottie,
　En silence, sur sa poitrine.

(Traduction de F. Gomez.)

XXV

LE PARADIS RETROUVÉ

DEVENEZ LE SCÉNARISTE DE FRANCES BURNETT, EN TROIS JEUX DE CINÉMA.

Ami lecteur, chassez à présent la tristesse ou la nostalgie qui voilent votre regard : *Petite Princesse* renvoie à des réalités qui ne furent que trop vraies — et qui n'ont pas encore, hélas, disparu de la surface du globe, comme nous le rappellent l'UNICEF et les organisations qui viennent au secours des enfants exploités, de par le monde. Mais *Petite Princesse* est aussi une histoire, avec ses astuces, ses « ficelles », comme toute histoire... Par exemple : pourquoi savons-nous infailliblement, quand Sara entre à la pension, que sa bonne fortune ne va pas durer longtemps ? Pourquoi, par quel instinct de lecteur, sommes-nous si sûrs, ensuite, que sa détresse ne peut s'éterniser sans qu'on lui porte secours ? Et la revanche finale, la déconfiture de Miss Minchin, ne l'attendons-nous pas obscurément depuis les vingt ou trente premières pages ?

Il y a là des secrets de fabrication tout à fait passionnants à explorer, si vous êtes prêts à nous suivre dans la série de jeux qui s'offre à vous.

Objectif : **le cinéma !**

Mais faisons d'abord quelques gammes faciles, pour nous mettre en condition. Frances Burnett a pris soin de répandre dans tout son récit des **indices** ; au chapitre VII, arrive un objet symbolique qui, sans qu'elle le sache encore, annonce la fin du bonheur pour Sara. Quel est cet objet ? Vous l'avez trouvé ? Fort bien, sinon vous lirez son nom à l'envers, au bas de la page. À la fin du chapitre XI, au contraire, deux personnages ont brusquement l'intuition que Sara n'est pas faite pour rester pauvre et souillon : qui sont-ils ?... l'on pourrait ainsi jalonner tout le roman.

Un autre guide très sûr est **la morale de l'histoire**. L'important, pour Sara comme pour Frances Burnett, c'est la noblesse du cœur, qui seule peut autoriser la richesse — à condition que celle-ci s'accompagne de générosité. « La naissance n'est rien où la vertu n'est pas », aurait dit Molière... Au début, Sara jouit

---

Indice 1 : « la dernière poupée ».
Indice 2 : les personnages sont Miss Minchin et Jessie.

d'une vie luxueuse sans avoir rien fait pour cela. La déchéance et la faim vont lui servir de test, c'est-à-dire d'épreuve, pour atteindre la grandeur morale qui la confirmera comme une authentique princesse (d'où l'importance du chapitre de la petite mendiante). La chute, puis le relèvement de notre héroïne sont donc prévisibles et nécessaires... presque dès le titre !

Mais il y a davantage : notre roman s'inscrit dans la tradition d'un genre qui connut une gloire retentissante au XIXᵉ siècle, spécialement en feuilleton. Ce genre, c'est le **mélodrame**, qu'on abrège souvent en « mélo ». Son exploration sera le départ de notre premier jeu cinématographique...

La recette du bon mélo

Qu'est-ce donc qu'un « mélo » ? Un mélo se reconnaît d'abord à la réaction de son lecteur : gorge serrée, picotements aux yeux, envie de tordre le cou à l'affreux tortionnaire qui persécute votre héros favori ? N'en doutez pas, vous êtes en train de lire un « mélo » ! Le mélodrame, de son vrai nom, est un de ces récits pleins d'action et de sentiment qui ont pour but de « faire pleurer Margot » : Margot, c'est la lectrice moyenne, qu'on dit toujours prête à s'émouvoir...

Fort de votre lecture de Petite Princesse, *vous pouvez aisément reconnaître en quoi c'est un mélodrame, grâce à la recette ci-dessous. Seule petite difficulté : les étapes de la réalisation de ce plat familial et très apprécié ont été mélangées à partir de la quatrième. Votre habileté à remettre la recette en ordre va vous distinguer pour être embauché à Hollywood... Attention : à partir du n° 4, les chiffres n'ont plus qu'une valeur de repère !*

Réponse et établissement de votre score à l'envers et à la suite.

1. **Ingrédients :** prendre des personnages bons qui soient très bons. En extraire les héros.
2. Prendre des méchants qui soient vraiment méchants.
3. Un méchant peut devenir bon (s'il se rachète), dans ce cas il n'était que perverti.
4. Un bon qui devient méchant est beaucoup plus rare : de toute façon, ou le changement ne dure pas, ou le personnage était faussement bon à l'origine.

À vous pour la suite !...

7. Ce bonheur-là doit être un bonheur plus profond et plus intense que celui du début, qui était vécu dans l'inconscience.

11. Puis accablez-les sous le poids de terribles épreuves. Selon le goût : séparation, déchéance sociale, préjudice physique, torture morale... ou tout cela en même temps.

8. Laissez mijoter quelque temps vos héros dans le bonheur.

6. D'abord, les méchants sont durement punis, et les préjudices réparés.

5. Jusqu'au moment où, ayant obtenu un résultat homogène, vous pouvez commencer à réduire le malheur, à petit feu ou à vive allure. Préparez alors votre dénouement.

16. Enfin, pour couronner votre dénouement, il est conseillé de l'accompagner d'un épilogue où les inégalités sociales, très fortes pendant toute l'action, se dissipent.

10. Vous avez besoin, pour le réussir, d'un ou plusieurs personnages providentiels et puissants qui inversent le sort des héros. Au choix : prêtre, riche propriétaire, homme de loi, médecin (les deux derniers sont très recommandés).

15. Laissez agir longtemps, en variant les situations et si possible en aggravant progressivement les épreuves endurées.

9. N'oubliez pas d'ajouter des compagnons d'infortune à vos héros. Ils deviendront vite inséparables, en vertu du dicton populaire : « C'est dans le malheur qu'on voit ses vrais amis. »

12. Ensuite, le bonheur récompense tous les bons : les héros, et ceux qui les ont aidés. Les êtres séparés se retrouvent.

13. Le dénouement s'exécute en deux temps.

14. Pimentez par quelques quiproquos et malentendus.

Inscrivez votre formule de recette ci-dessous en 12 chiffres :
1 2 3 4 ☐ ☐ ☐ ☐ ☐ ☐ ☐ ☐ ☐ ☐ ☐ ☐

puis comparez en lisant à l'envers la bonne formule :

Reportez votre total, quel qu'il soit, sur la fiche de la page XL.

Si vous avez trouvé toute la recette, vous avez cent points.

12 7 16 : 20 points
13 6 12 : 20 points
5 10 : 20 points
11 14 15 9, ou 11 14 9 15 : 20 points
8 11 : 20 points

Vous avez trouvé les « segments » :

Comptez les points que vous avez gagnés :

1 2 3 4 8 11 14 15 9 (ou 14 9 15, ou 9 15 14) 5 10 13 6 12 7 16

Le bourreau, la victime, le sauveur : même quand ces rôles sont répartis sur plusieurs personnages, ils forment le trio indispensable à tout mélo.

(Illustration de Riou pour *Les Deux Orphelines* ; voir jeu suivant.)

« Réussir le méchant »

« L'important, dans un film, c'est de réussir le méchant », disait Alfred Hitchcock, maître incontesté du « suspense ». En effet, le bon aura toujours assez d'intérêt, puisque c'est à lui que le spectateur s'identifie. Il peut donc se permettre d'avoir un caractère plus effacé (ce qui n'est pas le cas de Sara Crewe, assurément), tandis que le méchant, lui, n'a pas le choix : il doit être une forte personnalité. Dans le type d'œuvres qui nous occupe, un méchant minable n'est pas un méchant suffisant.

Maintenant, rêvons un peu : **nous sommes à Hollywood, en 1938**, et votre compétence à bâtir des mélodrames, désormais reconnue, vient de vous faire engager à l'essai par la Twentieth Century Fox. La « Fox », comme on l'appelle couramment, fait partie des cinq grandes maisons de production américaine : des usines à fabriquer le rêve, dit-on souvent... Pendant trois mois, vous allez donc vous entraîner aux fonctions de scénariste (celui qui organise l'histoire et rédige les dialogues du futur film), dans l'équipe des chasseurs de sujets qui passent au peigne fin toute la littérature susceptible d'être adaptée à l'écran.

Aujourd'hui, vous avez en main cinq extraits de textes, centrés autour de cinq « méchants ». À vous d'établir, pour chacun, une **fiche-personnage**. Ce faisant, vous pouvez reconnaître au passage trois au moins de ces œuvres, qui sont fort célèbres. Cela ne fera que vous rapporter des points...

Dans les extraits 2 et 5, un nom de personnage est repassé en noir...

Extrait n° 1

« Elle la chargea des plus viles occupations de la Maison : C'était elle qui nettoyait la vaisselle [...], qui frottait la chambre de Madame, et celles de Mesdemoiselles ses filles ; elle couchait tout au haut de la maison, dans un grenier, sur une méchante paillasse, pendant que ses sœurs étaient dans des chambres parquetées, où elles avaient des lits des plus à la mode, et des miroirs où elles se voyaient depuis les pieds jusqu'à la tête. La pauvre fille souffrait tout avec patience, et n'osait s'en plaindre à son père qui l'aurait grondée parce que sa femme le gouvernait entièrement. »

N'ai-je pas payé douze cents dollars pour tout ce qu'il y a dans ta maudite carcasse noire ?... N'es-tu pas mien à présent, corps et âme ?... »

Et de sa botte pesante il donna à ▄▄▄ un grand coup de pied.

« Réponds-moi ! »

▄▄▄ était brisé par la souffrance physique : l'oppression tyrannique le courbait jusqu'à terre, et pourtant cette question fit passer dans son âme comme un rayon de joie. Il se redressa de toute sa hauteur, il regarda le ciel avec un noble enthousiasme, et, pendant que sur son visage coulaient et le sang et les larmes :

— Non ! non, mon âme n'est pas à vous, maître...

[...] De ses deux mains, la pauvre enfant couvrait son visage, comme si elle eût été déjà dans la rue, au moment de subir cette humiliation ; comme si déjà elle eût entendu la voix de la Frochard lui souffler ces mots :

— Allons, allons, ma p'tite, v'là des passants qui viennent par ici, ... tendez-moi c'tte main-là et pleurons, pleurons ferme, ça fera bien dans le paysage.

Puis, avec une expression poignante, Louise s'écria :

— Du moins, misérable aveugle que je suis, je n'aurai pas à baisser les yeux, je ne verrai pas la main qui glissera une aumône dans la mienne.

« Il existe des pressentiments qui ne trompent pas un fils. La lumière, tôt ou tard, dissipera les ténèbres... Le jour du châtiment viendra... Je dois venger mon père assassiné ! »

Une sueur froide mouillait les tempes de l'assassin. Néanmoins il résolut de payer d'audace.

« Eh ! répliqua-t-il, que pouvez-vous faire ? Vingt-deux ans se sont écoulés depuis le drame d'Alfortville... En supposant que Jacques Garaud ait été criminel et qu'il vive encore, la prescription [1] le couvre. »

« Que m'importe la prescription ? Si Jacques Garaud est vivant,

1. Disposition juridique qui fait qu'au-delà d'un certain temps, quelqu'un ne peut plus être accusé de posséder injustement un bien qu'on ne lui a pas réclamé jusque-là.

et si je le rencontre, ce n'est point à la loi que je demanderai justice… Le misérable, enrichi par le crime, a changé de nom certainement et s'est créé une famille. Le scandale fait autour de lui, la haine et le mépris des siens résultant de ce scandale suffiront à ma vengeance. »

Le millionnaire se leva en proie à une agitation terrible. Pendant quelques secondes, il se promena de long en large dans la bibliothèque, fiévreusement. Tout à coup il s'arrêta et dit d'une voix changée :

« Je vous approuve de vouloir venger votre père mais je doute que vous arriviez à ce but. Maintenant, reprenons notre entretien… »

Extrait n° 5

CHARLES

Mes habits ! Ils sont râpés, usés comme ceux d'un pauvre ! Trop courts, trop étroits avec cela. Quand je sors, j'en suis honteux…

— Tant mieux, interrompit la cousine avec un sourire méchant.

CHARLES

Attendez donc ! Je n'ai pas fini ma phrase ! J'en suis honteux pour vous, car chacun me dit : « Il faut que ta cousine soit joliment avare pour te laisser vêtu comme tu es. »

Pour le coup, c'est trop fort ! Attends, tu vas en avoir. »

La cousine court chercher une baguette ; pendant qu'elle la ramassait, Charles saisit les allumettes, en fit partir une, courut au rideau :

« Si vous approchez, je mets le feu aux rideaux, à la maison, à vos jupes, à tout ! »

s'arrêta : l'allumette était à dix centimètres de la frange du rideau de mousseline. Pourpre de rage, tremblante de terreur, ne voulant pas renoncer à la raclée qu'elle s'était proposé de donner à Charles, n'osant pas le pousser à exécuter sa menace, ne sachant quel parti prendre, elle fit peur à Charles par l'expression menaçante et presque diabolique de toute sa personne.

MÉCHANTS ET AFFREUX : MODÈLE 1	MÉCHANTS ET AFFREUX : MODÈLE 2
Homme - Femme (barrer la mention inutile)	Homme Femme (barrer la mention inutile)
Nationalité probable :	Nationalité probable :
Profession ou rang social :	Profession ou rang social :
Le personnage a-t-il avec sa/ses victime(s) des liens de parenté ? OUI NON	Le personnage a-t-il avec sa/ses victime(s) des liens de parenté ? OUI NON
Qu'est-ce qui lui donne son pouvoir ? • l'argent ☐ • son âge ☐ • sa supériorité physique ☐ • sa supériorité sociale ou légale ☐ <small>(cocher autant de cases que nécessaire)</small>	Qu'est-ce qui lui donne son pouvoir ! • l'argent ☐ • son âge ☐ • sa supériorité physique ☐ • sa supériorité sociale ou légale ☐ <small>(cocher autant de cases que nécessaire)</small>
Quels sont ses crimes ou méfaits ?	Quels sont ses crimes ou méfaits ?
Avez-vous reconnu le personnage ou l'histoire d'où il vient ? Indiquez-les dans ce cas :	Avez-vous reconnu le personnage ou l'histoire d'où il vient ? Indiquez-les dans ce cas :
Quel(s) châtiment(s) lui prévoyez-vous ?	Quel(s) châtiment(s) lui prévoyez-vous ?

Les fiches 3, 4 et 5, de formule abrégée, reflètent votre expérience grandissante. Résultats et barème p. XXXVIII et suivantes.

MÉCHANTS ET AFFREUX : MODÈLE 3	MÉCHANTS ET AFFREUX : MODÈLE 4
H - F Nationalité probable : Profession ou rang social :	H - F Nationalité probable : Profession ou rang social :
Liens de parenté avec victime ? O N Origine de son pouvoir ? • argent ☐ • âge ☐ • physique ☐ • supériorité sociale ou légale ☐	Liens de parenté avec victime ? O N Origine de son pouvoir ? • argent ☐ • âge ☐ • physique ☐ • supériorité sociale ou légale ☐
Crimes	Crimes
L'avez-vous reconnu(e) ?	L'avez-vous reconnu(e) ?
Quel(s) châtiment(s) lui prévoyez-vous ?	Quel(s) châtiment(s) lui prévoyez-vous ?

MÉCHANTS ET AFFREUX : MODÈLE 5
H - F Nationalité probable : Profession ou rang social :
Liens de parenté avec victime ?   O N Origine de son pouvoir ? • argent ☐ • âge ☐   • physique ☐ • supériorité sociale ou légale ☐
Crimes
L'avez-vous reconnu(e) ?
Quel(s) châtiment(s) lui prévoyez-vous ?

Votre période d'essai à la Fox touche à sa fin... Et voilà que la bonne nouvelle arrive : vous avez été sélectionné(e) par la maison pour établir le scénario du prochain film joué par Shirley Temple en Technicolor : *Petite Princesse* ! C'est la chance de votre carrière. Désormais, si vous êtes une fille, vous vous appelez Ethel Hill, et si vous êtes un garçon, Walter Ferris : ce sont les deux vrais scénaristes qui travaillèrent sur le film, sorti en 1939.

Seulement votre talent va tout de suite être mis à l'épreuve : pas question pour la Fox de montrer une histoire où Sara ne retrouve pas *son* papa, le vrai, l'unique — et non un papa de remplacement, même très bien, comme chez Frances Burnett. C'est simple : le public américain ne le supporterait pas ! Et Darryl Zanuck, le patron, a horreur qu'on le contrarie...

L'art du dénouement heureux
(En américain : « happy end »)

Vous avez donc décidé, ce soir, de faire quelques heures supplémentaires pour donner un dénouement totalement heureux à *Petite Princesse* : car sans connaître la fin avec précision, vous risqueriez d'engager la rédaction du scénario sur de fausses pistes. Autour de votre bureau surchauffé, vous entendez bruire la ruche des studios. Le ventilateur est en marche, vous avez prévu des sandwiches et un litre de café. Vous retroussez vos manches et vous installez à votre machine à écrire...

Par ailleurs, pour pouvoir rester critique vis-à-vis de vos trouvailles, vous avez décidé de vous créer un système d'appréciations amusant :

 = excellent, trouvaille à conserver ;

 = médiocre et sans imagination... honnête, au demeurant ;

 = plutôt mauvais, à part quelques éléments.

N'oubliez pas de colorier chaque fois le symbole qui vous paraît convenir...

20 heures : Tout est très simple, au fond. Il suffit de faire de Mr. Carmichael, l'ami du père, le père lui-même ! et le tour est joué...

Mais, mais... comment faire croire au spectateur, même assoupi, qu'un père situé « de l'autre côté du mur » n'ait pas repris sa fille près de lui au plus vite ? Carmichael n'avait qu'une idée confuse de l'endroit où pouvait se trouver Sara, et c'était vraisemblable. Mais le père ! Il faudrait imaginer alors qu'il ait perdu la mémoire. Les fièvres tropicales, peut-être.

VOTRE OPINION FINALE sur cette solution :

☺　　☹　　☹

22 heures : L'atmosphère s'alourdit, la chaleur monte dans votre étroit bureau. La soirée s'annonce finalement plus longue que vous ne l'aviez pensé. **Vous avez définitivement résolu de « supprimer » Carmichael.** Bien.

Restent Ram Dass, et la question de l'absence du capitaine...

Ram Dass est absolument nécessaire pour soulager la misère de Sara : vous le conservez, donc, mais vous en faites un prince.

Quant au capitaine Crewe, c'est dit, vous l'envoyez à la guerre, ce qui permet de le faire passer pour mort, avec une marge faible, mais possible, d'erreur. La guerre des Boers (voir p. VIII), qui dure suffisamment longtemps, fera l'affaire.

VOTRE OPINION FINALE sur cette solution :

Minuit : Vous ne voyez plus très clair. Depuis longtemps, le ventilateur est devenu inutile, et vous avez fini tous vos sandwiches. Vous remâchez le même dénouement, sans conviction.

Le capitaine Crewe rentre gravement blessé, puis il guérit peu à peu, et vient rechercher sa fille. Ou encore, des recherches sont faites pendant qu'il est à l'hôpital, et un homme de loi s'adresse un jour à la pension Minchin pour reprendre Sara.

Vous videz le fond de la cafetière...

VOTRE OPINION FINALE sur cette solution :

3 heures du matin : Les studios de la Fox sont depuis longtemps déserts. Seul un gardien de nuit vous a découvert(e), un peu étonné, en faisant sa ronde... mais on travaille tellement, à Hollywood...

Pour sortir du schéma un peu symétrique de tout à l'heure : départ du père, retour du père, voilà que vous avez conçu une idée folle : **c'est Sara, toute seule, qui réussirait à retrouver son père. Ou mieux encore : elle resterait seule au monde persuadée qu'il est en vie, et tenterait l'impossible pour le prouver !**

Voilà un projet fort, psychologiquement, et vous n'en êtes pas mécontent(e). **Mais aussitôt votre enthousiasme retombe :** où Sara pourrait-elle s'adresser ? et quel allié assez puissant pourrait aider la pauvre enfant à franchir les barrières multiples qui se dresseraient devant elle ? Ram Dass ? Que pourrait-il contre les lois anglaises et l'autorité de Miss Minchin ? Miss Amelia, dans un sursaut de courage qui risque de tourner court ?...

Avez-vous donc accouché d'un trait de génie, ou d'une monstrueuse invraisemblance ? Soudain votre carrière de scénariste vous semble, l'insomnie aidant, gravement compromise.

VOTRE OPINION FINALE sur cette solution :

5 heures du matin : L'ILLUMINATION !

Vous avez dû vous endormir la tête sur votre machine à écrire.

Qu'importe, car cet assoupissement a porté ses fruits : en reprenant conscience, vous aviez à l'esprit la plus émouvante, la plus spectaculaire des scènes finales ! À toute allure, vous la retranscrivez... et vous la déposez, triomphant(e), sur le bureau de votre collaborateur(-trice). Un peu de ménage... vous voilà parti(e), sifflotant dans le petit matin. Un salut amical aux techniciens de plateau, qui arrivent toujours les premiers...

Demain (aujourd'hui), c'est dimanche, et vous irez à la piscine.

Mais quel était donc ce dénouement « magique » ? <u>Sachant qu'il emprunte un ou deux éléments à chacune des solutions envisagées, saurez-vous en faire la synthèse ci-dessous ?</u> Réponse d'Ethel Hill et de Walter Ferris en 1939, pp. XLII-XLIII ? Vous reviendrez ensuite p. XXXIX établir votre score.

Attention ! vous reviendrez ici pour établir votre score définitif, après avoir découvert p. XLII le dénouement du film de Walter Lang.

Réponses et barème du jeu « RÉUSSIR LE MÉCHANT »

Personnage n°1 : La marâtre de « Cendrillon », dans les *Contes* de Perrault (1697).

Épouse en secondes noces d'un gentilhomme. Prototype de la femme méchante des contes de fées, avec la sorcière, qui se confond parfois avec elle. Abuse de sa supériorité légale envers sa pauvre belle-fille pour la réduire au rang de souillon et de souffre-douleur : une situation qui est l'un des modèles de *Petite Princesse*. Aura le dépit de voir sa victime devenir princesse, justement.

N° 2 : Legree, de *La Case de l'oncle Tom*, de Harriet Beecher Stowe (1852).

Sud des États-Unis. Planteur de coton et propriétaire d'esclaves, Legree est une brute inhumaine, un fils de famille dévoyé et corrompu. Il fera mourir sous la torture Tom, l'esclave qui ose lui résister par sa dignité morale. Mourra lui-même ivre et damné, après avoir essayé vainement de faire taire par l'alcool la voix de sa conscience. Symbolise toute l'horreur du système esclavagiste.

N° 3 : La Frochard, dans *Les Deux Orphelines*, d'Adolphe Dennery (1874).

Clocharde qui a perdu toute sensibilité le jour où elle a assisté à l'exécution de son mari, assassin patenté. Profite de sa supériorité physique pour exploiter une jeune aveugle, orpheline et égarée, qu'elle force à mendier en l'affamant. Mais celle-ci lui échappera grâce à Pierre, second fils de la Frochard, qui devra tuer pour cela Jacques, l'aîné adulé de sa mère (Pierre est le sauveur, dans l'illustration de la p. XXIX). Cette mort sera fatale à l'horrible mégère.

N° 4 : Jacques Garaud, de *La Porteuse de pain*, de Xavier de Montépin (1884).

Assassin, incendiaire et usurpateur, cet ancien contremaître qui s'est emparé de l'usine de son patron ne profitera pas toujours de cette richesse volée. Non seulement le fils de sa victime est sur ses talons (voir notre extrait), mais la Justice lui apparaîtra en la personne de

Jeanne Fortier, ex-gardienne de l'usine devenue « porteuse de pain », qu'il avait trouvé moyen de faire accuser à sa place. Se pendra dans sa prison, une fois condamné aux travaux forcés. Lire ce grand classique du mélodrame réuni avec d'autres dans *Mélos*, collection « Omnibus » (Presses de la Cité).

N° 5 : Mme Mac'Miche, dans *Un bon petit diable*, de la Comtesse de Ségur (1865). Vieille veuve écossaise, avare et sadique, qui n'a que deux distractions : battre au moindre prétexte son jeune cousin Charles, dont elle est la tutrice, et contempler l'or qu'elle lui a confisqué, alors que le père de Charles le lui avait confié en prévision de la majorité de son fils. Un juge de paix mettra bon ordre à tout cela, libérant Charles et l'or : cette dernière perte tuera notre Harpagon femelle.

BARÈME (vous pouvez avoir gagné un maximum *de 16 à 20 points par fiche*) :

H - F : **1 point.** Nationalité : **1 point.** Profession : **1 point.** Liens de parenté : **1 point.**

Origine(s) de son pouvoir ? **2 points si pas d'erreur**

Crimes ?   **Réponse approchée : 2 points**
                              Réponse précise : 4 points

L'avez-vous reconnu(e) ? **4 points** si titre de l'œuvre ou auteur exacts dans l'ensemble.

Quel(s) châtiment(s) lui prévoyez-vous ?
                              Réponse approchée : 2 points.
                              Réponse précise : 4 points.

Barème du jeu : « L'ART DU DÉNOUEMENT HEUREUX »

Chacune des idées suivantes vous rapporte **10 points.** Successivement :

- la perte de mémoire du capitaine Crewe ;
- son départ à la guerre ;
- Ram Dass devenu prince, et plus que jamais bienfaiteur de Sara ;
- la blessure immobilisant le capitaine ;
- Sara prenant la décision de rechercher elle-même son père ;

• l'Hôpital militaire, comme lieu stratégique : *60 points à gagner pour cette partie.* **Vous y ajouterez 20 points si** vous avez imaginé pour Sara un moyen de se trouver un appui. Deux possibilités sont acceptées : *ou elle s'échappe pour demander de l'aide à un homme de loi*, un médecin, etc., qu'elle peut avoir, par exemple, rencontré dans la rue (du type de Mr. Carrisford), *ou elle finit par convaincre Ram Dass et/ou Miss Amelia* de tenter quelque chose. **Vous y ajouterez 50 points si,** comme Ethel Hill et Walter Ferris, vous avez eu l'audace d'en appeler à Victoria elle-même : majesté oblige !

Bilan : vous pouvez atteindre un maximum variant de 80 points à 130 points.

Quelques mots de commentaire à l'occasion de ce dernier jeu :

On voit combien le roman de Frances Burnett résiste, au fond, sous ses dehors féeriques, à la vision optimiste un peu simplette : « Tout est bien qui finit bien. » C'est que le deuil est au centre du livre, thème profond, parfois visible, parfois enfoui : deuil du père, mais aussi deuil de la petite fille qu'on a été et qu'on ne pourra plus jamais être. Le « romantisme » de F. Burnett, comme disait Edith sa sœur, c'est aussi cette méditation en sourdine sur la mort.

****
Votre score total aux jeux de cinéma
Vos points au jeu 1 (la recette du bon mélo)   ....
Vos points au jeu 2 (« réussir le méchant ») :

Fiche 1	Fiche 2	Fiche 3 ......
Fiche 4	Fiche 5	**Total :** ......

Vos points au jeu 3 (l'art du dénouement heureux) :

Votre total général : ......

****

VOUS AVEZ OBTENU DE 20 à 110 POINTS. Vous avez une âme de dévoreur(euse) d'histoires. Vous êtes l'un de ces lecteurs et de ces spectateurs qui font la joie des écrivains et des cinéastes, car ce que vous voulez avant tout, c'est vous évader, vous laisser porter par le récit. Quant à savoir comment c'est fabriqué, un récit, ce n'est point votre affaire, et vous vous en remettez aux spécialistes !

VOUS AVEZ OBTENU DE 110 à 180 POINTS. Vous êtes un lecteur et un spectateur créatif, inventif. Il vous arrive souvent de vous détacher de l'histoire qu'on vous raconte, pour imaginer que les choses auraient pu tourner autrement, dans un sens qui conviendrait mieux à votre fantaisie. Mais cette imagination, qui est l'une de vos qualités, vous entraîne parfois au désordre. La logique n'est pas votre fort : c'est évident, puisque vous vous en moquez !

VOUS AVEZ OBTENU DE 180 à 240 POINTS. Vous connaissez la démangeaison de l'écriture, une vocation de conteur sommeille en vous. Souvent, déjà, comme à Frances Burnett jadis, on vient vous demander de raconter des histoires. Car vous savez ne pas perdre le fil d'un récit : vous avez l'esprit logique et du sens critique. Alors, pourquoi ne pas assumer votre talent ?

VOUS AVEZ OBTENU DE 240 à 300 POINTS. Vous êtes fait(e) pour l'écriture, et vous le savez. Votre talent est incontestable et déjà, sans doute, reconnu par vos proches. C'est à vous que convient la belle et difficile carrière d'écrivain ou de scénariste. Bonne chance !

VOUS « CREVEZ LE PLAFOND » DES 300 POINTS ! Alors, vous êtes un professionnel. Ne dites pas le contraire, et sortez de l'anonymat, chère lectrice, cher lecteur : votre culture, votre grand talent vous ont trahi(e)... forcément. Et dites-nous, en exclusivité pour Pocket Junior : quels sont vos projets ?

LE DÉNOUEMENT DE *LA PETITE PRINCESSE*
film en Technicolor de la Twentieth Century Fox
Réalisateur : Walter Lang (1939)

La fin de l'action se passe en 1902. Depuis longtemps déjà, le capitaine Crewe est réputé mort à Mafikeng, pendant la guerre des Boers. Sara et Becky ont été enfermées à double tour par Miss Minchin, qui les soupçonne de vol, après avoir découvert le confort mystérieux de la mansarde. Les deux fillettes parviennent à s'échapper par les toits grâce à Ram Dass, leur bienfaiteur : c'est lui, bien sûr, qui a mis un peu de sa fortune au service des deux petites. Sara se précipite vers l'hôpital militaire, pour y voir les nouveaux blessés : en effet elle n'est jamais parvenue à croire que son père était mort, et elle espère toujours qu'elle finira par le retrouver.

Le cœur de Sara ne s'est pas trompé : le capitaine Crewe n'était que blessé. Le spectateur vient de le voir arriver à l'hôpital. Mais, la tête bandée, assis sur un fauteuil roulant, il est en état de choc et n'a plus conscience de ce qui l'entoure. Il ne sait que répéter machinalement : « Sara !... Sara !... » sans qu'on parvienne à l'identifier. On décide son départ immédiat pour un autre hôpital, afin de tenter une opération.

Comme dans tout bon dénouement à « suspense », la tension est donc à son comble : le père et la fille risquent de se croiser sans se voir et de se perdre à jamais ; la pauvre petite princesse est poursuivie par l'affreuse Minchin, qui a constaté l'évasion et alerté la police (ils ont déjà repris Becky) et, pour comble de malheur, l'hôpital est mystérieusement fermé pendant une heure. N'écoutant que les battements de son cœur, Sara parvient quand même à s'y faufiler, quand elle est repérée par une sentinelle en faction. Sur le point d'être rattrapée, elle s'engouffre à perdre haleine dans la première salle venue. Et là...

SARA, *se débattant pour échapper à la sentinelle.* — Laissez-moi passer ! Laissez-moi passer ! Je veux rester ici ! Je le veux !

Voix masculine et forte de quelqu'un qu'on ne distingue pas. — Sentinelle ! *La sentinelle se met immédiatement au garde-à-vous. Contrechamp (on découvre ce que voient la sentinelle et Sara) : une vieille dame en fauteuil roulant, entourée de hauts dignitaires. Elle dit d'une voix douce :* — Que veut cette enfant ?

SARA, *se réfugiant auprès d'elle.* — S'il vous plaît, ne les laissez pas me renvoyer.

LA VIEILLE DAME. — Qu'y a-t-il, mon enfant ?

SARA. — Mon père, on dit qu'il est mort à Mafikeng, mais moi je ne le crois pas. Il est peut-être avec les nouveaux blessés. Si je ne regarde pas, je perds ma dernière chance. Pouvez-vous leur dire de me laisser regarder ?

LA VIEILLE DAME, *se tournant vers quelqu'un.* — Colonel, veillez à ce que cette enfant soit escortée à travers les salles.

LE COLONEL. — Je l'accompagnerai moi-même, Votre Majesté.

SARA, *pensant avoir mal entendu.* — Quel est votre nom ?

LA VIEILLE DAME. — Victoria. Et le tien ?

SARA. — Sara. *(Elle s'agenouille et baise la main de la reine.)* Oh, Votre Majesté !

LA REINE VICTORIA *(qui relève Sara en lui souriant).* — Colonel ! *(À Sara) :* — J'espère que tu retrouveras ton père, mon enfant ! *(Au colonel, sur le ton d'un ordre) :* — Bonne recherche, Colonel !

SARA, *pleurant.* — Merci, Votre Majesté !

LA REINE. — Au revoir, chère enfant !

Commence alors une dramatique partie de cache-cache entre Sara, escortée par le colonel, le capitaine Crewe, qu'on emmène afin de l'évacuer sur un autre hôpital, et Miss Minchin, qui cherche à forcer le barrage imposé par la visite de la reine. À la fin tout semble perdu : Sara n'a rien trouvé, et la voilà obligée de se cacher pour échapper à Miss Minchin, qui a fini par entrer grâce à l'appui de son frère, employé de l'hôpital. Sara va quitter la pièce où elle se dissimule, quand une voix, derrière elle, la fait tressaillir : « Sara !... Sara !... » Et c'est la bouleversante scène des retrouvailles.

En effet, le convoi des blessés étant déjà rempli avec les cas les plus graves, le départ du capitaine Crewe a été miraculeusement reporté d'un jour, et le blessé transféré quelques minutes en salle d'attente. Dernière épreuve pour la pauvre Sara : se faire reconnaître par ce père qui semble avoir perdu l'esprit. À force de volonté et d'amour, elle parvient, mot après mot, à redonner la mémoire et la vie à celui qui avait tout oublié, sauf elle. Et voici les derniers instants de notre « happy end » :

Miss Minchin vient d'apprendre, décomposée, que le capitaine Crewe est vivant. On voit arriver le capitaine, encadré par Sara, un soldat et une infirmière. Il ne cesse d'embrasser la main de sa fille.

Bientôt retentit le « God Save the Queen » (« Dieu préserve la Reine », l'hymne national britannique). Tous les assistants se figent dans une attitude respectueuse. On aide le capitaine Crewe à se lever de son fauteuil.

Contrechamp. La reine Victoria a terminé sa visite. Au moment de sortir, elle reconnaît dans l'assistance la petite Sara qui fait le salut militaire. Elle lui adresse un sourire.

SARA, *toujours au garde-à-vous, désignant son père :*
— Mon papa...

La reine Victoria lui répond par un signe de connivence et de bénédiction. Elle sort. L'image se referme doucement sur le visage de Sara, rayonnante de bonheur.

Fin

Dans le rôle de Sara Crewe :
Shirley Temple, 11 ans, prodigieuse.

Dans celui de la reine Victoria :
Beryl Mercer, impressionnante.

Dans celui du capitaine Crewe :
Ian Hunter, fragile et bon.

La vidéocassette de ce film est disponible chez M.P.M. Ne manquez pas, bientôt, la sortie sur écran de la nouvelle version...

CHAPITRE X

LE MONSIEUR DES INDES

Les visites d'Ermengarde et de Lottie étaient rares et Sara vivait une vie étrange et solitaire. Sa vie était même plus solitaire quand elle était en bas que quand elle était dans son grenier. Elle n'avait personne à qui parler, et quand on l'envoyait faire des commissions, il lui semblait que les foules qui la frôlaient dans leur course précipitée rendaient sa solitude encore plus grande.

Quand elle était la Princesse Sara, conduisant sa voiture, ou qu'elle allait à pied, accompagnée par Mariette, la vue de sa petite figure si animée, de ses manteaux et de ses chapeaux, faisait souvent retourner les gens pour la regarder. Les enfants minables, mal habillés, ne sont pas assez rares ni assez jolis pour faire retourner les gens, les faire sourire en les regardant. Personne ne regardait Sara à cette période de son existence, tandis qu'elle passait rapidement le long des trottoirs encombrés. Elle s'était mise à grandir très vite et comme elle ne portait que les toilettes les plus simples que lui fournissaient les restes de sa garde-robe, elle savait bien qu'elle présentait un aspect étrange.

Le soir, quand elle passait devant des maisons dont les fenêtres étaient éclairées, cela l'amusait de jeter un regard dans les chambres bien chauffées et d'imaginer toutes sortes de choses sur les gens qu'elle voyait assis au coin du feu ou autour des tables. Il y avait plusieurs familles sur la place où habitait Miss Minchin, avec lesquelles elle s'était tout à fait familiarisée à sa manière. Celle qu'elle aimait le mieux, elle l'appelait « la Famille

Nombreuse ». Il y avait huit enfants, dans la Famille Nombreuse et une bonne grosse maman au teint rose et un bon gros papa non moins rose, une bonne grosse grand-maman tout aussi rose et un nombre considérable de domestiques. Des bonnes d'enfants confortables emmenaient continuellement promener les huit enfants, soit à pied, soit dans des voitures d'enfants, ou bien leur maman les emmenait en voiture, ou bien ils accouraient à la porte, le soir, au-devant de leur papa. Ils l'embrassaient, dansaient autour de lui, lui ôtaient son pardessus, regardaient dans ses poches pour voir s'il n'y avait rien pour eux. Souvent ils se pressaient aux fenêtres de la salle des enfants, en se poussant et en riant de tout leur cœur, faisant toujours en somme quelque chose de plaisant.

Sara les aimait beaucoup et leur avait donné des noms pris dans des livres, des noms tout à fait romantiques. Quand elle ne les appelait pas la Famille Nombreuse, elle les appelait les Montmorency. Le bébé gras, tout blond, au bonnet de dentelle, était Ethelberta-Beauchamp-Montmorency, le petit garçon qui pouvait à peine marcher sur ses petites jambes toutes rondes, c'était Sidney-Cecil-Vivian-Montmorency. Puis venaient ensuite Lilian-Evangeline-Maud-Marion, Rosalind-Gladys, Guy-Clarence, Veronica-Eustacia et Claude-Harold-Hector !

Un soir, il arriva quelque chose de très drôle, quoique, peut-être, en un certain sens, ce ne fût pas drôle du tout.

Plusieurs des Montmorency allaient évidemment à une réunion d'enfants ; et juste au moment où Sara passait devant leur porte, ils traversaient le trottoir pour monter dans la voiture qui les attendait. Véronica-Eustacia et Rosalind-Gladys, en robes de dentelle blanche avec de jolies ceintures, venaient de monter et Guy-Clarence, âgé de cinq ans, les suivait. Il était un si joli petit bonhomme, il avait des joues si roses et des yeux si bleus et une si jolie petite tête toute ronde couverte de boucles que Sara en oublia son panier et son manteau de pauvresse, oublia tout sauf qu'elle voulait le regarder un petit moment. Aussi, elle s'arrêta et le contempla.

C'était le temps de Noël et la Famille Nombreuse avait entendu raconter beaucoup d'histoires d'enfants pauvres qui n'avaient ni papas ni mamans pour remplir leurs souliers et les mener à la pantomime, d'enfants qui avaient froid dans des vêtements élimés et qui avaient faim. Dans ces histoires, des gens charitables, quelquefois des petits garçons et quelquefois des petites filles au cœur tendre rencontraient toujours les pauvres enfants et leur donnaient de l'argent ou de beaux cadeaux. Guy-Clarence avait été touché jusqu'aux larmes cet après-midi même par une histoire de ce genre et il brûlait du désir de trouver une enfant pauvre et de lui donner une pièce de six pence qu'il possédait, ce qui, pensait-il, l'enrichirait pour la vie. En passant sur la bande de tapis rouge jetée en travers du trottoir, de la porte à la voiture, il avait cette fameuse pièce d'argent dans la poche de son petit pantalon de marin et juste quand ses sœurs s'asseyaient sur les coussins de la voiture, il vit Sara debout sur le trottoir mouillé, dans sa vieille robe et son vieux chapeau, avec son vieux panier au bras et elle le regardait avidement.

Il crut que cette avidité dans ses yeux venait sans doute de ce qu'elle n'avait rien eu à manger depuis longtemps. Il ne comprenait pas qu'elle avait ce regard parce qu'elle avait faim de cette vie chaude et joyeuse dont parlait sa petite figure rose. Il voyait simplement qu'elle avait de grands yeux, un visage mince et des jambes maigres, un panier vulgaire et des vêtements pauvres.

Aussi, il mit sa main dans sa poche, y trouva sa pièce de six pence et marcha vers elle d'un air protecteur.

« Tenez, ma pauvre petite fille, dit-il, voici une pièce de six pence. Je vais vous la donner. »

Sara sursauta et se rendit compte tout d'un coup qu'elle avait absolument l'aspect des pauvres enfants qu'elle avait vus dans des jours meilleurs, attendre sur le trottoir pour la voir monter dans sa charrette ou en descendre. Et c'est bien souvent qu'elle leur avait donné des sous. Son visage devint tout rouge, puis ensuite tout pâle.

« Oh ! non, dit-elle. Oh ! non, merci. Je ne dois pas l'accepter. »

La voix était si différente de celle d'une enfant des rues et ses manières ressemblaient tant à celles d'une petite personne bien élevée, que Véronica-Eustacia (qui s'appelait tout simplement Janet) et Rosalind-Gladys (dont le nom était en réalité Nora) se penchèrent de la voiture pour l'écouter.

Mais Guy-Clarence n'entendait pas être contrarié dans ses dispositions charitables. Il lui fourra la pièce de monnaie dans la main : « Mais si, il faut la prendre, pauvre fille, insista-t-il avec autorité. Avec ça, vous pourrez acheter de quoi manger. C'est six pence, que ça représente. »

Il y avait quelque chose de si honnête et de si bon dans le visage du petit garçon, on voyait si bien qu'il serait désappointé et désolé si elle ne prenait pas sa petite pièce, que Sara comprit qu'il ne fallait pas la refuser. Aussi, elle mit bel et bien son orgueil dans sa poche avec la pièce de monnaie, mais il faut admettre que ses joues étaient en feu.

« Merci, dit-elle. Vous êtes une charmante petite créature. »

Et tandis qu'il grimpait joyeusement dans la voiture, elle s'en alla en essayant de sourire, quoiqu'elle fût oppressée et ses yeux brillaient à travers un brouillard. Elle savait bien qu'elle avait l'air étrange et minable, mais jusqu'alors elle ne croyait pas qu'on pourrait la prendre pour une mendiante.

Pendant que la voiture de la Famille Nombreuse s'éloignait, les enfants parlaient avec beaucoup d'excitation.

« Oh ! Donald (ça, c'était le vrai nom de Guy-Clarence), s'écria Janet d'un ton alarmé, pourquoi avez-vous offert votre six pence à cette petite fille ? Je suis sûre qu'elle n'est pas une mendiante.

— Elle ne parlait pas comme une mendiante, dit

à son tour Nora, et sa figure n'avait vraiment pas l'air d'une figure mendiante.

— D'ailleurs, elle ne mendiait pas, reprit Janet. J'avais très peur qu'elle ne se fâche contre vous. Vous savez, ça fâche les gens qu'on les prenne pour des mendiants quand ils n'en sont pas.

— Elle ne s'est pas fâchée, dit Donald un peu décontenancé, mais restant sur ses positions. Elle a ri un peu et m'a dit que j'étais une charmante petite créature. Et c'était vrai, puisque je lui ai donné tous mes six pence ! »

Janet et Nora échangèrent un regard.

« Une mendiante n'aurait jamais dit cela, décida Janet. Elle aurait dit : Bien grand merci, mon petit Monsieur et peut-être elle aurait fait une révérence plongeante. »

Sara ne sut rien de tout cela, mais désormais, la Famille Nombreuse s'intéressa à elle aussi vivement qu'elle s'intéressait à eux. Des visages se montraient aux fenêtres quand elle passait et l'on discutait ferme sur elle au coin du feu.

« C'est une espèce de domestique à l'institution, dit Janet. Ce doit être une orpheline. Mais ce n'est pas une mendiante, toute minable qu'elle paraisse. » Et depuis ce moment, ils l'appelèrent tous : « La-petite-fille-qui-n'est-pas-une-mendiante. » Cela faisait naturellement un nom un peu long et quelquefois ça sonnait drôlement quand les plus petits voulaient le dire vite.

Sara s'arrangea pour percer un trou dans la pièce de six pence, et la suspendit à son cou avec un vieux morceau de ruban étroit. Son affection pour la Famille Nombreuse augmentait. Elle aimait de plus en plus Becky et elle envisageait avec joie les deux matins par semaine où elle allait en classe pour la leçon de français des petites. Ses petites élèves l'aimaient et se disputaient le privilège de se mettre tout près d'elle. Elle se fit de tels amis avec les moineaux que quand elle montait sur la table, sortait sa tête et ses épaules par la fenêtre à tabatière et qu'elle se mettait à gazouiller, elle entendait presque immédiatement des battements d'ailes et des gazouillements qui lui répondaient, et une bande de petits oiseaux poussiéreux de la ville apparaissait, s'abattait sur les ardoises pour causer avec elle ; ils appréciaient fort les miettes qu'elle leur lançait. Avec Melchissedech elle était devenue si intime qu'il en vint à amener quelquefois avec lui Madame Melchissedech et de temps en temps un ou deux de ses enfants. Elle lui parlait et, ma foi, il avait l'air de la comprendre.

Elle aurait bien voulu que quelqu'un vienne habiter la maison voisine, toujours inoccupée. Elle le souhaitait à cause de la fenêtre de mansarde qui était si près de la sienne. Cela aurait été si plaisant de la voir s'ouvrir un beau jour et d'en voir émerger une tête et des épaules : « Si c'était une tête sympathique, pensait-elle, je pourrais commencer par dire : Bonjour ! Et cela pourrait amener toutes sortes de conséquences. Mais malheureusement, il n'est pas probable que quelqu'un d'autre que des domestiques inférieurs vienne coucher là. »

Un matin, en tournant le coin de la place, après une visite chez l'épicier, le boucher et le boulanger, elle vit, avec la plus grande joie, que pendant son absence prolongée, une voiture de déménagement s'était arrêtée devant la maison voisine ; la grande porte était ouverte et des hommes en manches de chemise entraient en portant de lourds paquets et des meubles.

« La maison est louée ! dit-elle, c'est sûr, elle est louée. Oh, j'espère qu'une figure aimable va se montrer à la fenêtre de la mansarde. »

Elle aurait bien aimé se joindre au groupe de badauds qui s'étaient arrêtés sur le trottoir pour regarder les meubles qu'on transportait. Elle avait l'idée que si elle pouvait voir quelques-uns de ces meubles, elle devinerait quelque chose sur les gens à qui ils appartenaient.

« Les tables et les chaises de Miss Minchin lui ressemblent, pensait-elle. Je me souviens que j'ai trouvé cela dès la première minute où je l'ai vue, toute petite que j'étais. Je l'ai dit à papa après, il en a ri et a dit que c'était vrai. Je suis sûre que, dans la Famille Nombreuse, ils ont de beaux grands fauteuils confortables et des sofas. »

Plus tard dans la journée, on l'envoya à la fruiterie chercher du persil et quand elle sortit par l'escalier de la petite cour du sous-sol, elle eut une vraie palpitation de cœur : elle se trouvait en pays connu. Il y avait sur le trottoir une belle table en bois de teck finement sculptée, des chaises et un paravent couverts de riches broderies orientales. Cette vue lui donna un sentiment de nostalgie. Elle avait connu dans l'Inde des choses comme celles-là.

« Oh ! les belles choses, se dit-elle, elles ont l'air d'appartenir à quelqu'un de gentil. Tout ce qu'on voit là est vraiment beau et grand. Je suppose que c'est une famille riche. »

Les wagons de mobilier se succédèrent pendant toute la journée. Plusieurs fois Sara eut l'occasion de voir ce que l'on entrait dans la maison. Il était clair qu'elle avait eu raison en devinant que les nouveaux venus étaient des gens fortunés. Tout le mobilier était riche et beau et en grande partie oriental. Des tapis magnifiques, des tentures, des objets d'art sortaient des voitures, ainsi que beaucoup de tableaux et des livres à meubler toute une bibliothèque. Entre autres choses, il y avait un superbe bouddha dans une niche splendide. « Sûrement, quelqu'un de la famille a été aux Indes, pensait Sara. Ils ont l'habitude des objets des Indes et ils les aiment. Je suis bien contente. Il me semblera que ce sont des amis, même si jamais aucune tête ne se montre à la fenêtre de la mansarde. »

En allant chercher dans la soirée du lait pour la cuisinière, elle vit quelque chose qui rendit la situation encore plus intéressante. Le bel homme à figure rose qui était le père de la Famille Nombreuse traversait la place de l'air le plus naturel, il monta les marches de la maison voisine, il les monta absolument comme s'il était chez lui, comme s'il devait à l'avenir les monter bien souvent. Il resta un bon moment dans la maison, en ressortit plusieurs fois pour donner des indications aux déménageurs. Il était certain qu'il avait des relations intimes avec les arrivants et qu'il agissait en leur nom.

« Si ces nouveaux habitants ont des enfants, spéculait Sara, les enfants de la Famille Nombreuse viendront sûrement les voir et jouer avec eux et il pourrait se faire qu'ils grimpent jusqu'à la mansarde, rien que pour s'amuser. »

Le soir, une fois son travail terminé, Becky vint voir sa compagne de captivité et lui apporta des nouvelles.

« C'est un Nindien qui vient habiter à côté, Miss, il est sûrement Nindien, dit-elle. J'sais pas si c'est un Noir ou non, mais j'sais ben qu'il est Nindien. Il est très riche, mais il est malade et l'Monsieur d'la Famille Nombreuse, il est son homme d'affaires. Le Nindien, il a eu des tas d'ennuis, qu'ça l'a rendu malade et tout chose dans sa tête. Il adore des idoles, Miss. C'est un païen, qu'il est et qu'i' salue des dieux en bois et en pierre. J'ai vu qu'on lui apportait une idole pour dire ses prières. Quéqu'un d'vrait lui envoyer un trac[1] pou l'convertir. Un trac, on peut en avoir un pour deux sous. »

Cela fit rire un peu Sara. « Je ne crois pas qu'il adore cette idole, dit-elle. Bien des gens en ont chez eux pour les regarder parce qu'elles sont jolies. Mon papa en avait une très belle, mais il ne l'adorait pas. »

Mais Becky aimait mieux croire que le voisin était un païen. Cela était beaucoup plus romantique que s'il avait été simplement un monsieur comme les autres, qui va à l'église avec son livre de prières. Becky resta là longtemps cette nuit-là, se demandant comment serait le monsieur et comment serait sa femme, s'il en avait une et comment seraient ses enfants s'il en avait. Sara comprit que dans son for intérieur Becky ne pouvait pas s'empêcher d'espérer qu'ils étaient tous des nègres

---

1. Becky veut dire un « tract », c'est-à-dire, comme aujourd'hui, un imprimé distribué dans la rue. Au XIXe siècle, en Angleterre, on en distribuait pour ramener le peuple à la religion. *(N.d.E.)*

et des négrillons, qu'ils portaient des turbans, et, par-dessus tout, que comme leur père, ils seraient tous des païens.

« Jamais j'ai habité porte à porte avec des païens, Miss, dit-elle. J'voudrais ben voir qué'sortes de façons qu'i-zont... »

Ce ne fut que plusieurs semaines plus tard que sa curiosité fut satisfaite. On vit alors que le nouveau locataire n'avait ni femme ni enfants. C'était un homme seul, sans aucune famille et il était clair que sa santé était lamentable et son esprit malheureux.

Un jour en effet, une voiture s'arrêta devant la maison. Quand le valet de pied descendit et ouvrit la portière, le père de la Famille Nombreuse en sortit le premier ; ensuite vint une infirmière en uniforme, pendant que deux domestiques descendaient les marches de la maison. Ils venaient pour aider leur maître à sortir de la voiture. Quand il en sortit, on vit un homme à la physionomie hagarde, ravagée et un corps comme un squelette tout emmitouflé de fourrures. On le porta en haut des marches et le chef de la Famille Nombreuse l'accompagna, d'un air très inquiet. Peu de temps après, arriva la voiture d'un docteur et ce dernier entra dans la maison, évidemment pour soigner le Monsieur des Indes.

« Il y a un monsieur tout jaune dans la maison à côté, Sara, dit tout bas Lottie à la classe de français qui suivit. Croyez-vous que c'est un Chinois ? La géographie dit que les Chinois sont jaunes... — Non, il n'est pas Chinois, répondit Sara sur le même ton, il est très malade... Continuez votre exercice, Lottie : *Non, Monsieur. Je n'ai pas le canif de mon oncle...* »

Tel fut le commencement de l'histoire du Monsieur des Indes.

CHAPITRE XI

RAM DASS

Il y avait de beaux couchers de soleil, même sur la place, de temps en temps. On en voyait seulement des petits coins entre les cheminées et par-dessus les toits.

Il y avait cependant un endroit duquel on pouvait en voir toute la splendeur : les entassements de nuages rouges ou or à l'ouest, ou les nuages pourprés bordés d'un éclat éblouissant ; ou les petits nuages floconneux, flottants, couleur de rose, qui ressemblaient à des vols de colombes roses filant rapidement dans le bleu du ciel quand il y avait du vent. L'endroit d'où l'on pouvait voir tout cela et respirer en même temps un air plus pur, c'était, naturellement, les fenêtres des mansardes. Quand la place recevait soudain un reflet rouge comme par un enchantement et paraissait belle en dépit de ses grilles et de ses arbres encrassés de suie, Sara savait bien qu'il se passait quelque chose dans le ciel et dès qu'elle pouvait quitter la cuisine sans qu'on s'en aperçoive et sans qu'on la rappelle, elle en sortait à la dérobée, grimpait les quatre étages, montait sur la vieille table, passait la tête et tout ce qu'elle pouvait de son corps par la fenêtre. Quand elle avait fait cela, elle respirait profondément, et regardait tout autour d'elle. Il lui semblait qu'elle avait pour elle toute seule tout le ciel et le monde entier. Personne d'autre ne regardait jamais par les autres fenêtres de mansardes. En général, ces fenêtres à tabatière étaient fermées, ou si elles étaient soulevées pour laisser entrer l'air, personne ne semblait se tenir auprès. Et Sara restait là, debout sur sa table, contemplant l'ouest et toutes les merveilles qui s'y déroulaient : les nuages se fondaient ou voguaient à la dérive, ou attendaient doucement pour changer de couleur sans changer de place, roses ou cramoisis, ou blanc de neige, ou mauves ou d'un gris pâle de tourterelle.

Quelquefois, ils formaient comme des îles, ou des grandes montagnes encerclant des lacs d'un bleu de turquoise profond, ou d'ambre liquide, ou de vert chrysoprase. Il y avait des endroits où l'on aurait cru qu'on allait pouvoir marcher, courir ou grimper jusqu'à ce que peut-être tout se fondît tout à coup, et s'éloignât en flottant.

Il y avait un coucher de soleil de ce genre quelques jours après qu'on avait amené le monsieur des Indes dans sa nouvelle demeure et comme Sara avait eu la chance qu'il n'y eût plus rien à faire à la cuisine, et que personne ne lui avait donné ordre d'aller à tel ou tel endroit ou d'entreprendre telle ou telle besogne, elle eut plus de facilité que d'habitude pour gagner son grenier. Elle monta sur la table et regarda au-dehors. Le moment était merveilleux. Il y avait des flots d'or en fusion qui envahissaient l'ouest, comme si une glorieuse marée balayait l'Univers ; les oiseaux qui volaient au-dessus des toits paraissaient tout noirs sur ce fond d'or. « Il est splendide, ce soir, se dit doucement Sara à elle-même. Cela me fait presque peur, comme si quelque chose d'extraordinaire allait arriver. »

Elle tourna soudain la tête parce qu'elle avait entendu un drôle de son à quelques mètres d'elle ; c'était un bizarre petit jacassement criard. Cela venait de la fenêtre de la mansarde voisine. Quelqu'un avait fait comme elle et était venu voir le coucher de soleil. Il y avait une tête et une partie de buste émergeant de la tabatière ; mais ce n'était pas la tête et le buste d'une petite fille ou d'une femme de chambre. C'était la silhouette pittoresque, drapée de blanc, avec une tête au teint brun, aux yeux brillants, au turban blanc d'un indigène de l'Inde, un « Lascar », se dit immédiatement Sara. Le son qu'elle avait entendu venait d'un petit singe qu'il tenait dans ses bras comme s'il l'aimait beaucoup et qui se blottissait contre lui en jacassant.

Au moment où Sara regardait l'Indien, il regarda de son côté. Sa première impression fut que cette face sombre avait l'air triste et nostalgique. Elle fut absolument sûre qu'il était monté regarder le soleil parce qu'il l'avait si rarement vu en Angleterre qu'il mourait d'envie de le voir. Elle le regarda avec intérêt pendant une seconde, puis lui sourit par-dessus les ardoises. Elle avait appris combien un sourire, même venant d'un inconnu, pouvait être réconfortant.

Le sourire de Sara fit évidemment plaisir au Lascar. Toute sa physionomie changea et il montra, en lui rendant son sourire, des dents blanches si luisantes qu'on aurait cru qu'une lumière venait de s'allumer dans sa face sombre. Le regard affectueux des yeux de Sara était toujours très efficace quand les gens se sentaient fatigués ou tristes.

Peut-être est-ce en lui faisant un salut de son pays qu'il desserra son étreinte du petit singe... C'était un petit diablotin de singe, toujours prêt à toutes les aventures et il est probable que la vue de cette petite fille l'émoustillait. Il s'échappa soudain du bras qui le tenait, sauta sur les ardoises, les traversa, toujours jacassant, sauta bel et bien sur l'épaule de Sara et de là dans sa mansarde.

Cela la fit rire et lui fit grand plaisir, mais elle savait bien qu'il fallait le rendre à son maître, si le Lascar était son maître et elle se demandait comment faire. Le singe se laisserait-il attraper, ou serait-il méchant ? Peut-être se sauverait-il pour courir de toit en toit et aller se perdre ? Ce serait bien ennuyeux. Il pouvait aussi appartenir au monsieur des Indes et ce pauvre homme tenait sans doute à lui.

Elle se tourna vers le Lascar, heureuse de se rappeler encore quelques mots d'hindoustani qu'elle avait appris quand elle habitait là-bas avec son père. Elle allait pouvoir se faire comprendre. Elle lui parla dans cette langue qu'il connaissait. « Me laissera-t-il l'attraper ? » demanda-t-elle. Elle pensa qu'elle n'avait jamais vu plus de surprise et de joie que n'en exprima la face sombre quand elle lui parla son langage familier. Immédiatement, Sara se rendit compte qu'il avait l'habitude de fréquenter des enfants européens. Il lui adressa toute une cascade de remerciements respectueux. Il était le serviteur de la Missee Sahib. Le singe était un bon petit singe et ne la mordrait pas ; mais malheureusement il n'était pas commode à attraper. Il sauterait d'une place à l'autre comme l'éclair. Il était désobéissant, mais il n'était pas méchant. Ram Dass le connaissait comme s'il eût été son enfant et à Ram Dass il obéissait quelquefois, mais pas toujours. Si la Missee Sahib voulait permettre à Ram Dass, lui-même pourrait arriver à sa chambre par le toit, entrer par la fenêtre et récupérer ce vilain petit animal. Mais il avait peur que Sara ne trouve qu'il prenait une grande liberté et peut-être ne le laisse pas entrer.

Mais Sara le lui permit tout de suite. « Vous pouvez traverser par le toit ? demanda-t-elle. — En un instant, répondit-il. — Alors venez, dit-elle ; il saute de tous les côtés de la chambre comme s'il avait peur. »

Ram Dass se glissa par la fenêtre de sa mansarde, traversa le toit jusqu'à la mansarde de Sara aussi légèrement et aussi d'aplomb que s'il n'avait marché que sur des toits pendant toute sa vie. Il se glissa par la tabatière et retomba sur ses pieds sans faire le moindre bruit. Alors, il se tourna vers Sara et lui fit de nouveaux salaams. Le singe l'aperçut et poussa un petit cri. Ram Dass s'empressa de rabattre la fenêtre et se mit à chasser la petite bête. La chasse ne dura pas longtemps. Le singe la prolongea quelques minutes, évidemment parce que cela l'amusait ; puis tout à coup il sauta en jacassant sur l'épaule de Ram Dass et s'accrocha à son cou avec ses drôles de petits bras poilus.

Ram Dass fit à Sara de grands remerciements. Elle avait vu que ses yeux vifs avaient saisi du premier coup la pauvreté de la pièce ; mais il lui parla comme il aurait parlé à la petite fille d'un rajah et ne fit pas mine d'avoir rien observé. Il ne se permit pas de rester plus de quelques instants après qu'il eut rattrapé le singe, mais lui fit encore de grands saluts pleins de reconnaissance. Cette vilaine petite bête, disait-il en caressant le singe, n'était pas si vilaine qu'elle en avait l'air, et elle amusait souvent son maître qui était malade et qui aurait été bien triste si son petit favori s'était perdu. Il fit un nouveau salaam, repassa par la tabatière, retraversa les ardoises avec autant d'agilité que le singe lui-même en avait déployé.

Quand il fut parti, Sara resta au milieu de la mansarde et pensa à une quantité de choses que le visage et les manières du Lascar lui avaient rappelées. La vue de son costume indigène et du profond respect de ses manières remuèrent tous ses souvenirs. Cela était vraiment étrange de se souvenir que, elle, la souillon à laquelle la cuisinière avait prodigué des injures une heure auparavant, s'était vue, il y avait quelques années, entourée par des gens qui tous la traitaient comme Ram Dass venait de la traiter, qui faisaient des salaams sur son passage, qui étaient ses serviteurs et ses esclaves. Était-ce la réalité, ou était-ce un rêve ? Mais tout cela était bien fini et ne reviendrait jamais. Elle savait les intentions de Miss Minchin pour son avenir. Tant qu'elle serait trop jeune pour être employée comme institutrice régulière, elle ne serait qu'une servante et une commissionnaire, bien qu'on exigeât qu'elle se rappelât ce qu'elle avait appris et que, par quelque moyen mystérieux, elle continuât à apprendre davantage. À des intervalles indéfinis, on lui faisait passer des examens et elle savait bien qu'elle aurait été vertement tancée si elle n'avait pas fait les progrès qu'on attendait d'elle. La vérité, c'est que Miss Minchin savait bien que Sara était si anxieuse d'apprendre qu'elle n'avait pas besoin de maîtres. Qu'on lui donne des livres, elle les dévorerait et finirait par les savoir par cœur. On était sûr que dans quelques années elle serait à même d'enseigner ce qu'on voudrait. C'était là ce qui l'attendait. Quand elle serait plus âgée, on exigerait d'elle qu'elle trime dans la classe comme elle trimait maintenant dans la maison. On serait bien obligé de lui fournir des vêtements plus respectables, mais ils ne manqueraient pas d'être simples et laids ; elle aurait toujours l'air d'une servante. Cela semblait être la seule existence qu'elle pût envisager. Et Sara rumina cela pendant quelques minutes.

Alors il lui revint une pensée qui lui fit monter la couleur aux joues et une étincelle à ses yeux, elle se redressa et releva la tête.

« Quoi qu'il arrive, dit-elle, il y a une chose qui ne peut pas changer. Si je suis une princesse en haillons, je puis toujours être une princesse dans mon âme. Ce serait bien facile d'être une princesse, si j'étais habillée de drap d'or ; mais c'est un bien plus grand triomphe d'en être une tout le temps, quand personne ne le sait. »

Cette pensée donnait à Sara une expression que Miss Minchin était incapable de comprendre et qui la vexait fort : elle voyait bien que l'enfant vivait mentalement une vie qui l'élevait au-dessus du reste du monde. Elle avait l'air d'entendre à peine les grossièretés ou les méchancetés qu'on lui disait ; ou, si elle les entendait, elle ne s'en souciait aucunement. Quelquefois, quand elle était lancée dans quelque semonce dure et autoritaire, Miss Minchin voyait les yeux calmes et nullement enfantins fixés sur elle avec un sourire fier. À ces moments-là, elle ne se doutait guère de ce que se disait Sara et voilà ce que Sara se disait :

« Vous ne savez pas que vous dites tout cela à une princesse et que, si je voulais, je pourrais, d'un geste donner l'ordre de votre exécution. Si je vous épargne, c'est justement parce que je suis princesse et parce que vous, vous êtes une pauvre vieille femme stupide, mauvaise, vulgaire, incapable de mieux faire ! »

Cela intéressait et amusait Sara plus que tout le reste et si fantasque et bizarre que fût l'idée, elle y trouvait un réconfort. Tant que cette idée la possédait, elle ne pouvait pas devenir grossière et malicieuse, en dépit de la grossièreté et de la malice qui l'entouraient.

« Une princesse doit être polie », se disait-elle.

Aussi, quand les servantes, empruntant leur ton à leur maîtresse, étaient insolentes pour elle et lui donnaient des ordres, elle redressait la tête et leur répondait avec une civilité un peu désuète qui souvent leur faisait ouvrir de grands yeux.

Le matin qui suivit l'entrevue avec Ram Dass et son singe, Sara était dans la classe avec ses petites élèves. La leçon finie, elle ramassait les livres d'exercices français et songeait, ce faisant, aux choses diverses que des princes sous un déguisement avaient été amenés à faire : Alfred le Grand, par exemple, brûlant les gâteaux de la femme du porcher et en recevant une paire de gifles. Quelle peur elle dut avoir, quand elle s'aperçut de ce qu'elle avait fait ! Si Miss Minchin découvrait un jour qu'elle, Sara, dont les orteils sortaient de ses souliers usés, était une princesse, une vraie ! Le regard qui apparaissait dans ses yeux était celui que Miss Minchin détestait tout particulièrement : elle n'en voulait à aucun prix ; elle se trouvait tout près de Sara et ce regard la mit dans une telle fureur, qu'elle s'élança sur elle et lui donna une paire de gifles, absolument comme la femme du porcher avait giflé le roi Alfred ! Cela fit sursauter Sara. Sous le choc, elle sortit de son rêve, et, retenant son souffle, s'immobilisa une seconde. Puis, sans se rendre compte de ce qu'elle allait faire, elle eut un petit éclat de rire.

« De quoi riez-vous, insolente ? » s'écria Miss Minchin.

Il fallut à Sara quelques secondes pour se maîtriser suffisamment et se rappeler qu'elle était une princesse.

« Je réfléchissais, répondit-elle.

— Demandez-moi pardon immédiatement ! » dit Miss Minchin.

Sara hésita un peu avant de répondre : « Je veux bien vous demander pardon d'avoir ri, dit-elle enfin, mais je ne vous demanderai pas pardon d'avoir réfléchi.

— À quoi réfléchissez-vous ? demanda Miss Minchin. Comment osez-vous réfléchir ? Encore une fois, à quoi réfléchissiez-vous ?

— Je réfléchissais, répondit-elle majestueusement et poliment, que vous ne saviez pas ce que vous faisiez.

— Que... que... je ne savais pas ce que je faisais ? fit Miss Minchin, complètement ahurie.

— Oui, dit Sara. Et je réfléchissais à ce que je ferais si j'étais une princesse et que vous me donniez une paire de gifles. Et je réfléchissais aussi que si j'en étais une, vous n'oseriez jamais faire ça, quoi que je dise, ou quoi que je fasse. Et je réfléchissais encore combien vous seriez surprise et épouvantée, si soudain vous découvriez... »

Elle voyait si clairement l'avenir qu'elle imaginait qu'elle parlait avec une assurance qui produisit son effet, même sur Miss Minchin. Celle-ci crut presque sur le moment, avec son esprit étroit, dépourvu d'imagination, qu'il devait y avoir quelque puissance réelle cachée derrière cette candide audace.

« Quoi ? s'écria-t-elle. Si je découvrais quoi ?

— Que je suis réellement une princesse et que je puis faire n'importe quoi, tout ce qui me plaît. »

Tous les yeux dans la classe s'élargissaient jusqu'à leur extrême limite. Lavinia se penchait sur son siège afin de mieux voir.

« Allez dans votre chambre ! cria Miss Minchin, la respiration coupée. À l'instant même ! Quittez la classe ! Occupez-vous de vos leçons, Mesdemoiselles. »

Sara fit un petit salut. « Excusez-moi pour avoir ri, si c'était impoli », dit-elle et elle sortit de la classe, laissant Miss Minchin digérer sa fureur et les élèves chuchoter derrière leurs livres.

« L'avez-vous vue ? Avez-vous vu quel drôle d'air elle avait ? dit Jessie. Je ne serais pas du tout surprise si un beau jour on s'apercevait qu'elle est quelque chose. Supposez que ça soit vrai, hein ? »

CHAPITRE XII

DE L'AUTRE CÔTÉ DU MUR

Sara aimait beaucoup à essayer, pour s'amuser, d'imaginer les choses cachées par le mur qui séparait l'institution de premier ordre de la maison du Monsieur des Indes. Elle savait que la salle de classe était juste contre le cabinet de travail du Monsieur des Indes et elle espérait que le mur était assez épais pour que le bruit qu'on faisait souvent dans la classe une fois les leçons finies ne le dérange pas.

« Je commence à l'aimer beaucoup, dit-elle à Ermengarde. Je voudrais bien qu'on ne le dérange pas. Je l'ai adopté comme ami. On peut faire ça avec des gens auxquels on ne parle jamais. Vous ne pouvez que les regarder, penser à eux, et être triste avec eux, au point qu'ils ont presque l'air d'être des parents. Je suis quelquefois très inquiète quand je vois le docteur venir deux fois par jour.

— Moi, j'ai très peu de parents, dit Ermengarde d'un air réfléchi, et j'en suis bien contente. Je n'aime pas ceux que j'ai. Mes deux tantes me disent tout le temps : Mon Dieu, Ermengarde, comme vous engraissez ! Vous êtes vraiment trop grasse : vous ne devriez pas manger de sucreries ! Et mon oncle me demande toujours des choses comme ça : En quelle année Édouard III est-il monté sur le trône ?... ou : Qui est-ce qui est mort d'une indigestion de lamproies ? » Cela fit rire Sara.

« Les gens auxquels vous ne parlez jamais ne peuvent pas vous poser des questions comme ça, dit-elle, et je suis sûre que le Monsieur des Indes ne le ferait pas non plus, même s'il était tout à fait intime avec vous. Aussi, je l'aime bien. »

Elle s'était mise à aimer la Famille Nombreuse parce qu'ils avaient l'air très heureux, mais elle s'était mise à aimer le Monsieur des Indes parce qu'il avait l'air malheureux. Évidemment, il n'était pas entièrement rétabli d'une maladie très grave. À la cuisine, on discutait beaucoup sur son cas. Il n'était pas vraiment un Indien, mais un Anglais qui avait vécu aux Indes. Il avait eu de grands malheurs qui, pour un temps, avaient mis en si grand danger toute sa fortune qu'il s'était cru ruiné et déshonoré pour toujours. Le choc avait été si rude qu'il avait failli mourir d'une fièvre cérébrale, depuis ce temps-là, sa santé était lamentable, quoique son sort eût changé et que toutes ses richesses lui soient revenues. Ses ennuis et ses dangers avaient rapport à des histoires de mines.

« Et des mines qu'y a des diamants d'dans ! dit la cuisinière ; mes économies, qu'es' iront jamais dans des mines, et d'diamants, surtout ! » Et avec un regard de côté à Sara : « Nous en savons tous qué'qu'chose, est-ce pas ? »

« Ça a été comme pour mon papa, pensa Sara, il a été malade comme mon papa, mais lui, il n'est pas mort. »

Aussi, son cœur fut encore plus attiré vers lui qu'auparavant. Quand on l'envoyait en commission une fois la nuit tombée, elle en était parfois bien contente, parce qu'il y avait toujours une chance que les rideaux de la maison voisine ne soient pas encore tirés, qu'elle puisse jeter un regard dans la grande chambre bien chaude et voir son ami d'adoption. Quand il n'y avait personne sur le trottoir, elle s'arrêtait ordinairement, et tenant dans ses mains la grille de fer, elle lui souhaitait bonne nuit, comme s'il pouvait l'entendre.

« Peut-être vous pouvez sentir, si vous ne pouvez pas entendre, aimait-elle à s'imaginer. Peut-être les bonnes pensées vont trouver les gens d'une façon quelconque, à travers les portes, les fenêtres et les murs.

Je suis si désolée de vous voir comme ça ! murmurait-elle d'une petite voix intense. Je voudrais que vous ayez une *petite demoiselle* pour vous câliner comme je câlinais papa quand il avait mal à la tête. Je voudrais bien être, moi, votre petite demoiselle, pauvre cher Monsieur. Bonne nuit... Bonne nuit... Que Dieu vous bénisse ! »

Elle s'en allait après cela, se sentant elle-même un peu réchauffée et un peu réconfortée. Sa sympathie était si forte qu'il lui semblait qu'elle devait absolument aller jusqu'à lui quand il était assis, tout seul, dans son fauteuil au coin du feu, presque toujours enveloppé dans une grande robe de chambre et presque toujours le front appuyé sur sa main, en contemplant le foyer d'un air désespéré. Il faisait à Sara l'effet d'un homme qui avait encore un chagrin dans l'esprit, dont les chagrins n'étaient pas que du passé.

« Il a toujours l'air de penser à quelque chose qui le tourmente maintenant, se disait-elle, mais il a retrouvé son argent et avec le temps il guérira ; alors, il ne devrait pas avoir cet air-là. Je me demande ce qu'il y a d'autre. »

S'il y avait quelque chose d'autre, elle ne pouvait s'empêcher de croire que le père de la Famille Nombreuse le savait. En effet, Mr. Montmorency allait souvent voir le Monsieur des Indes, et Mrs. Montmorency y allait aussi et même tous les petits Montmorency, mais moins souvent. Il avait l'air d'aimer tout particulièrement les deux filles aînées, Janet et Nora. En fait, le Monsieur des Indes aimait beaucoup tous les enfants et en particulier les petites filles. Janet et Nora l'aimaient d'ailleurs autant qu'il les aimait et envisageaient avec le plus grand plaisir les après-midi où on leur permettait de lui faire leurs petites visites d'enfants bien élevés. C'étaient des petites visites très tranquilles parce qu'il était malade.

« Il est malheureux, disait Janet, et il dit que nous le consolons, nous essayons de le consoler sans faire de bruit. »

Janet était l'aînée de la famille et faisait tenir

tranquilles tous les autres. C'était elle qui décidait quand il ne serait pas indiscret de demander au Monsieur des Indes de leur raconter des histoires de ce pays-là ; c'était elle qui voyait quand il était fatigué et qu'il était temps de se retirer sans bruit en disant à Ram Dass d'aller près de son maître. Les enfants aimaient aussi beaucoup Ram Dass.

Le vrai nom du Monsieur des Indes était Mr. Carrisford et Janet lui raconta leur rencontre avec la-petite-fille-qui-n'était-pas-une-mendiante. Cela l'intéressa beaucoup et il fut encore plus intéressé quand Ram Dass lui rapporta l'aventure du singe sur le toit. Ram Dass lui fit un tableau très net de la mansarde et de sa pauvreté, du plancher nu, du plâtre écaillé, de la grille rouillée, sans feu, et du lit étroit et dur.

« Carmichael, dit Mr. Carrisford au père de la Famille Nombreuse après qu'il eut entendu cette description, je me demande combien de mansardes sur cette place ressemblent à celle-là et combien de misérables petites servantes couchent sur des lits comme celui-là, tandis que moi, je me retourne et m'agite sur mes oreillers de duvet, écrasé et harassé par une fortune dont une grande partie n'est pas à moi.

— Mon cher ami, répondit Mr. Carmichael d'un ton encourageant, plus tôt vous cesserez de vous tourmenter ainsi, mieux cela vaudra. Si vous possédiez toutes les richesses des Indes, vous ne pourriez pas remédier à toutes les infortunes du monde ; voilà ce qu'il faut comprendre. »

Mr. Carrisford regardait toujours les charbons qui rougeoyaient dans la grille. Après une pause, il dit lentement : « Supposez-vous qu'il soit possible que l'autre fillette, celle à laquelle je ne cesse pas un instant de penser, puisse être réduite à une condition telle que celle de la pauvre petite âme de la maison voisine ? »

Mr. Carmichael le regarda d'un air embarrassé. Il savait que ce que cet homme pouvait faire de pire pour sa raison et pour sa santé, c'était de commencer à penser de cette manière particulière sur ce sujet particulier.

« Si l'enfant qui était à l'école de Madame Pascal

à Paris est celle que vous recherchez, lui dit-il pour le calmer, elle semblait être entre les mains de gens qui ont les moyens de la bien soigner. Ils l'ont adoptée parce qu'elle était la compagne favorite de leur petite fille qui est morte. Ils n'avaient pas d'autres enfants et Madame Pascal a dit que c'étaient des Russes dans une très belle situation de fortune.

— Et cette misérable femme ne savait même pas où ces Russes l'avaient emmenée ! » s'exclama Mr. Carrisford.

Mr. Carmichael souleva les épaules : « C'était une Française méfiante et intéressée ; elle n'était que trop contente de voir cette enfant qui était à sa charge si confortablement établie, puisque la mort du père laissait la fillette sans ressources. Les femmes de son espèce ne s'inquiètent guère de l'avenir des enfants qui risquent de devenir pour elles un fardeau. Les parents adoptifs ont apparemment disparu sans laisser de traces.

— Mais vous dites *si* cette fillette est celle que je recherche ; vous dites *si*. Donc nous n'en sommes pas sûrs. Il y avait une différence de nom.

— Madame Pascal le prononçait comme si ça avait été Carew au lieu de Crewe, mais cela pouvait être seulement une question de prononciation. Les circonstances étaient curieusement similaires. Un officier anglais des Indes avait placé sa fillette qui n'avait plus de mère, à l'école de Madame Pascal ; il était mort presque subitement après avoir perdu toute sa fortune. » Mr. Carmichael s'arrêta un moment comme si une idée nouvelle se présentait à lui. « Mais êtes-vous sûr que l'enfant a été placée dans une école à Paris ? Êtes-vous sûr que c'était à Paris ?

— Mon cher ami, jeta Carrisford avec une amertume inquiète, je ne suis sûr de rien. Je n'ai jamais vu ni l'enfant ni sa mère. Ralph Crewe et moi, nous nous aimions beaucoup dans notre enfance, mais nous ne nous étions jamais revus depuis notre temps d'école, jusqu'à ce que nous nous retrouvions dans l'Inde. J'étais absorbé dans les magnifiques promesses des mines. Il s'enthousiasma aussi. C'était si formidable et si brillant que nous en avons à moitié perdu la tête. Quand nous étions ensemble, nous ne parlions guère d'autre chose. Tout ce que je savais, c'est que l'enfant avait été envoyée à l'école quelque part. Je ne me souviens même pas maintenant comment il se fait que j'ai su cela. »

Il commençait à se surexciter. C'était toujours le cas quand son cerveau encore faible était agité par le souvenir des catastrophes du passé. Mr. Carmichael le surveillait avec inquiétude. Il fallait absolument qu'il lui pose quelques questions, mais il fallait le faire sans l'exciter, avec précaution.

« Mais vous aviez tout de même une raison de penser que l'école était à Paris ?

— Oui, parce que sa mère était une Française, et j'avais entendu dire qu'elle désirait que sa fille fît son éducation à Paris. Cela paraissait au moins vraisemblable qu'elle fût dans cette ville.

— Oui, dit Mr. Carmichael, cela semble plus que probable. »

Le Monsieur des Indes se pencha en avant et frappa la table de sa main longue et amaigrie : « Carmichael, dit-il, il faut *absolument* que je la trouve. Comment un homme pourrait-il retrouver l'équilibre de ses nerfs avec une chose comme cela sur la conscience ? Ce soudain changement de fortune dans les mines a fait des réalités de nos rêves les plus fantastiques... Et il se peut que l'enfant du pauvre Crewe mendie son pain dans les rues !

— Non, non, dit Carmichael. Essayez de rester calme. Consolez-vous en pensant que quand nous l'aurons trouvée, vous aurez une fortune à lui remettre.

— Pourquoi n'ai-je pas été assez courageux pour résister quand l'avenir était noir ? gémit Carrisford dans un désespoir agité. Je crois que j'aurais résisté si je n'avais pas été responsable de l'argent d'autrui en même temps que du mien. Le pauvre Crewe avait mis dans notre entreprise jusqu'à son dernier sou. Il avait confiance en moi... il m'aimait. Et il est mort en croyant que je l'avais ruiné, moi, Tom Carrisford, qui avais joué au cricket avec lui à Eton. Quel misérable il a dû me croire !

— Ne vous faites donc pas de si amers reproches !

— Je ne me fais pas de reproches parce que l'entreprise a manqué d'échouer, je me fais des reproches pour avoir perdu mon courage. J'ai pris la fuite comme un exploiteur et un voleur parce que je n'ai pas eu le courage d'aller trouver mon meilleur ami et de lui dire en face que je l'avais ruiné, lui, et son enfant avec lui. »

Le père de la Famille Nombreuse, tout ému, lui mit la main sur l'épaule, amicalement.

« Vous vous êtes enfui parce que votre cerveau avait fléchi sous la violence de cette torture morale, dit-il. Vous étiez déjà à moitié dans le délire. Si vous n'y aviez pas été, vous seriez resté là et vous auriez lutté pour vous tirer d'affaire. Vous étiez à l'hôpital, attaché sur votre lit et déraisonnant dans la fièvre chaude, deux jours après que vous vous étiez enfui. N'oubliez pas cela. »

Carrisford laissa tomber sa tête dans ses mains. « Bon Dieu ! Oui ! dit-il. J'étais devenu fou d'épouvante et d'horreur. Il y avait des semaines que je ne dormais plus.

— C'est une explication bien suffisante en elle-même, dit Carmichael. Comment un homme déjà sous le coup de la fièvre cérébrale aurait-il pu juger sainement ? »

Carrisford secoua la tête : « Et quand j'ai repris conscience des choses, le pauvre Crewe était mort... mort et enterré ! Et j'avais l'impression de ne me souvenir de rien. J'ai totalement oublié l'enfant pendant des mois et des mois. Même quand j'ai commencé à penser à elle, à son existence, tout cela me semblait être dans une sorte de brume... » Il s'arrêta un moment et se frotta le front... « Il me semble parfois encore qu'il en est ainsi, quand j'essaie de me souvenir, continua-t-il. Sûrement j'ai dû, à un moment donné, savoir de Crewe l'école où il l'avait envoyée. Ne le croyez-vous pas ?

— Il peut fort bien ne vous en avoir pas parlé

d'une façon précise ; vous ne semblez même jamais avoir connu le prénom de l'enfant.

— Il avait l'habitude de l'appeler d'un surnom caressant qu'il avait inventé. Il l'appelait sa petite demoiselle. Mais ces malheureuses mines nous remplissaient totalement l'esprit, nous ne parlions que de ça. S'il m'a jamais parlé de cette école, je l'ai oublié... je l'ai oublié et je sens bien que maintenant, jamais je ne m'en souviendrai !

— Allons, allons, dit Carmichael, nous la retrouverons. Nous continuerons à chercher les bons Russes de Madame Pascal. Elle semblait avoir une vague idée qu'ils habitaient à Moscou. Nous partirons de là. Je vais aller à Moscou.

— Si j'étais capable de voyager, j'irais avec vous, dit Carrisford, mais je ne suis bon qu'à rester ici dans mon fauteuil, emmitouflé de fourrures, à regarder brûler le feu ! Et quand je regarde le feu, je vois le visage jeune et gai de Crewe, qui, de là, me regarde aussi. Il a l'air de me poser une question. Quelquefois, je rêve de lui la nuit et toujours il me pose la même question. Devinez-vous ce qu'il me demande, Carmichael ? »

Mr. Carmichael répondit en baissant la voix : « Pas exactement.

— Toujours il me dit : Tom, mon vieux Tom, où est la petite demoiselle ? » Il saisit la main de Carmichael et s'y accrocha. « Il faut que je puisse lui répondre ! Il le faut *absolument*, dit-il, aidez-moi à la trouver... Aidez-moi ! »

De l'autre côté du mur, Sara était assise dans sa mansarde et parlait à Melchissedech qui était venu chercher son repas du soir.

« Ça a été bien difficile d'être une princesse aujourd'hui, Melchissedech, disait-elle. Ça a été encore plus difficile que d'habitude. Ça devient plus difficile quand le temps devient plus froid et les rues plus boueuses. Quand Lavinia a ri de ma robe crottée lorsque je l'ai rencontrée dans le vestibule, j'ai pensé à lui dire quelque chose... et je n'ai eu que juste le temps de m'arrêter ! Vous ne pouvez pas rendre des railleries méprisantes aux gens, quand vous êtes une princesse. Il faut vous mordre la langue pour arriver à vous taire. C'est ce que j'ai fait. Il faisait bien froid cet après-midi, Melchissedech. Et la nuit aussi est bien froide ! »

Tout à coup, elle cacha sa tête noire entre ses bras, comme elle faisait souvent quand elle était seule. « Oh, papa, murmura-t-elle, comme il y a longtemps que j'étais votre petite demoiselle ! »

Voilà ce qui se passait ce jour-là des deux côtés du mur.

CHAPITRE XIII

UNE ENFANT PAUVRE

Cet hiver-là fut affreux. Certains jours, Sara se frayait un chemin dans la neige quand elle allait faire les courses ; il y en avait d'autres, bien pires, où la neige fondait et se mêlait à la terre pour former de la boue ; d'autres encore où le brouillard était si épais que les lampes dans les rues étaient allumées toute la journée. Londres avait alors le même aspect que l'après-midi où, il y avait plusieurs années de cela, le fiacre avait parcouru les grandes artères avec Sara calée sur son siège, appuyée contre l'épaule de son père. De tels jours, les fenêtres de la maison de la Famille Nombreuse paraissaient toujours délicieusement confortables et douillettes, et le bureau où le Monsieur des Indes était assis rutilait de couleurs riches et chaudes. Mais la mansarde était sinistre au-delà de toute expression. Il n'y avait plus de couchers ou de levers de soleil à regarder, et presque plus jamais d'étoiles, semblait-il à Sara. Les nuages bas bouchaient la lumière du jour, gris ou couleur de boue, quand ils n'éclataient pas en pluie violente. À quatre heures de l'après-midi, même quand il n'y avait pas spécialement de brouillard, la journée était finie. Si elle devait aller chercher quelque chose au grenier, Sara était obligée d'allumer une bougie. Les femmes à la cuisine avaient le cafard, et cela empirait encore leur caractère. Becky était traitée comme une petite esclave.

« Si z'êtiez pas là, Miss, dit-elle à Sara d'une voix rauque un soir qu'elle s'était faufilée dans la mansarde, si z'êtiez pas là, pi la Bastille, et pi c't' histoire d'prisonnier dans la cellule d'à côté, j'mourrais. C'est qu'ça paraît vrai, maintenant, pas vrai ? La patronne, plus elle vieillit, plus elle ressemble au gardien-chef. Même que j'peux voir c'gros trousseau d'clés qu'vous dites qu'elle porte. La cuisinière, elle est pareille qu'un sous-chef. Racontez m'en'core, s'i'ous plaît, Miss, racontez'core l'passage souterrain qu'on a creusé sous les murs.

— Je vais vous raconter quelque chose de plus réchauffant, dit Sara en frissonnant. Allez prendre votre couvre-lit et enroulez-le autour de vous ; je prendrai le mien, on se serrera l'une contre l'autre sur le lit, et je vous parlerai de la forêt tropicale où vivait le singe du Monsieur des Indes. Quand je le vois assis sur la table derrière la fenêtre, en train de regarder la rue d'un air mélancolique, j'ai la certitude qu'il pense à la forêt vierge où il se suspendait aux cocotiers par la queue. Je me demande qui l'a attrapé, et s'il a laissé derrière lui une famille qui avait besoin de lui pour lui apporter des noix de coco.

— I'fait d'jà plus chaud, Miss, dit Becky avec reconnaissance, mais d'toute manière, même la Bastille c'est réchauffant, quand vous vous mettez à l'raconter.

— C'est parce que ça vous fait penser à autre chose, dit Sara en s'enveloppant dans son couvre-lit jusqu'à ce qu'on ne voie plus passer que son petit visage sombre. J'ai remarqué ça. Ce qu'il faut faire avec son esprit, quand le corps souffre, c'est de penser à autre chose.

— Vous pouvez faire ça, Miss ? » balbutia Becky, en la contemplant avec des yeux admiratifs.

Sara fronça un instant les sourcils.

« Parfois oui et parfois non, dit-elle vaillamment. Mais quand j'y arrive vraiment, je me sens bien. Et je crois que nous en serions toujours capables — à condition de nous entraîner assez. Je me suis pas mal entraînée récemment, et ça commence à devenir plus facile qu'avant. Quand la vie est horrible, mais alors horrible, je songe plus fort que jamais que je suis une princesse. Je me dis : "Je suis une princesse, une princessefée, et parce que je suis une fée rien ne peut m'atteindre ou me mettre mal à l'aise.'' Vous ne pouvez pas savoir comme ça aide à oublier », ajouta-t-elle en riant.

Elle avait bien des occasions d'exercer son esprit à penser à autre chose, et de se prouver si oui ou non elle était une princesse. Mais une des épreuves les plus rudes qu'il lui fut donné d'affronter survint par un jour terrible qui, elle y songea souvent par la suite, ne s'effacerait jamais complètement de sa mémoire, même dans l'avenir.

Il n'avait cessé de pleuvoir depuis plusieurs jours ; les rues étaient froides, détrempées, et pleines d'une brume lugubre et glacée. Il y avait de la boue partout — cette boue collante qu'on trouve à Londres — et partout s'étendaient le brouillard et le crachin. Naturellement, les courses à faire étaient longues et fatigantes — elles tombaient toujours des jours comme celui-ci — et Sara fut envoyée à l'extérieur encore et encore, jusqu'à ce que ses vêtements râpés fussent complètement transpercés. Les vieilles plumes absurdes de son pitoyable chapeau étaient plus dépenaillées et absurdes que jamais, et ses chaussures éculées étaient si trempées qu'elles n'absorbaient plus l'eau. Pour comble, elle avait été privée de dîner, car Miss Minchin avait décidé de la punir. Elle avait si froid et faim, elle était si fatiguée que son visage s'était creusé, et de temps à autre une personne généreuse lui jetait en passant un regard de compassion. Mais elle n'en avait pas conscience. Elle se dépêchait, essayant de faire en sorte de penser à autre chose. Elle en avait à coup sûr grand besoin. Elle s'efforçait de « faire semblant », d'« imaginer », avec toute la force qui lui restait. Mais cette fois c'était vraiment plus dur que jamais, et à une ou deux reprises elle trouva que cela lui donnait encore plus froid et faim, au lieu de diminuer sa peine. Mais elle persévéra avec acharnement, et tandis que l'eau boueuse gargouillait dans ses chaussures délabrées, et que le vent semblait tenter de lui arracher sa veste mince, elle se parlait à elle-même en marchant, sans élever la voix ni même bouger les lèvres.

« Supposons que j'aie des vêtements secs, se disait-elle. Supposons que j'aie de bonnes chaussures, un long manteau épais, des chaussettes de mérinos et un parapluie couvrant. Et supposons... supposons que juste en passant devant une boulangerie où l'on vend des petits pains chauds, je trouve six pence qui n'appartiennent à personne. Supposons alors que j'entre dans la boutique, que j'achète six petits pains parmi les plus chauds, et que je les mange tous sans m'arrêter. »

Il arrive parfois des choses très étranges en ce bas monde.

Et ce qui arriva à Sara est à coup sûr étrange. Juste comme elle se parlait ainsi à elle-même, elle eut à traverser la rue. Il y avait énormément de boue — elle devait presque traverser à gué. Elle se ménageait un chemin avec toutes les précautions possibles, mais elle ne parvenait guère à se préserver ; seulement, en cherchant sa voie, elle devait regarder par terre à ses pieds, et en scrutant la boue, juste comme elle atteignait le trottoir, elle vit briller quelque chose dans le caniveau. C'était bel et bien une pièce d'argent — une toute petite pièce déjà très piétinée, mais à qui il restait assez d'ardeur pour briller un peu. Pas tout à fait une pièce de six pence, mais la valeur la plus proche : une pièce de quatre pence.

En une seconde, elle fut dans sa petite main violacée par le froid.

« Oh ! dit-elle, haletante, c'est donc vrai. C'est bien vrai ! »

Et alors, croyez-moi si vous voulez, elle regarda droit vers la boutique qui lui faisait face. C'était une boulangerie, et une femme avenante, forte et maternelle, avec des joues roses, était en train de disposer dans la vitrine un plateau de délicieux petits pains tout chauds sortis du four — de grosses boules luisantes et rebondies, parsemées de raisins.

Pendant quelques secondes elle manqua de s'évanouir : c'était le choc et la vue des pâtisseries, et les odeurs délicieuses de pain chaud qui environnaient le soupirail du fournil.

Elle savait qu'elle n'avait pas à hésiter pour faire usage de la petite pièce. De toute évidence, il y avait longtemps qu'elle gisait dans la boue, et son propriétaire était complètement perdu dans le mouvement de la foule qui grouillait et se bousculait à longueur de journée.

« Mais j'irai d'abord demander à la boulangère si elle a perdu quelque chose », se dit-elle plutôt faiblement. Aussi traversa-t-elle le trottoir ; elle posait déjà son pied mouillé sur le seuil quand une vision la fit s'arrêter.

C'était une petite silhouette encore plus triste qu'elle-même — guère plus qu'un paquet de loques, qui laissait entrevoir, petits, nus et rouges, deux pieds boueux que leur propriétaire ne parvenait seulement pas à couvrir avec ses haillons. Au-dessus des guenilles apparaissait une tignasse affreuse aux cheveux hirsutes, et un visage sale, aux grands yeux creusés par la faim.

Sara sut au premier coup d'œil que ces yeux avaient faim, et elle ressentit une immédiate compassion.

« Voilà une enfant pauvre, se dit-elle en réprimant un soupir, et elle a encore plus faim que moi. »

L'« enfant pauvre » leva sur elle son regard fixe, et se tassa légèrement sur le côté pour la laisser passer. Elle avait l'habitude de laisser le passage à tout le monde. Elle savait que si un policier venait à la voir, il lui dirait de « dégager ».

Sara serra sa petite pièce de quatre pence et hésita quelques secondes. Puis elle lui adressa la parole.

« Vous avez faim ? »

L'enfant resserra un peu plus son tas de haillons.

« Ah ouais alors ! dit-elle d'une voix rauque. Ah ben, ouais !

— Vous n'avez pas dîné ?

— Non. » Et d'une voix encore plus rauque, en se serrant davantage : « Ni déjeuné ni soupé pour l'quart d'heure. Rien de rien.

— Depuis quand ?

— Chais pas. Rien eu nulle part. J'ai pas arrêté d'demander. »

Rien qu'à la regarder, Sara sentait grandir sa faim et sa faiblesse. Mais d'étranges pensées occupaient son cerveau, et elle se parlait ainsi, tandis que son cœur se serrait :

« Si je suis une princesse... une princesse pauvre et chassée de son trône... les princesses déchues partageaient toujours avec le peuple... si elles rencontraient plus pauvre et plus affamé qu'elles. Elles partageaient toujours. Les petits pains coûtent un penny chacun. Avec six pence j'aurais pu en manger six. Je n'aurai pas assez, ni pour elle ni pour moi. Mais ce sera mieux que rien. »

« Attendez une minute », dit-elle à la petite mendiante.

Elle entra dans la boutique. Il faisait chaud et ça sentait délicieusement bon. La femme s'apprêtait juste à déposer de nouveaux petits pains dans la vitrine.

« S'il vous plaît, madame, auriez-vous perdu quatre pence ? quatre pence en argent ? » dit Sara, et elle lui tendit la malheureuse petite pièce.

La femme regarda la pièce, puis Sara, son petit visage intense et souillé, ses vêtements qui trahissaient une ancienne élégance.

« Dieu merci non ! répondit-elle. L'avez-vous trouvée ?

— Oui. Dans le caniveau.

— Alors gardez-la. Ça doit bien faire une semaine qu'elle est là, et Dieu seul sait qui l'a perdue. Vous, vous ne pourrez jamais le savoir.

— Je sais, dit Sara, mais j'ai pensé qu'il valait mieux vous le demander.

— Il n'y a pas grand monde qui en ferait autant », dit la femme, avec un regard d'étonnement, d'intérêt et de bonté tout à la fois.

« Voulez-vous acheter quelque chose ? » ajouta-t-elle en voyant les regards que Sara jetait aux petits pains.

« Quatre petits pains, s'il vous plaît, dit Sara. Ceux qui sont à un penny. »

La femme se dirigea vers la vitrine et en mit dans un sachet de papier.

Sara vit qu'elle en mettait six.

« Excusez-moi, c'est quatre que j'ai dit, reprit-elle. Je n'ai que quatre pence.

— J'en ai mis deux pour faire bon poids, dit la femme, avec son regard bienveillant. Vous pouvez bien vous permettre de les manger. Avez-vous faim ? »

Les yeux de Sara s'embuèrent.

« Oui, répondit-elle. J'ai bien faim et je vous suis très reconnaissante de votre gentillesse ; et... » elle allait ajouter : « Il y a une enfant dehors qui a plus faim que moi », mais au même moment deux ou trois clients firent irruption en même temps, l'air pressé, aussi se contenta-t-elle de remercier à nouveau et de sortir.

La petite mendiante était toujours blottie dans le coin de la marche. Son aspect était terrible dans ses haillons mouillés et sales. Elle regardait droit devant elle avec un regard hébété par la souffrance, et Sara la vit soudain passer le dos de sa main noire et rugueuse sur ses yeux, pour essuyer des larmes qui semblaient avoir jailli sans qu'elle s'en aperçoive. Elle murmurait pour elle-même.

Sara ouvrit le sachet et prit l'un des pains chauds, qui lui avaient déjà un peu réchauffé les mains.

« Regardez, dit-elle, en déposant le petit pain au creux des lambeaux. C'est chaud et ça fait du bien. Mangez-le, ça vous calmera un peu la faim. »

L'enfant sursauta et la fixa du regard, comme si une chance aussi soudaine, aussi stupéfiante, la terrifiait presque ; puis elle sauta sur le petit pain et commença à le dévorer avec de grosses bouchées avides.

« Ça alors ! » Sara entendait sa voix rauque qui répétait, pendant ce sauvage assouvissement : « Ah ben ça alors ! »

Sara prit encore trois petits pains et les déposa de la même façon.

La voix rude, enrouée, était effrayante à entendre.

« Elle a plus faim que moi, se dit-elle, elle meurt de faim. » Mais sa main tremblait quand elle déposa le quatrième pain. « Moi je ne meurs pas de faim », se dit-elle — et elle déposa le cinquième.

La petite sauvageonne des rues de Londres était encore en train de dévorer avec ardeur, lorsque Sara tourna les talons. Elle était bien trop affamée pour dire merci, à supposer qu'on lui ait appris la politesse — ce qui n'était pas le cas. Ce n'était qu'un pauvre petit animal.

« Au revoir », lui dit Sara.

Quand elle eut atteint l'autre côté de la rue elle se retourna. L'enfant avait un petit pain dans chaque main, et s'était arrêtée au milieu d'une bouchée pour la regarder. Sara lui fit un petit signe de tête, et l'enfant, après un deuxième arrêt ponctué d'un regard prolongé, secoua sa tête hirsute en signe de réponse. Et jusqu'à ce que Sara ait disparu, elle ne reprit pas de bouchée, n'achevant pas même celle qu'elle avait commencée.

À ce moment-là, la boulangère regardait par la vitrine.

« Ça par exemple ! s'écria-t-elle. Voilà-t-y pas que cette gamine a donné ses petits pains à une mendiante ! C'est pourtant pas parce qu'elle n'en voulait pas. Elle avait l'air bien assez affamé elle-même ! Je donnerais cher pour savoir pourquoi elle a fait ça ! »

Elle resta debout derrière sa vitrine quelques instants et réfléchit. Puis la curiosité l'emporta. Elle alla à la porte et s'adressa à la mendiante.

« Qui t'a donné ces petits pains ? » dit-elle.

L'enfant fit un signe de tête en direction de Sara, dont la silhouette s'éloignait.

« Qu'est-ce qu'elle t'a dit ? demanda la femme.

— A'm'a d'mandé si j'avais faim, répondit la voix rauque.

— Qu'est-ce que tu as répondu ?

— J'ai dit qu'ouais.

— Alors elle est entrée, elle a pris les petits pains et t'en a donné, c'est ça ? »

L'enfant secoua la tête.

« Combien ?

— Cinq. »

La femme se remit à réfléchir.

« Juste un pour elle, dit-elle à mi-voix. Alors qu'elle aurait bien pu les manger tous les six — je l'ai bien vu à ses yeux. »

Elle regarda le petit visage perdu derrière la boue qui le recouvrait, et se sentit perturbée dans son confort mental habituel, plus fort qu'elle ne l'avait été depuis longtemps.

« Si seulement elle n'était pas partie aussi vite, dit-elle. Que je sois maudite si elle n'aurait pas dû en avoir une douzaine ! » Puis elle se tourna vers l'enfant. « As-tu encore faim ?

— J'ai toujours faim. Mais c'est moins dur qu'avant.

— Entre », dit la femme en tenant la porte de la boutique ouverte.

L'enfant se leva et s'y glissa avec ses hardes. Être invitée dans un endroit chaud rempli de pain lui paraissait quelque chose d'incroyable. Elle ne savait pas ce qui allait lui arriver. Peu lui importait, d'ailleurs.

« Va te réchauffer », dit la femme, en désignant un feu dans une minuscule arrière-boutique. « Et écoute-moi : quand tu auras du mal à trouver un morceau de pain, tu peux venir en demander ici. Le diable m'emporte si je ne te le donne pas en souvenir de cette petite. »

Sara puisa quelque réconfort dans le petit pain qui lui restait. Quoi qu'il en fût, il était bien chaud, et c'était mieux que rien. Tout en marchant elle en détachait de petits morceaux et les mangeait lentement pour les faire durer plus longtemps.

« Supposons que ce soit un pain magique, se disait-elle, et qu'une bouchée vaille tout un dîner. Je devrais finir par avoir une indigestion en continuant comme ça. »

Il faisait sombre quand elle atteignit le square où se trouvait l'Institution. Toutes les lumières dans les maisons étaient allumées. Les stores n'étaient pas encore baissés aux fenêtres où, presque systématiquement, elle avait l'habitude de jeter un coup d'œil à la Famille Nombreuse. Souvent à cette heure-là elle pouvait voir le monsieur qu'elle appelait Monsieur Montmorency assis dans un vaste fauteuil, avec une petite meute autour de lui, bavardant, riant, se perchant sur les bras du siège ou sur ses genoux, ou encore assise à ses pieds. Ce soir-là la meute s'affairait autour de lui, mais il n'était pas assis. Au contraire, il régnait une intense animation. Il était évident qu'un voyage se préparait, et que M. Montmorency était le voyageur. Un coupé se tenait à la porte, et une grosse malle était attachée au sommet. Les enfants dansaient, babillaient, et s'accrochaient aux basques de leur père. La jolie maman toute rose était à côté de lui, semblant lui poser d'ultimes questions. Sara s'arrêta pour le regarder soulever et embrasser les petits, tandis qu'il se penchait vers les plus grands pour les embrasser aussi.

« Je me demande s'il sera longtemps parti, pensa-t-elle. La malle est plutôt grosse. Mon Dieu, comme il va leur manquer ! Il va me manquer à moi aussi — bien qu'il ne connaisse pas mon existence. »

Quand la porte s'ouvrit, elle s'écarta — en se souvenant de l'épisode des six pence — mais elle vit le voyageur qui sortait et sa silhouette se détacher sur le hall chaudement éclairé, tandis que les plus grands tournaient encore autour de lui.

« Est-ce que Moscou sera couvert de neige ? dit la petite Janet. Est-ce qu'il y aura de la glace partout ? »

« Monterez-vous en *drochki*[1] ? s'écria un autre. Est-ce que vous verrez le tsar ?

— J'écrirai et je vous raconterai tout, répondit-il en riant. Et je vous enverrai des portraits de moujiks[2] et des vues du pays. Rentrez vite. La nuit est affreusement humide. J'aimerais mieux rester avec vous que d'aller à Moscou. Bonne nuit ! Bonne nuit, mes petits

---

1. Type de voiture russe. *(N.d.E.)*
2. Paysans russes. *(N.d.E.)*

canards ! Dieu vous bénisse ! » Et il dévala les escaliers pour sauter dans le coupé.

« Si tu retrouves la petite fille, embrasse-la pour nous », cria Guy-Clarence en faisant des bonds sur le paillasson.

Puis les enfants rentrèrent et fermèrent la porte.

« As-tu vu ? dit Janet à Nora, en revenant dans le séjour, la petite-fille-qui-n'est-pas-une-mendiante passait à l'instant. Elle avait l'air toute transie et trempée, et je l'ai vue qui tournait la tête et nous regardait par-dessus son épaule. Maman dit que ses vêtements ont toujours l'air de lui avoir été fournis par quelqu'un de très riche — quelqu'un qui les lui donne seulement quand ils sont trop usés pour être présentables. Les gens de l'école l'envoient toujours faire des courses quand le temps est le plus affreux, qu'il fasse jour ou nuit. »

Sara traversa la place et se dirigea vers l'escalier de service de la maison Minchin, épuisée et titubante.

« Je me demande qui est cette petite fille, pensa-t-elle, la petite fille qu'il s'en va chercher. »

Et elle descendit l'escalier du sous-sol, serrant son panier qui lui paraissait bien lourd, tandis que le père de la Famille Nombreuse se hâtait de gagner la gare, pour prendre le train qui l'amènerait à Moscou : là-bas, il comptait faire l'impossible pour parvenir à retrouver la fille perdue du Capitaine Crewe.

CHAPITRE XIV

CE QU'ENTENDIT ET CE QUE VIT
MELCHISSEDECH

Ce même après-midi, pendant que Sara était en courses, il se passa quelque chose d'étrange dans la mansarde. Seul, Melchissedech le vit et l'entendit et il fut si alarmé et si mystifié qu'il s'enfuit à toute vitesse dans son trou et s'y cacha et qu'il trembla de tous ses membres de rat quand de là il jeta un regard furtif avec grandes précautions, pour voir ce qui se passait.

La mansarde avait été tout à fait silencieuse et calme toute la journée après le départ de Sara le matin de bonne heure. Melchissedech, somme toute, avait trouvé que ce n'était pas gai ; il se décida à sortir pour une reconnaissance, bien que l'expérience lui eût appris que Sara ne rentrerait pas d'ici longtemps. Il avait trottiné et reniflé partout et venait de découvrir une miette inattendue et inexplicable, demeurée sur le plancher après son dernier repas, quand son attention fut attirée par un bruit sur le toit. Il s'arrêta pour écouter avec une palpitation de cœur. Le son lui suggérait que quelqu'un s'avançait sur le toit ; cela s'approchait de la fenêtre ; cela atteignit la fenêtre. La fenêtre s'ouvrit mystérieusement. Une face sombre regarda dans la mansarde ; puis une autre face apparut derrière, et toutes deux regardèrent d'un air très intéressé. Il y avait donc deux hommes sur le toit et ils faisaient de silencieux préparatifs pour pénétrer par la fenêtre à tabatière ! L'un d'eux était Ram Dass et l'autre, un jeune homme, le secrétaire du Monsieur des Indes ; mais cela, Melchissedech n'en savait rien. Il savait seulement que ces deux hommes envahissaient le silence et la solitude de la mansarde et comme celui à la face sombre pénétrait par l'ouverture avec une légèreté telle qu'il ne fit pas le moindre bruit, Melchissedech tourna la queue et fila précipitamment vers son trou. Il était effrayé à en mourir. Il avait cessé d'être timide avec Sara et savait qu'elle ne lui jetterait jamais rien que des miettes et ne ferait jamais d'autre bruit que son caressant sifflement d'appel. Mais deux hommes inconnus, ce n'était pas une compagnie à fréquenter. Il se coucha tout à plat dans sa demeure, près de l'entrée, s'arrangeant juste pour regarder par la fente de la plinthe avec un œil brillant, mais plein d'alarme.

Le secrétaire, qui était jeune et léger, se glissa par la fenêtre sans plus de bruit que Ram Dass, assez vite pour apercevoir encore le petit bout de queue de Melchissedech qui disparaissait dans le trou.

« Eh ! C'était bien un rat ? demanda-t-il tout bas à Ram Dass.

— Oui, un rat, Sahib, répondit Ram Dass sur le même ton. Il y en a des quantités dans les murs.

— Pouah ! s'écria le jeune homme. C'est extraordinaire qu'ils ne terrifient pas la petite fille ! »

Ram Dass fit un geste des mains avec un sourire respectueux : « L'enfant est la petite amie de toutes les créatures, Sahib, répondit-il. Elle n'est pas comme les autres enfants. Je la vois souvent sans qu'elle me voie ; je la surveille de ma fenêtre quand elle ne sait pas que je suis là. Elle monte sur sa table, les moineaux viennent à son appel. Le rat, elle l'a nourri et apprivoisé pour qu'il lui tienne compagnie. Il y a une petite fillette qui vient la voir en secret ; il y en a une autre, un peu plus âgée, qui a un vrai culte pour elle et l'écouterait toute la nuit si elle pouvait. La maîtresse de la maison, qui est une mauvaise femme, la traite comme un paria ; mais elle a la patience d'une enfant qui serait sortie du sang des rois.

— Vous avez l'air bien au courant de ses faits et gestes, dit le secrétaire.

— Toute sa vie de chaque jour, je la connais, repartit Ram Dass. Quand elle sort, je le sais et aussi quand elle rentre. Je connais sa tristesse et ses pauvres joies, le froid et la faim qu'elle supporte. Je la vois, assise là toute seule jusqu'à minuit, à étudier dans ses livres ; je sais quand ses amies secrètes viennent la voir et qu'elle est moins malheureuse, parce que, quand elles viennent, elle peut rire et causer doucement avec elles comme une enfant qu'elle est. Si elle tombait malade, je le saurais et je viendrais la servir si c'était possible.

— Vous êtes bien sûr qu'il n'y a qu'elle qui vienne ici et qu'elle ne va pas rentrer et nous surprendre ? Elle aurait peur si elle nous trouvait là et les plans du Sahib Carrisford seraient gâchés. »

Ram Dass vint sans bruit écouter près de la porte. « Personne ne monte ici sauf elle, Sahib, dit-il. Elle est sortie avec son panier et peut-être des heures avant de rentrer. Je vais rester ici, d'où je puis entendre n'importe quel pas dès le bas du dernier étage. »

Le secrétaire prit un crayon et un carnet. « Surveillez bien », dit-il et il commença à faire sans bruit le tour de la misérable petite chambre en prenant des notes rapides sur son carnet.

Il alla d'abord au lit de fer, appuya la main sur le matelas et poussa une exclamation : « Aussi dur qu'une planche ! dit-il ; il faudra changer cela un jour ou l'autre en son absence. Il faudra un voyage spécial pour apporter un matelas ; il ne faut pas y songer pour ce soir. » Il souleva la couverture et examina l'unique oreiller tout plat.

« Courtepointe malpropre et usée, couverture trop mince, draps rapiécés et déchirés, dit-il. Quel lit pour y faire dormir une enfant et dans une maison qui s'intitule : de premier ordre ! Il n'y a pas eu de feu dans cette grille depuis des années », continua-t-il en regardant la grille rouillée : « Sûrement pas depuis notre arrivée, dit Ram Dass. La maîtresse de la maison n'est pas une femme à s'occuper si d'autres qu'elle ont froid. » Le secrétaire continuait à écrire vivement sur son carnet.

« Nous avons une drôle de manière d'agir tout de même, dit-il. Qui a eu cette idée-là ? »

Ram Dass fit un petit salut modeste. « C'est vrai que la première idée est venue de moi, Sahib, dit-il, quoique ce ne fût qu'une imagination d'abord. Je me suis pris d'amitié pour cette enfant. Nous sommes tous les deux bien solitaires. Elle, elle raconte ses imaginations à ses amies secrètes. Un soir que j'étais triste, j'étais venu près de sa fenêtre et je l'ai écoutée. Elle racontait une sorte de vision de ce que pourrait devenir cette pauvre mansarde si on y apportait le confort ; rien que de le dire, cela avait l'air de la réchauffer. Le lendemain, le Sahib était malade et triste ; je lui racontai la chose pour le distraire. Cela amusa le Sahib. Il s'intéressa à la petite et me fit des questions ; à la fin il eut l'idée d'essayer de rendre réelle sa vision.

— Vous croyez qu'on peut faire ça pendant son sommeil ? Supposez qu'elle se réveille ? » suggéra le secrétaire. Mais il était évident que le plan, quel qu'il fût, l'amusait aussi bien que le Sahib Carrisford.

« Je marche comme si j'avais des pieds en velours, répondit Ram Dass et les enfants, ça a le sommeil dur, même quand c'est malheureux. Si quelqu'un me passe les choses par la fenêtre, je peux tout arranger sans qu'elle se réveille. Quand elle se réveillera, elle croira qu'un magicien est venu dans sa chambre... » Ils sourirent tous deux.

« Cela aura l'air d'une histoire des Mille et une Nuits, dit le secrétaire. Il n'y a qu'un Oriental qui pouvait avoir une idée pareille. Elle ne pouvait sortir des brouillards de Londres ! »

Ils ne restèrent pas très longtemps, au grand soulagement de Melchissedech qui, comme fort probablement il ne comprenait pas leur conversation, se méfiait beaucoup de leurs mouvements et de leurs chuchotements. Le jeune secrétaire paraissait s'intéresser à tout ; il prenait des notes au sujet du plancher, du foyer, du tabouret boiteux, de la vieille table, des murs qu'il toucha de la main à plusieurs reprises, ayant l'air très satisfait quand il constata qu'un grand nombre de vieux clous y avaient été enfoncés en plusieurs endroits.

« Vous pourrez pendre toutes sortes de choses là-dessus », dit-il à Ram Dass. Celui-ci eut un sourire mystérieux.

« Hier, quand elle était sortie, dit-il, je suis entré en apportant avec moi des petits clous très fins et très aigus qu'on peut enfoncer dans le mur sans frapper avec un marteau. J'en ai posé beaucoup dans le plâtre, là où je pourrai en avoir besoin. Ils sont tout prêts. »

Le secrétaire du Monsieur des Indes remit son carnet dans sa poche. « Je crois que j'ai pris assez de notes ; nous pouvons partir, maintenant, dit-il. Le Sahib Carrisford a bon cœur. C'est vraiment pitoyable qu'il ne retrouve pas l'enfant perdue.

— S'il la trouvait, il reprendrait ses forces, dit Ram Dass. Son Dieu peut encore la lui ramener. »

Puis ils sortirent par la tabatière aussi silencieusement qu'ils étaient rentrés. Quand il fut tout à fait sûr qu'ils étaient partis, Melchissedech se trouva très soulagé et au bout de quelques minutes, il se risqua à sortir de son trou et à trottiner dans la pièce, dans l'espoir que des êtres humains, même aussi alarmants que ceux-là, auraient pu avoir par hasard des miettes dans leurs poches et en laisser tomber deux ou trois.

CHAPITRE XV

MAGIES !

Quand Sara rentra à l'institution, elle rencontra Miss Minchin, qui était venue au sous-sol pour morigéner la cuisinière.

« Où êtes-vous allée perdre votre temps, demanda-t-elle à l'enfant. Il y a des heures que vous êtes sortie.

— Les rues étaient si mouillées et il y avait tant de boue, répondit Sara, que c'était bien difficile de marcher ; mes souliers sont en si mauvais état que je glissais tout le temps.

— Ne cherchez pas d'excuses, dit Miss Minchin, et ne dites pas de mensonges. »

Sara entra à la cuisine. La cuisinière avait reçu de sévères reproches de Miss Minchin ; elle était d'une humeur massacrante et ne fut que trop contente d'avoir quelqu'un sur qui faire tomber sa colère ; à ce point de vue, Sara était tout à fait ce qu'il lui fallait.

« Pourquoi qu'vous n'êtes pas restée dehors toute la nuit ? » lança-t-elle.

Sara déposa ses achats sur la table. « Voilà vos affaires », dit-elle. La cuisinière les examina en ronchonnant. Elle était vraiment d'une humeur de dogue.

« Puis-je avoir quelque chose à manger ? demanda Sara plutôt timidement.

— A c't'heure-ci, y a longtemps que l'thé est fini et débarrassé. Est-ce que vous vous attendiez qu'je l'tienne au chaud pour vous ? » Sara garda le silence un moment.

« C'est que... je n'ai pas eu de dîner », dit-elle

d'une voix très basse ; elle parlait bas pour que sa voix ne tremble pas.

« Y a du pain à l'office, dit la cuisinière ; c'est tout c'que vous pouvez avoir à c't'heure-ci. » Sara alla chercher le pain ; il était vieux, dur et sec.

Sara trouva très pénible de remonter ses trois étages pour aller à sa mansarde. Quand elle arriva au dernier palier, elle fut contente de voir un rai de lumière venant de dessous la porte. Cela voulait dire qu'Ermengarde s'était arrangée pour venir la voir. Cela valait mieux que de rentrer seule dans sa chambre et de la trouver vide et désolée. La seule présence de la grassouillette et confortable Ermengarde, enveloppée dans son châle rouge, la réchaufferait un peu.

Oui, Ermengarde était bien là. Elle était assise sur le milieu du lit avec ses pieds prudemment ramenés sous elle. Elle n'était jamais devenue très intime avec Melchissedech et sa famille et elle préférait se tenir sur le lit jusqu'à l'arrivée de Sara. Cette fois, elle était particulièrement nerveuse, car Melchissedech avait trottiné partout en reniflant et avait fini par s'asseoir sur son arrière-train juste devant elle, en pointant le nez et en reniflant énergiquement.

« Oh, Sara, cria-t-elle, je suis bien contente que vous arriviez ! Melchi est venu renifler près de moi si fort ! J'ai essayé de le décider à rentrer chez lui, mais il ne voulait rien entendre. Je l'aime bien, vous savez... Mais il me fait peur quand il renifle en me regardant. Croyez-vous qu'il sauterait sur le lit ?

— Non », répondit Sara ; Ermengarde s'avança sur le bord du lit pour la regarder. « Vous avez l'air fatiguée, Sara, vous êtes toute pâle.

— Je suis fatiguée, dit Sara, se laissant tomber sur le tabouret boiteux. Oh, voici Melchissedech, le pauvre ! Il vient me demander son souper. »

Melchissedech était ressorti de son trou, comme s'il avait reconnu le pas de Sara. Il vint près d'elle d'un air affectueux, mais elle mit sa main dans sa poche et la retourna en secouant la tête. « Désolée, Melchissedech, dit-elle. Je n'ai pas une seule miette. Rentrez chez vous,

Melchissedech, allez dire à votre femme qu'il n'y avait rien dans ma poche. Je crois que je vous ai oublié parce que la cuisinière et Miss Minchin étaient de trop mauvaise humeur. »

Melchissedech eut l'air de comprendre ; il retourna, traînant la patte, à son trou, sinon avec satisfaction, au moins avec résignation.

« Je ne m'attendais pas à vous voir ce soir, Ermie, dit Sara.

— Miss Amelia est allée passer la nuit chez sa vieille tante, expliqua Ermengarde. Personne d'autre ne vient jamais voir dans les chambres quand nous sommes couchées. » Elle montra du doigt la table. Sara ne l'avait pas regardée depuis qu'elle était entrée. Un certain nombre de livres y étaient empilés. Le geste d'Ermengarde avait un air fatal. « Papa m'a encore envoyé des livres, Sara. Les voilà ! »

Sara se retourna, vit les livres, courut à la table et prenant le volume du dessus de la pile, se mit à le feuilleter vivement. Elle en oubliait ses ennuis ! « Ah ! s'écria-t-elle. Comme c'est bien ! *La Révolution française* de Carlyle ! J'avais tant envie de la lire !

— Eh bien, moi pas ! dit Ermengarde. Et papa sera si fâché si je ne la lis pas. Il s'attendra que je sache tout ce qu'il y a dedans quand j'irai chez nous en vacances. Qu'est-ce que je vais devenir ? »

Sara s'arrêta de feuilleter le livre et la regarda, toute rouge de plaisir. « Eh bien, voilà ! cria-t-elle. Prêtez-moi les livres, moi, je les lirai et je vous dirai après tout ce qu'il y a dedans et je vous le dirai de telle façon que vous vous en souviendrez.

— Bonté divine ! s'écria Ermengarde. Croyez-vous que vous puissiez y arriver ?

— Je sais que je pourrai, répondit Sara.

— Sara, dit Ermengarde, sa grosse figure ronde illuminée d'espérance, si vous faites ça, et que j'arrive à me rappeler, je vous donnerai... je vous donnerai... n'importe quoi !

— Je ne désire pas que vous me donniez quelque

chose, dit Sara. Tout ce que je veux, c'est lire vos livres !

— Alors, prenez-les, dit Ermengarde. Je voudrais bien en avoir envie... mais je ne peux pas. Je ne suis pas intelligente, moi ; malheureusement, mon père l'est et il pense que je devrais l'être.

— Peut-être, dit Sara, être capable d'apprendre rapidement, ce n'est pas tout. Si Miss Minchin savait tout ce qu'on peut savoir sur la terre et restait telle qu'elle est maintenant, elle serait quand même une créature détestable et tout le monde la détesterait. Des tas de gens très intelligents ont fait du mal et ont été méchants. Voyez Robespierre. »

Le visage d'Ermengarde commençait à prendre un air effaré.

« Vous ne vous en souvenez plus ? demanda Sara. Il n'y a pas longtemps que je vous en ai parlé, mais je crois bien que vous l'avez oublié.

— C'est-à-dire... je ne me rappelle pas tout, admit Ermengarde.

— Bien ! Attendez une minute, dit Sara. Je vais ôter mes vêtements mouillés, m'envelopper dans ma couverture et vous répéter tout cela. »

Elle enleva son chapeau et son vêtement, les pendit à un clou au mur, mit une vieille paire de pantoufles, puis sauta sur le lit et, tirant la couverture autour de ses épaules, s'assit en tenant ses bras autour de ses genoux.

« Maintenant, écoutez ! » dit-elle. Elle se plongea dans les souvenirs sanguinaires de la Révolution française, et en raconta de telles histoires qu'Ermengarde en fit des yeux tout ronds et retint sa respiration. Mais bien qu'elle fût terrifiée, il y avait un frisson délicieux à écouter cela, et il n'y avait guère de danger d'oublier Robespierre, maintenant.

« Maintenant, parlons d'autre chose, continua Sara. Comment vous en tirez-vous avec vos leçons de français ?

— Ça va bien mieux depuis la dernière fois que je suis montée ici et que vous m'avez expliqué les conjugaisons. Miss Minchin ne pouvait pas comprendre pourquoi mon exercice était si bon, le lendemain matin. »

Sara eut un petit rire en se serrant les genoux. Elle jeta un regard circulaire sur la mansarde. « Cette chambre serait très agréable... si elle n'était pas si horrible ! dit-elle en riant encore. C'est un endroit bien commode pour *faire semblant* ! »

La vérité est qu'Ermengarde ne connaissait rien du tout de la misère intolérable que présentait souvent la vie dans la mansarde, et elle n'avait pas assez d'imagination pour deviner. Dans les rares occasions où elle pouvait venir à la chambre de Sara, elle n'en voyait que le côté émouvant déterminé par les imaginations et les histoires de Sara. Ses visites étaient un peu pour elle des aventures et bien que parfois Sara lui parût pâle et qu'on ne pût nier qu'elle fût devenue très maigre, le caractère fier de la fillette l'empêchait de se plaindre. Elle n'avait jamais avoué qu'à certains jours elle mourait positivement de faim, comme ce soir-là, par exemple. Elle grandissait rapidement et ses courses continuelles lui auraient donné grand appétit, même si elle avait eu des repas réguliers et abondants.

Aussi, quand elles étaient assises ensemble, Ermengarde ne se doutait pas que son amie était affamée au point de se sentir faible, et que pendant qu'elle racontait, elle se demandait si la faim lui permettrait de dormir quand elle resterait seule. Il lui semblait, ce soir-là, qu'elle n'avait jamais eu une telle faim de sa vie.

« Je voudrais bien être aussi mince que vous, Sara, dit tout à coup Ermengarde. Je crois que vous êtes encore plus mince qu'avant, vos yeux paraissent immenses et voyez donc les petits os qui pointent à vos coudes ! »

Sara rabaissa ses manches, qui se trouvaient remontées. « J'ai toujours été mince, dit-elle courageusement et j'ai toujours eu de grands yeux verts.

— Vos yeux sont drôles, mais je les aime bien », dit Ermengarde en les regardant avec une affectueuse admiration. « Ils ont toujours l'air de voir très loin.

J'aime bien aussi qu'ils soient verts, quoique très souvent ils aient l'air d'être noirs.

— Ce sont des yeux de chat, fit Sara en riant, mais je ne peux pas voir dans l'obscurité, pourtant. J'ai essayé, mais je ne peux pas. Je voudrais bien pouvoir. »

Juste à ce moment, il arriva quelque chose à la fenêtre à tabatière, quelque chose que ni l'une ni l'autre ne vit. Si l'une d'elles avait par hasard regardé de ce côté-là, elle aurait été surprise à la vue d'une face sombre qui regardait avec précaution dans la mansarde et disparut aussi vite et presque aussi silencieusement qu'elle avait paru. Pas tout à fait aussi silencieusement, cependant : Sara, qui avait l'oreille fine, se tourna soudain un peu et regarda vers le plafond.

« Ce n'était pas le bruit de Melchissedech, dit-elle, cela ne grattait pas assez.

— Quoi ? dit Ermengarde avec un léger sursaut.

— Est-ce que vous n'avez pas cru entendre un bruit ? demanda Sara.

— Non... non, balbutia Ermengarde. Et vous ?

— Je me suis peut-être trompée, dit Sara, mais j'ai bien cru entendre quelque chose. On aurait dit qu'on traînait doucement quelque chose sur les ardoises.

— Qu'est-ce que ça pouvait bien être ? dit Ermengarde. Est-ce que c'étaient des voleurs ?

— Non, commença Sara d'un ton encourageant, il n'y a rien à voler... »

Elle s'arrêta au milieu de sa phrase. Cette fois, elles entendirent toutes deux le son qui lui avait coupé la parole. Ce n'était pas sur les ardoises, mais plus bas, dans l'escalier, et c'était la voix irritée de Miss Minchin. Sara sauta du lit et éteignit la bougie.

« Elle gronde Becky, souffla-t-elle, debout dans l'obscurité. Elle l'a fait pleurer.

— Va-t-elle venir ici ? murmura Ermengarde, frappée de panique.

— Non ; elle me croira couchée, ne bougez pas. »

C'était bien rarement que Miss Minchin montait le dernier étage. Sara ne se souvenait de l'avoir vue là-haut qu'une seule fois. Mais pour l'instant elle était assez en colère pour monter au moins en partie, en poussant Becky devant elle.

« Enfant impudente ! Sans honnêteté ! » l'entendaient-elles crier. « La cuisinière me dit qu'il lui manque sans cesse des affaires ! »

— C'était pas moi, Mâme, disait Becky en sanglotant. J'ai pourtant eu faim, mais c'tait pas moi, que j'dis.

— Vous méritez d'être envoyée en prison, dit la voix de Miss Minchin. Piller et voler ! La moitié d'un pâté de viande, vraiment !

— C'tait pas moi, pleurait Becky. J'aurais ben pu l'manger tout... mais qu'j'ai jamais mis même un doigt d'sus ! »

Miss Minchin était essoufflée, tant par la colère que par la montée de l'escalier. Le pâté de viande était destiné à son propre petit souper tardif ! On se rendit compte qu'elle giflait Becky. « Ne dites pas de mensonge ! dit-elle. Rentrez dans votre chambre, et tout de suite ! »

Sara et Ermengarde entendirent la gifle, puis elles entendirent Becky traîner ses savates sur le palier et entrer dans sa chambre ; elle referma la porte et on l'entendit se jeter sur son lit.

« J'aurais ben pu en manger deux comme ça », l'entendirent-elles gémir dans son oreiller. « Mais qu'j'en ai pas pris même une bouchée. C'est la cuisinière, qu'elle l'a donné à son ami l'policeman. »

Sara serrait les dents et avait des gestes de menace dans l'obscurité. Elle avait bien du mal à se contenir, mais elle n'osait bouger jusqu'à ce que Miss Minchin eût redescendu l'escalier et qu'on n'entendît plus rien. « La méchante bête ! finit-elle par éclater ; c'est la cuisinière qui vole et elle accuse Becky. Mais Becky ne vole pas, elle ne vole pas ! Elle est si affamée quelquefois qu'elle ramasse des croûtes dans la boîte à ordures. » Et elle se mit à sangloter.

Ermengarde, devant ce fait extraordinaire, fut positivement épouvantée : l'invincible Sara pleurait ! Une possibilité nouvelle se présentait au pauvre petit cerveau lent de la grosse Ermengarde. Elle descendit du lit dans l'obscurité, trouva à tâtons la table où était la bougie, gratta une allumette et ralluma la lumière. Alors, elle se pencha et regarda Sara.

« Sara, dit-elle d'une voix timide et épouvantée, avez-vous... avez-vous... Vous ne me l'avez jamais dit... Je ne veux pas être rude... mais... avez-vous faim, quelquefois ? »

C'en était trop, juste à ce moment-là, le barrage céda ; Sara leva son visage mouillé de larmes.

« Oui ! cria-t-elle, d'une voix nouvelle, passionnée. Oui, j'ai faim... J'ai si grand-faim que je vous mangerais bien, vous ! Et ça me fait encore plus mal d'entendre la pauvre Becky. Elle a encore plus grand-faim que moi ! » Ermengarde en restait bouche bée.

« Oh ! cria-t-elle d'une voix désolée. Et moi qui n'en savais rien !

— Je ne voulais pas que vous le sachiez, dit Sara. Ça m'aurait fait l'effet que je mendiais dans la rue. Je sais bien que j'en ai l'air, d'une mendiante !

— Non ! Pas du tout... pas du tout ! interrompit Ermengarde. Vos vêtements sont quelquefois un peu... drôles, mais vous ne pouvez jamais avoir l'air d'une mendiante. Vous n'avez pas une figure de mendiante !

— Un petit garçon m'a une fois donné une pièce de six pence par charité, dit Sara avec un petit rire qui lui échappa en dépit d'elle-même. La voici ! » Et elle tira le ruban mince qui était à son cou. « Il ne m'aurait pas donné ses six pence de Noël si je n'avais pas eu l'air d'en avoir besoin. »

En quelque sorte, la vue du cher petit six pence leur fit du bien à toutes les deux. Cela les fit rire un petit peu, bien qu'elles eussent toutes deux des larmes dans les yeux.

« Qui était ce petit garçon ? » demanda Ermengarde en contemplant la pièce comme si elle avait quelque chose d'extraordinaire.

— C'était, dit Sara, un des enfants de la Famille Nombreuse, celui que j'appelle Guy Clarence. Je suppose que sa chambre était bourrée de cadeaux de Noël et de bourriches remplies de gâteaux et de bonnes choses et il avait bien vu que moi, je n'avais rien. »

Ermengarde sauta positivement en l'air. La dernière phrase lui avait rappelé quelque chose et donné une soudaine inspiration.

« Oh, Sara ! cria-t-elle, que je suis bête de ne pas y avoir pensé !

— À quoi ? dit Sara.

— À quelque chose de magnifique ! dit Ermengarde avec précipitation. Cet après-midi même, la moins mauvaise de mes tantes m'a envoyé une grande boîte. Elle est pleine de bonnes choses. Je n'en ai rien goûté, parce que j'avais mangé trop de pudding à dîner et que j'étais trop ennuyée par les livres de papa... — ses idées se mélangeaient terriblement ! — Il y a un cake dedans et puis des petits pâtés de viande et puis des tartes à la confiture et puis des brioches, et puis des oranges, et puis une bouteille de vin de groseilles, et puis des figues... et puis du chocolat ! Je redescends dans ma chambre pour chercher la boîte, je la remonte et nous allons la manger tout de suite. »

Sara s'appuya au bras d'Ermengarde.

« Croyez-vous que c'est possible ? lança-t-elle.

— Mais oui ! » dit Ermengarde. Elle courut à la porte, l'ouvrit doucement, passa la tête dans l'obscurité, écouta, puis revint vers Sara. « Les lumières sont éteintes, tout le monde est couché, je vais me glisser tout doucement et personne ne m'entendra. » Une lumière soudaine apparut dans les yeux de Sara. « Emmie, dit-elle, faisons semblant ! *Faisons semblant* que c'est une réception ! Ah, au fait, ne voulez-vous pas inviter la prisonnière du cachot voisin ?

— Oui, oui... Frappons au mur ! La geôlière n'entendra pas. »

Sara s'approcha du mur, elle pouvait entendre de l'autre côté la pauvre Becky qui pleurait toujours, mais plus doucement. Elle frappa quatre coups. « Ça veut dire : Venez me trouver par le passage secret sous le mur, expliqua-t-elle : j'ai quelque chose à vous dire. »

Cinq coups rapides répondirent. « Elle vient ! » dit Sara.

Presque immédiatement la porte de la mansarde s'ouvrit et Becky parut. Elle avait les yeux rouges, le bonnet sur le côté et quand elle aperçut Ermengarde, elle commença à se frotter nerveusement le visage avec son tablier.

« Ne vous inquiétez pas de moi, Becky ! cria Ermengarde.

— C'est Miss Ermengarde qui vous a invitée à venir, dit Sara, parce qu'elle va apporter une boîte de bonnes choses ici, pour nous. »

Du coup, le bonnet de Becky s'écroula entièrement, à cause de l'ardeur avec laquelle elle s'écria : « À manger, Miss... des choses bonnes à manger ?

— Oui, répondit Sara, et nous allons faire semblant d'avoir une réception.

— Et vous aurez autant à manger que vous en voudrez, intervint Ermengarde. Je reviens à la minute. » Elle se pressait tellement qu'en sortant de la mansarde, elle laissa tomber son châle rouge, et ne s'en aperçut pas. Pour commencer, personne ne le vit. Becky était bien trop éberluée par la bonne chance qui venait de lui arriver. « Oh, Miss, oh, Miss, disait-elle tout émue, je sais ben qu'c'est vous qui l'y avez d'mandé d'm'inviter. Ça... ça... m'fait pleurer, rien qu'd'y penser. » Elle vint tout près de Sara et la regarda avec adoration.

Sara avait vu arriver comme par magie cette joyeuse aubaine.

« En somme, cria-t-elle, il se produit toujours quelque chose juste avant qu'on n'en arrive au pire. C'est comme si c'était par magie : le pire n'arrive jamais tout à fait. »

Elle fit une petite caresse à Becky. « Non, non ! Vous ne devez pas pleurer, dit-elle. Il faut nous dépêcher de mettre le couvert.

— Mett'e le couvert, Miss ? dit Becky en regardant tout autour d'elle. Avec quoi qu'nous allons l'mett'e, le couvert ? »

Sara, à son tour, eut un regard circulaire. « On n'a

pas l'air d'avoir grand-chose », répondit-elle, en riant à moitié.

Mais à ce moment, elle aperçut quelque chose et se précipita dessus. C'était le châle rouge d'Ermengarde tombé à terre. « Voilà le châle rouge ! s'écria-t-elle. Ça va nous faire une si jolie nappe rouge ! »

Elles avancèrent la table et étalèrent le châle rouge dessus. Le rouge est une couleur naturellement plaisante et confortable. Immédiatement, la chambre eut l'air meublée.

« Qu'allons-nous mettre, maintenant ? » dit Sara. Elle s'immobilisa et couvrit ses yeux de ses mains. « Une idée me viendra, si je pense bien et si j'attends une minute : la magie me dira ce qu'il faut faire. »

Une de ses imaginations favorites, c'était que « au-dehors de nous », comme elle disait, les idées attendent que les gens les appellent.

« Ça y est ! cria-t-elle un moment après. L'idée est venue. Je sais, maintenant. Il faut que je regarde dans les affaires remisées dans la vieille malle que j'avais quand j'étais une princesse. » Elle courut au coin où était la vieille malle. On n'avait pas mis la malle dans la mansarde pour le plaisir de Sara, mais parce qu'il n'y avait pas de place ailleurs pour la mettre. Il ne restait dedans que d'inutiles vieilleries, mais elle savait bien qu'elle y trouverait quelque chose : la magie aurait sûrement arrangé les affaires pour ça.

Dans un coin, il y avait un petit paquet, si insignifiant qu'on n'avait même pas pensé à l'enlever et quand elle-même l'avait trouvé, elle l'avait conservé comme une relique. Il contenait une douzaine de tout petits mouchoirs blancs. Elle se mit à les arranger sur la jolie nappe rouge, les aplatissant, disposant soigneusement l'étroite bordure de dentelle : la magie continuait à faire ses merveilles.

« Voici les assiettes, dit-elle, c'est de la vaisselle plate sur des petits napperons richement brodés. Ce sont des nonnes qui les ont brodés, dans leurs couvents, en Espagne.

— Vrai, Miss ? souffla Becky, toute transportée par cette information.

— Il faut *faire semblant* que c'est comme ça, dit Sara. Si vous faites assez semblant, vous les verrez.

— Oui, Miss », dit Becky. Et comme Sara retournait à la malle, Becky se consacra entièrement à l'effort nécessaire pour atteindre un but si désirable, effort qui lui faisait fermer les yeux et serrer les poings avec une énergie terrible !

« Regardez ceci », dit Sara, revenant du coin où était la malle. Elle tenait à la main un vieux chapeau d'été. Il y avait dessus une guirlande de fleurs ; elle arracha la guirlande. « Ce sont les fleurs pour parer la table du festin, dit-elle d'un air grandiose. Elles remplissent l'air de leur parfum. Il y a le pot à eau sur la toilette, Becky... Ah !... apportez-moi aussi le plat à savon comme milieu de table. » Becky lui passa les objets avec respect. « Alors, qué qu'c'est-y, maint'nant, Miss ? demanda-t-elle. Vous croiriez qu'c'est d'la grosse faïence... mais j'sais ben qu'c'en est pas.

— Ceci est une buire ciselée », dit Sara, arrangeant la guirlande autour du pot à eau et dedans. « Et ceci, en se penchant tendrement sur le plat à savon et y disposant des roses, ceci est du plus pur albâtre, serti de pierres précieuses. » Elle maniait les objets délicatement, avec un sourire de bonheur sur les lèvres.

« Bon Dieu ! c'est-i joli ! murmura Becky.

— Il faudrait avoir des assiettes à bonbons, disait Sara tout bas. Ah, voilà ! » Elle se précipita de nouveau vers la malle. « Je me souviens que j'ai vu quelque chose tout à l'heure. » C'était seulement un vieux peloton de laine usé, mais il était enveloppé dans du papier de soie rouge et blanc. Le papier de soie fut bientôt chiffonné en forme de petits plats ; combiné aussi avec quelques fleurs qui restaient, il orna le chandelier qui devait éclairer le festin. Seule, la magie pouvait faire que ce soit autre chose qu'une vieille table couverte avec un châle rouge, et parée de détritus sortis d'une vieille malle fermée depuis des années. Mais Sara se recula un peu, contempla l'ensemble et y vit des merveilles et

Becky, après avoir regardé aussi avec admiration, parla d'un ton assourdi.

« Eh ben, ça », suggéra-t-elle avec un regard circulaire à la mansarde, « c'est-i qu'c'est la Bastille, maint'nant, ou ben qu'ça a tourné en aut'chose ?

— Oh oui, oui ! dit Sara, c'est tout à fait différent. C'est une salle de banquet !

— Oh ! mon œil ! Miss ! émit Becky. Une salle de blanquette ! » Et elle tourna sur elle-même pour voir de telles splendeurs d'un œil émerveillé.

« Une salle de *banquet* ! répéta Sara. Une vaste salle où l'on donne des festins. Le plafond est voûté ; il y a une galerie pour les musciens, une énorme cheminée remplie de grosses bûches de chêne toutes flambantes et la salle est éclairée par des flambeaux de cire qui brillent de tous les côtés.

— Ah ! mon œil ! Miss Sara ! » fit encore Becky.

À ce moment la porte s'ouvrait et Ermengarde entra, trébuchant presque sous le poids de sa caisse de provisions. Elle poussa un cri d'admiration. « Oh ! Sara, s'écria-t-elle, vous êtes la fille la plus habile que j'aie jamais vue !

— N'est-ce pas, que c'est bien ? dit Sara. Tout ça est sorti de ma vieille malle. J'ai demandé à la magie et elle m'a dit d'aller y chercher.

— Mais vous savez, Miss, intervint Becky, attendez qu'on v's'ait dit c'que c'est qu'tout ça. C'est pas c'que... Oh ! Miss, s'i'ou plaît, dites-lui ! » fit-elle, en appelant à Sara.

Sara le lui dit et, aidée de sa magie, elle lui fit *presque* voir les choses : la vaisselle plate, le plafond voûté, les bûches flamboyantes, les flambeaux étincelants. Et quand on tira de la caisse son contenu : les gâteaux glacés, les fruits, les bonbons et le vin de groseilles, le festin devint réellement splendide.

« C'est tout à fait comme une réception, s'écria Ermengarde.

— C'est une vraie table de reine, v'là c'que c'est », soupira Becky.

Alors, Ermengarde, pour une fois, eut une idée

brillante : « Je vais vous dire, Sara, dit-elle. *Faites semblant* que vous êtes une princesse et que vous nous offrez un festin royal !

— Mais c'est vous qui offrez le festin ! dit Sara. Vous devez être la princesse et nous serons vos dames d'honneur.

— Oh, moi, je ne peux pas, dit Ermengarde. Je suis bien trop grasse, et je ne saurais pas comment faire. Soyez la princesse, vous !

— Bien, si vous y tenez », dit Sara. Mais tout à coup elle pensa à quelque chose d'autre et courut vers la grille rouillée.

« Il y a des vieux papiers et des saletés entassés ici ! s'exclama-t-elle. Si nous allumons tout ça, on aura une belle flambée pour quelques minutes et ça nous fera l'effet que c'est un vrai feu ! » Elle gratta une allumette et alluma le vieux papier qui soudain illumina la pièce. « Maintenant, dit Sara, commençons la réception. »

Elle emmena les invitées vers la table ; d'un geste gracieux, elle leur désigna leurs places. Cette fois, on était en plein rêve !

« Avancez, belles Damoiselles, dit-elle de son heureuse voix de rêve et prenez place à la table du banquet. Mon noble père, le Roi, qui est absent pour un long voyage, m'a commandé de vous traiter en ce festin. » Elle tourna la tête vers un coin de la mansarde. « Oh ! Là ! les ménestrels ! Entonnez les chants avec vos violes et vos bassons. *Faites semblant* qu'il y a une galerie de musiciens dans ce coin là-bas. Maintenant, nous allons commencer. »

Elles avaient à peine eu le temps de prendre leurs gâteaux dans leurs mains, qu'elles tournèrent toutes trois leurs regards vers la porte... en écoutant... en écoutant...

Quelqu'un montait l'escalier. On ne pouvait s'y tromper. Toutes, elles reconnurent la démarche irritée et comprirent que la fête était finie !

« C'est... la patronne ! étouffa Becky en lâchant son gâteau sur le plancher.

— Oui, dit Sara, tandis que ses yeux se durcissaient

dans sa petite figure pâle. Miss Minchin nous a découvertes ! »

Miss Minchin ouvrit violemment la porte d'un coup de poing. Elle était pâle de rage. Elle jeta ses regards des trois visages épouvantés à la table du banquet et de la table du banquet aux dernières petites flammes du papier brûlé dans la grille.

« Je soupçonnais quelque chose de ce genre-là, s'exclama-t-elle. Mais je n'aurais pas imaginé une pareille audace ! Lavinia m'avait dit vrai. »

C'était donc Lavinia qui, de quelque façon, avait deviné leurs réunions secrètes et qui les avait dénoncées. Miss Minchin, d'une enjambée, atteignit Becky et pour la seconde fois de la soirée lui administra une paire de gifles. « Impudente créature ! lui dit-elle, demain matin vous quitterez la maison ! »

Sara demeurait immobile. Ses yeux s'agrandissaient et son visage pâlissait encore ! Ermengarde fondit en larmes.

« Ne renvoyez pas Becky, sanglota-t-elle. Ma tante m'a envoyé la caisse. Nous... nous avions seulement une réception !

— Je le vois bien, dit Miss Minchin d'un ton méprisant : avec la Princesse Sara présidant la table ! » Elle se tourna furieusement vers Sara. « C'est encore vous qui avez fait cela, je le sais bien ! cria-t-elle. Ermengarde n'aurait jamais pensé à une chose pareille ! C'est vous qui avez décoré la table, je suppose, avec toutes ces saletés. » Elle frappa du pied vers Becky. « Allez à votre mansarde !... » lui commanda-t-elle. Et Becky s'esquiva, la tête cachée dans son tablier, les épaules toutes secouées. Puis Miss Minchin en revint à Sara.

« Vous, je m'occuperai de vous demain. D'abord, vous n'aurez ni déjeuner, ni dîner, ni souper.

— Je n'ai déjà eu ni dîner ni souper aujourd'hui, dit Sara tristement.

— Cela n'en vaut que mieux. Vous aurez au moins quelque chose à vous rappeler à cette occasion. Ne restez pas là sans bouger. Remettez tout ça dans la caisse d'Ermengarde. »

Elle commença d'ailleurs à tout balayer elle-même de la table et à jeter tout pêle-mêle dans la caisse. Ce faisant, elle aperçut les livres neufs d'Ermengarde. « Et vous ! (ceci à Ermengarde). Vous avez apporté vos beaux livres neufs dans cette sale mansarde ! Ramassez-les et allez vous coucher ! Vous resterez dans votre lit demain toute la journée et j'écrirai à votre papa. Qu'est-ce qu'il dirait s'il savait où vous étiez cette nuit ? »

Quelque chose qu'elle aperçut dans le regard fixe et grave de Sara à ce moment la fit se retourner férocement contre elle. « À quoi pensez-vous ? lui dit-elle ; pourquoi me regardez-vous comme ça ?

— Je me demandais quelque chose », répondit Sara avec calme, comme elle avait répondu ce fameux jour dans la classe.

« Qu'est-ce que vous vous demandiez ? » Cela ressemblait de plus en plus à la scène dans la classe. Aucune impertinence dans les manières de Sara : elles n'étaient que calmes et tristes. « Je me demandais, dit-elle d'une voix basse, ce que mon papa dirait s'il savait où je suis cette nuit. »

Miss Minchin était hors d'elle-même, et sa colère s'exprima cette fois encore d'une façon violente. Elle s'élança sur Sara et la secoua.

« Quelle enfant insolente, ingouvernable ! lui cria-t-elle. Comment osez-vous ! Comment osez-vous ! »

Elle ramassa les livres, finit de balayer les restes du festin dans la boîte en une masse confuse, jeta le tout dans les bras d'Ermengarde et la poussa devant elle vers la porte.

« Je vous laisse vous demander ce que vous voudrez, dit-elle à Sara. Couchez-vous immédiatement. » Elle ferma la porte derrière elle et la trébuchante Ermengarde et laissa Sara toute seule.

Cette fois, le rêve était bien fini. Émilie était assise par terre, le dos au mur, avec des yeux fixes. Sara la vit et la ramassa avec des mains tremblantes.

« Il ne reste rien du banquet, Émilie, lui dit-elle et il n'y a plus de princesse. Il ne reste que les prisonniers de la Bastille. » Elle s'assit et cacha son visage dans ses mains.

Que serait-il arrivé, si elle n'avait pas caché son visage juste à ce moment-là ? Si elle avait regardé la fenêtre à tabatière, elle aurait été surprise par ce qu'elle aurait vu. Elle aurait vu la même face sombre, pressée contre la vitre et la regardant comme elle l'avait regardée au début de la soirée, quand elle causait avec Ermengarde.

Mais elle ne leva pas les yeux. Elle resta assise avec sa petite tête noire entre ses bras pendant un bon moment. Puis elle se leva du tabouret boiteux et alla se coucher.

« Je ne puis plus faire semblant de rien d'autre, tant que je serai réveillée, dit-elle. Ça ne serait pas la peine d'essayer. Si je dors, peut-être un rêve viendra faire semblant à ma place. »

Elle se sentit soudain si fatiguée, sans doute à cause du manque de nourriture, qu'elle s'assit, tout affaiblie sur le bord du lit.

« Supposons qu'il y a un beau feu dans la grille, avec des tas de petites flammes dansantes, murmura-t-elle. Supposons qu'il y a un bon fauteuil devant le feu... Et supposons qu'il y a à côté une petite table, avec un petit souper bien chaud dessus. Et supposons... ici elle se coucha et tira sur elle la mince couverture... supposons que ceci soit un beau lit bien doux avec des couvertures de laine, épaisses et de grands oreillers de duvet. Supposons... Supposons... » Et son épuisement fut pour elle une bonne chose, car ses yeux se fermèrent et elle tomba dans un profond sommeil...

... Elle ne savait pas combien de temps elle avait dormi, mais elle avait été assez fatiguée pour dormir profondément, trop profondément pour être réveillée par quoi que ce soit, même par les petits cris et les galopades de la famille Melchissedech tout entière, si tous ses fils et toutes ses filles étaient sortis de leur trou pour jouer, se poursuivre, se chamailler et se culbuter !

Quand elle se réveilla, ce fut assez brusquement, mais elle ne se rendit pas compte de ce qui avait pu la tirer de son sommeil. En réalité, pourtant, c'était un bruit qui l'avait réveillée, un vrai bruit, le claquement du châssis de la fenêtre retombant fermé derrière une silhouette souple, drapée de blanc, qui venait de se glisser à travers l'ouverture et se tapissait tout près sur les ardoises, assez près pour voir ce qui se passait dans la mansarde, mais pas assez près pour qu'on la voie.

Tout d'abord, elle n'ouvrit pas les yeux ; elle avait encore sommeil, et, chose vraiment curieuse, elle avait trop chaud et elle était trop bien. Elle avait si chaud et elle était si bien, en vérité, qu'elle ne croyait pas qu'elle était réveillée. Elle n'avait jamais si chaud, elle n'était jamais si bien que cela, sauf dans quelque joli rêve.

« Quel beau rêve ! » murmurait-elle. « J'ai bien chaud... Je... ne... veux... pas... me... réveiller ! »

Forcément, c'était un rêve. Elle rêvait que des couvertures douces et chaudes étaient empilées sur elle. Elle avait même l'impression de les tâter, ces couvertures. Il ne fallait absolument pas qu'elle se réveille ; il fallait qu'elle reste bien tranquille pour faire durer le rêve.

Mais elle ne pouvait pas ! Elle avait beau fermer les yeux, elle ne pouvait pas ! Il y avait dans la chambre quelque chose qui la forçait à se réveiller. Elle avait une impression de lumière et de bruit. Le bruit d'un beau petit feu, ronflant et pétillant.

« Oh, je me réveille ! dit-elle toute désolée. Je ne peux pas m'en empêcher. Je ne peux pas ! »

Ses yeux s'ouvrirent en dépit d'elle-même. Alors, elle eut un vrai sourire, car ce qu'elle vit, elle ne l'avait jamais vu dans sa mansarde et sûrement, elle ne le reverrait jamais !

« Oh... mais ! Je ne suis pas réveillée, murmurat-elle, osant se soulever sur son coude et regarder autour d'elle. Je continue à rêver. » Elle savait bien que c'était forcément un rêve, car si elle était réveillée, ce serait... ce serait tout simplement impossible !

Voici en effet ce qu'elle voyait. Dans la grille, il y avait un feu tout rouge et ronflant ; devant le foyer, une petite bouilloire de cuivre qui bouillait en chantant.

Sur le plancher, elle voyait un tapis rouge, épais et moelleux ; devant le feu, un fauteuil pliant, mais déplié, avec de beaux coussins dessus ; à côté du fauteuil, une petite table pliante, dépliée aussi, couverte d'un napperon blanc et sur le napperon, des petits plats à couvercles, une tasse, une soucoupe et une théière. Sur le lit, des couvertures toutes neuves et bien chaudes et une courtepointe de duvet piquée et recouverte de satin ; au pied du lit, une curieuse robe de chambre en soie ouatée, une paire de pantoufles bien chaudes et des livres ! La chambre de son rêve était devenue un royaume de fée ; elle était inondée d'une chaude lumière, car il y avait, allumée sur la table, une lampe brillante avec un abat-jour rose.

Elle s'assit sur le lit, respirant vite et fort.

« Mais... Ça ne disparaît pas ! dit-elle d'une voix entrecoupée. Oh, je n'ai jamais eu un rêve comme celui-là ! » Elle osait à peine bouger. Mais enfin, elle rejeta les couvertures et mit les pieds sur le plancher avec un sourire ravi. « Je rêve... que je me lève », dit-elle et elle entendit sa propre voix. Elle se tint debout au milieu de ces merveilles en tournant lentement sur elle-même. « Je rêve que ça reste... Je rêve que je crois voir tout cela ! Je rêve que c'est réel ! Vraiment, je *crois* que je vois tout cela. Je voudrais bien continuer à le croire ! » Elle se tut un moment. « Oh ! Ce n'est pas vrai ! s'écriat-elle. Ça ne peut pas être vrai... mais comme ça a l'air de l'être ! »

Le feu flamboyant l'attira ; elle se mit à genoux et y tendit les mains, tout près... si près qu'elle se brûla presque. « Un feu dont on rêve n'est pas brûlant comme ça ! »

Elle se redressa, toucha la table, les plats, marcha sur le tapis. Elle revint au lit, tâta les couvertures. Elle prit la robe de chambre de soie ouatée, la serra contre elle, y appuya la joue. « Elle est chaude ; elle est douce ! dit-elle, presque en soupirant : elle est réelle. C'est impossible qu'elle ne le soit pas. » Elle la jeta sur ses épaules et enfila ses pieds dans les pantoufles. « Elles sont réelles aussi ! Tout est réel, alors ! Je ne... je ne rêve pas ! »

Elle alla, toute trébuchante, vers les livres, ouvrit celui qui était au-dessus des autres. Il y avait quelque chose d'écrit à la première page, quelques mots à peine :

« À la petite fille de la mansarde, de la part d'un ami. »

Quand elle vit cela, elle fit quelque chose d'assez étrange. Elle mit sa figure sur la page et fondit en larmes ! « Je ne sais pas qui c'est, dit-elle. Mais enfin il y a quelqu'un qui se soucie de moi ! J'ai un ami ! »

Elle alluma sa bougie, sortit de sa mansarde et entra dans celle de Becky. Elle se tint près du lit.

« Becky, Becky ! dit-elle, aussi haut qu'elle osa. Réveillez-vous. » Quand Becky s'éveilla, se dressa dans son lit d'un air ahuri, le visage encore tout barbouillé des traces de ses larmes, il y avait à côté d'elle une petite personne drapée dans une luxueuse robe de chambre ouatée, en soie cramoisie. Le visage de cette personne, c'était quelque chose d'extraordinaire ! La Princesse Sara, telle qu'elle se la rappelait dans ses plus beaux jours, était là près de son lit !

« Venez ! dit la Princesse. Oh, Becky, venez vite ! »

Becky était trop épouvantée pour parler. Elle se leva et la suivit, la bouche et les yeux grands ouverts, sans dire un mot.

Quand elles pénétrèrent dans l'autre mansarde, Sara ferma doucement la porte et attira Becky au milieu de toutes ces choses brillantes et chaudes, qui lui faisaient tourner la tête et bouleversaient ses sens affamés.

« C'est vrai !... C'est réel ! criait-elle. J'ai touché à tout ! Tout cela est aussi réel que nous ! C'est la magie qui a fait tout cela, Becky, pendant que nous dormions... cette magie qui ne laisse jamais arriver le pire ! »

CHAPITRE XVI

LE VISITEUR

Imaginez, si vous pouvez, ce que fut le reste de cette mémorable soirée ; comment elles se blottirent près du feu qui flamblait dans la petite grille, comment elles ôtèrent les couvercles des plats et découvrirent une soupe riche, parfumée, bien chaude qui à elle seule faisait un vrai repas, et des sandwiches et du pain grillé et des muffins, très largement pour deux. Le pot à eau servit comme tasse à thé pour Becky et le thé était si délicieux qu'il n'y avait pas besoin de *faire semblant* que c'était autre chose. Elles avaient chaud ; elles étaient rassasiées, heureuses.

« Je ne connais personne au monde qui aurait pu faire cela, dit Sara et pourtant il y a quelqu'un qui l'a fait. Nous voilà assises au coin du feu... et c'est *vrai* ! Et qui que ce soit qui ait fait cela, c'est mon ami, Becky ! J'ai un ami !

— Croyez-vous pas, dit une fois Becky d'une voix tremblante, croyez-vous pas qu'tout ça, ça pourrait disparaître, Miss ? l'vaudrait p'tête mieux nous dépêcher d'manger ? » Et elle fourra tout son sandwich d'un coup dans sa bouche.

— Non, ça ne va pas disparaître, dit Sara. Je mange réellement ce muffin : j'en sens très bien le goût. Dans les rêves, vous ne mangez jamais rien. Vous croyez seulement que vous allez manger. D'ailleurs, je me pince de temps en temps pour me prouver que je suis bien éveillée. »

La satisfaction ensommeillée qui finissait par les

envahir était quelque chose de céleste, elles restaient à en jouir au coin du feu jusqu'à ce que Sara pensât de nouveau à son lit métamorphosé. Il y avait là assez de couvertures pour les partager avec Becky. Le petit lit de la mansarde voisine fut plus confortable cette nuit-là que la pauvre Becky n'avait jamais rêvé qu'il pût être.

En sortant de la pièce, Becky, sur le seuil, se retourna et regarda autour d'elle avec des yeux dévorants. « Si c'est pu là d'main matin, Miss, dit-elle, c'était ben là c'soir et qu'j'oublierai jamais ça ! » Elle regarda encore chaque objet en détail, comme pour être sûre de se rappeler. « L'feu, il était ben là », et elle le montrait du doigt, « et la table qu'y avait d'vant et la lampe qu'était d'sus, qu'la lumière était toute rose, même, et pi une couverte d'satin qu'y avait su'vot'lit, et un tapis chaud su'l'plancher, et qu'tout ça, c'était du beau, et pi... » elle s'arrêta une seconde, et mit sa main sur son estomac, tendrement ! « Y en avait ! et d'la soupe, et des sandwiches et des muffins... Ah, oui, qu'y en avait ! » Et avec la conviction que cela, au moins, était une réalité, elle s'en alla chez elle.

Par ce procédé mystérieux qui joue dans les écoles et parmi les domestiques, tout le monde savait dès le matin que Sara Crewe était dans une disgrâce épouvantable, qu'Ermengarde était en punition et que Becky aurait été expédiée de la maison avant le déjeuner si l'on avait pu se passer tout de suite d'une souillon de cuisine. Les domestiques savaient qu'on lui permettait de rester parce que Miss Minchin ne pourrait pas trouver facilement une autre créature qui travaillerait comme une esclave pour un nombre aussi minime de shillings par semaine. Les plus grandes de la classe savaient que si Miss Minchin ne mettait pas Sara à la porte, c'était pour des raisons d'ordre pratique qu'elle ne communiquait pas à autrui.

« Elle grandit si vite et elle étudie tellement, dit Jessie à Lavinia, qu'on lui donnera bientôt des classes à faire et Miss Minchin sait bien qu'il faudra qu'elle travaille sans être payée. Ce n'était vraiment pas chic de votre part, Lavvy, d'aller raconter qu'elle se payait du bon temps au grenier. Comment l'avez-vous découvert ?

— Je l'ai fait dire à Lottie : elle est tellement bébé qu'elle ne s'est même pas doutée de ce que je lui faisais dire. Il n'y avait rien de pas chic à le dire à Miss Minchin. J'ai considéré que c'était mon devoir... Et, avec une pruderie hypocrite : Elle trompait Miss Minchin et c'est complètement ridicule qu'elle prenne de si grands airs et qu'on fasse tant de cas d'elle, avec ses guenilles et ses haillons !

— Qu'est-ce qu'elles faisaient, quand Miss Minchin les a surprises ?

— Elles *faisaient semblant* d'une niaiserie quelconque. Ermengarde avait monté sa caisse de provisions pour les partager avec Sara et Becky. Elle ne nous invite jamais à partager ce qu'elle reçoit. Ce n'est pas que j'y tiendrais, mais je trouve vulgaire de sa part d'aller partager ce qu'elle a avec des filles de service au grenier. Ça m'étonne que Miss Minchin n'ait pas mis Sara à la porte, même si elle a besoin d'elle comme institutrice.

— Si on la mettait à la porte, où pourrait-elle aller ? s'enquit Jessie avec une certaine anxiété.

— Je ne m'en soucie pas, jeta Lavinia sèchement. Elle aura une drôle de mine, quand elle va entrer en classe ce matin après ce qui est arrivé, je pense. Elle a été privée de dîner hier et elle en sera encore privée aujourd'hui. »

Jessie n'était pas méchante, elle n'était que sotte. Elle reprit son livre de leçon avec un petit mouvement brusque.

« Eh bien ! moi, je trouve que c'est abominable, dit-elle. On n'a pas le droit de la faire mourir de faim. »

Miss Minchin s'était attendue à voir chez Sara, quand elle entrerait dans la classe, à peu près ce que Lavinia comptait voir. Sara avait toujours été pour la directrice une énigme irritante, car jamais la sévérité ne la faisait pleurer, ni même avoir l'air effrayée. Quand on la grondait, elle demeurait immobile et écoutait poliment avec une physionomie sérieuse. Quand on la punissait, elle faisait ses pensums ou se passait de ses repas sans se plaindre, sans manifester aucune rébellion. Le fait même de ne jamais faire une réponse impudente était, aux yeux de Miss Minchin, une espèce d'impudence en soi. Mais après la privation de repas de la veille, la scène violente de la soirée, la perspective de faim pour la journée, elle devrait sûrement être matée. Ce serait bien extraordinaire si elle ne descendait pas avec des joues pâles, des yeux rouges et une figure malheureuse et humiliée.

Miss Minchin la vit pour la première fois quand elle entra dans la classe pour la leçon de français aux petits. Elle entra d'un pas élastique, ses joues étaient colorées et un sourire se jouait au coin de ses lèvres. C'était la chose la plus stupéfiante que Miss Minchin eût jamais vue ! Elle en reçut un vrai choc ! Elle l'appela immédiatement près de son pupitre.

« Vous n'avez pas l'air de vous rendre compte que vous êtes en disgrâce, dit-elle. Êtes-vous absolument endurcie ? »

La vérité, c'est que quand on est encore une enfant, ou même quand on n'en est plus une... quand on a été bien nourrie, qu'on a dormi longtemps et bien au chaud, quand on s'est endormie en plein conte de fées et qu'on s'est réveillée pour constater que ce n'était pas un conte, mais une réalité... on ne peut guère être malheureuse, ni même avoir l'air de l'être. Miss Minchin en perdit la parole quand elle vit le regard que Sara leva sur elle, en lui faisant une réponse tout à fait respectueuse : « Je vous demande pardon, Miss Minchin, dit-elle, mais je sais fort bien que je suis en disgrâce.

— Ayez la bonté de ne pas l'oublier et de ne pas prendre l'air d'avoir hérité d'une grande fortune. C'est une impertinence. Rappelez-vous aussi que vous n'aurez rien à manger aujourd'hui.

— Oui, Miss Minchin », répondit Sara. Mais en se retournant pour s'en aller, elle sentit battre son cœur au souvenir de ce qu'avait été la veille... « Si la magie ne m'avait pas sauvée juste au bon moment, pensait-elle, comme cela aurait été affreux ! »

« Il n'est pas possible qu'elle ait faim, susurra

Lavinia. Regardez-la ! » Puis avec un rire méprisant :
« Peut-être qu'elle fait semblant d'avoir eu un bon
déjeuner ?

— Elle n'est pas comme tout le monde, dit Jessie,
qui l'examinait au milieu de sa petite classe. Quelquefois, elle me fait un peu peur !

— C'est une créature absolument ridicule ! » lança
Lavinia.

Pendant toute la journée la lumière demeura dans
les yeux de Sara et la couleur sur ses joues. Oui, c'était
bien toujours le caractère obstiné de Sara ! Elle avait
probablement décidé de les braver jusqu'au bout !

Sara avait bien décidé une chose, en réfléchissant.
Les merveilles qui s'étaient produites, il fallait les tenir
secrètes si c'était possible. Si Miss Minchin se décidait
à monter de nouveau à la mansarde, naturellement tout
serait découvert. Mais il semblait peu probable qu'elle
le ferait d'ici un certain temps, à moins qu'elle n'ait des
soupçons. Ermengarde et Lottie allaient être si stricte-
ment surveillées qu'elles n'oseraient plus sortir de leurs
lits. Peut-être la magie contribuerait-elle à cacher ses
propres merveilles.

« Mais quoi qu'il arrive, se disait Sara toute la journée, quoi qu'il arrive, quelque part au monde il y a une
personne pleine de bonté qui est mon amie. Si je ne sais
jamais qui c'est, si je ne peux jamais la remercier, je
ne me sentirai plus jamais, malgré tout, isolée. Oh ! la
magie s'est montrée bonne pour moi ! »

Quand Sara, le soir, atteignit l'étage supérieur et
qu'elle fut devant la porte de sa mansarde, il faut bien
avouer que le cœur lui battait vite : « Naturellement,
on peut avoir tout enlevé, se disait-elle, en essayant
d'être brave. Peut-être ne m'avait-on prêté tout cela que
pour une nuit. Mais on me l'avait au moins prêté, j'en
ai profité, c'était réel. »

Elle ouvrit la porte et entra, referma la porte et
regarda autour d'elle. La magie était encore intervenue
et c'était encore mieux qu'avant ! Le feu brûlait plus
joyeux que jamais. On avait apporté dans la mansarde
une quantité de nouveaux objets qui en avaient telle-

ment modifié l'aspect, qu'elle se frotta les yeux, pour s'assurer qu'elle voyait bien. Sur la table basse, un nouveau souper était servi, cette fois avec tasse, soucoupe, assiettes pour Becky. La cheminée dégradée était couverte d'une broderie lourde et étrange aux teintes brillantes, sur laquelle étaient placés des bibelots orientaux. Tout ce qu'il y avait de laid et qu'on pouvait recouvrir de tenture avait été caché. Des éventails aux couleurs vives avaient été épinglés çà et là. Il y avait plusieurs énormes coussins, assez gros pour servir de sièges, une grande caisse recouverte d'un tapis : on y avait entassé des coussins et cela ressemblait tout à fait à un sofa. Sara alla lentement s'y asseoir et demeura immobile, à tout regarder. « C'est absolument un conte de fées devenu vrai, dit-elle. Il me semble que si je souhaitais n'importe quoi, des diamants ou des sacs d'or, cela apparaîtrait tout d'un coup. Ce ne serait pas plus extraordinaire que ce qui est arrivé ici. Est-ce bien ma mansarde ? Suis-je la même pauvre Sara, trempée, glacée ? Dire que j'étais tout le temps à *faire semblant* et à souhaiter qu'il y eût des fées ! Je vis dans un conte de fées ! »

Elle se leva, frappa au mur pour appeler la prisonnière du cachot voisin et la prisonnière arriva. Quand elle entra, elle s'écroula bel et bien par terre, en un vrai tas ! Pendant plusieurs secondes, elle en perdit absolument la parole. « Oh, Seigneur ! » finit-elle par émettre, Oh, Seigneur… Miss !… — Vous voyez ! » dit Sara.

Cette soirée-là, Becky s'assit sur un coussin jeté sur le tapis de foyer et eut une tasse et une soucoupe.

Quand Sara alla se coucher, elle constata qu'elle avait un matelas neuf, très épais et deux gros oreillers de plumes. Son vieux matelas et son vieil oreiller avaient été transférés sur le lit de Becky, et grâce à ces additions, Becky jouit d'un confort inouï.

« D'où qu'ça vient, tout ça ? demanda une fois Becky. Ah Seigneur, qui qui fait ça ?

— Ne le demandons même pas, dit Sara. Si ce n'était que j'ai envie de dire : oh, merci, j'aimerais autant ne pas le savoir. Ça rend l'histoire encore plus belle. »

De jour en jour, la vie devenait plus magnifique. Le conte de fées continuait. Tous les jours, il y avait du nouveau. Chaque fois que Sara ouvrait la porte le soir, elle voyait quelque nouvel ornement, ou quelque nouveau confort, tellement qu'en peu de temps la mansarde était devenue une ravissante petite chambre, remplie de toutes sortes de choses originales et luxueuses. Les vilains murs avaient graduellement disparu sous des tentures et des tableaux, des meubles pliants ingénieux venaient s'ajouter aux autres, un rayonnage pour les livres fut suspendu au mur et rempli de beaux volumes ; il semblait qu'il ne restait plus rien à désirer. Quand Sara descendait le matin, les restes du souper étaient sur la table et quand elle rentrait le soir, le magicien les avait enlevés et avait mis à la place un autre bon petit repas. Miss Minchin était aussi dure et insultante que jamais. Miss Amelia aussi maussade, les domestiques étaient aussi vulgaires et grossières. On envoyait Sara en commissions par tous les temps, on la grondait, on la pourchassait d'une place à l'autre. Elle avait à peine la possibilité de dire un mot à Ermengarde ou à Lottie. Mais qu'est-ce que ça pouvait lui faire, puisqu'elle vivait cette merveilleuse et mystérieuse histoire ? C'était plus romantique et plus délicieux que tout ce qu'elle avait pu inventer pour réconforter sa jeune âme affamée et se sauver du désespoir. Quelquefois, quand on la grondait, elle pouvait à peine s'empêcher de sourire : « Si vous saviez ! se disait-elle. Si seulement vous saviez ! »

Le confort et le bonheur dont elle jouissait lui donnaient des forces et elle ne cessait pas d'avoir devant les yeux ces conditions heureuses. Si elle rentrait de ses commissions, trempée, fatiguée, affamée, elle savait qu'elle aurait bientôt chaud et qu'un bon souper l'attendait dans sa mansarde. Pendant ses journées les plus dures elle se consolait en se demandant ce qu'elle allait voir de neuf en ouvrant sa porte, quel nouveau plaisir on avait préparé pour elle. En très peu de temps elle devint moins maigre, la couleur revint à ses joues et ses yeux ne semblaient plus trop grands pour son visage.

« Sara Crewe a une mine magnifique, remarqua Miss Minchin à sa sœur d'un ton de désapprobation.

— Oui, répondit la pauvre sotte d'Amelia. Elle engraisse positivement. Elle commençait à ressembler à un petit corbeau mourant de faim.

— Mourant de faim ! s'écria Miss Minchin en colère. Il n'y avait aucune raison pour qu'elle ait l'air de mourir de faim. Elle a toujours à manger en abondance !

— Oh oui... naturellement », acquiesça humblement Miss Amelia, alarmée en s'apercevant qu'elle venait, comme d'habitude, de gaffer.

« C'est fort désagréable de voir des choses comme ça chez une enfant de son âge », dit Miss Minchin d'un air humain, quoique assez vague.

« Quelle... quelle sorte de chose ? risqua Miss Amelia.

— On pourrait presque appeler cela du défi », répondit Miss Minchin, assez ennuyée parce qu'elle savait bien que ce n'était pas du tout du défi et qu'elle ne voyait pas d'autre terme blessant à employer. « L'indépendance et la volonté de n'importe quelle autre enfant auraient été brisées par... par les changements qu'elle a subis. Mais, ma parole, elle semble aussi peu abattue que si... que si elle était une princesse !

— Vous souvenez-vous, jeta maladroitement la pauvre Miss Amelia, de ce qu'elle vous a dit un jour dans la classe sur ce que vous feriez si vous découvriez qu'elle était...

— Non, je ne m'en souviens pas, coupa Miss Minchin ; ne dites pas d'absurdités. » Mais, en réalité, elle s'en souvenait fort bien.

Tout naturellement, Becky elle-même commençait à être un peu plus grasse et moins effarée. Elle ne pouvait pas faire autrement. Elle aussi, elle avait sa part dans le secret du conte de fées. Elle avait deux matelas, deux oreillers, abondance de couvertures et tous les soirs un souper chaud et un siège sur un bon coussin au coin du feu.

C'est alors qu'arriva un autre événement merveilleux. Un homme vint à la porte de la maison et laissa plusieurs paquets. Tous étaient adressés, en gros caractères : « À la petite fille de la mansarde à droite. »

C'est justement Sara qu'on envoya ouvrir la porte et qui reçut les paquets. Elle mit les deux plus gros sur la table du vestibule et contemplait l'adresse quand Miss Minchin descendit et la vit.

« Portez ces paquets à la jeune fille à laquelle ils appartiennent, dit-elle sévèrement. Ne restez pas là à les examiner.

— C'est à moi qu'ils appartiennent, répondit tranquillement Sara.

— À vous ? s'écria Miss Minchin. Qu'est-ce que cela signifie ?

— Je ne sais pas d'où ils viennent, dit Sara, mais ils me sont adressés. Je couche dans la mansarde de droite et Becky dans celle de gauche. »

Miss Minchin s'approcha et regarda les paquets avec curiosité.

« Qu'est-ce qu'il y a dedans ? demanda-t-elle.

— Je n'en sais rien, répondit Sara.

— Ouvrez-les ! » ordonna la directrice.

Sara obéit. Quand les paquets furent ouverts, la physionomie de Miss Minchin prit une expression bizarre. Ce qu'elle vit, c'étaient des vêtements jolis et confortables ; des vêtements de différentes sortes : des souliers, des bas, des gants, un magnifique manteau bien chaud. Il y avait même un joli chapeau et un parapluie. C'étaient des articles de bonne qualité et de prix. Sur la poche du manteau était épinglé un papier portant ces mots : « À porter tous les jours. Ces vêtements seront remplacés par d'autres quand ce sera nécessaire. »

Miss Minchin était dans une grande agitation. C'était un incident qui suggérait d'étranges choses à son esprit sordide. Aurait-elle, par hasard, fait une erreur, après tout et cette enfant abandonnée avait-elle, à l'arrière-plan, quelque protecteur puissant, mais excentrique ? Peut-être était-ce un parent qu'on ignorait jusque-là, qui l'avait soudain découverte et avait décidé de pourvoir à ses besoins de cette façon mystérieuse et fantasque ? Les parents étaient parfois bien originaux, particulièrement les vieux oncles célibataires et riches, qui se soucient peu d'avoir des enfants près d'eux. Un homme de ce genre pouvait préférer veiller au bien-être de sa jeune nièce, à distance. Un tel personnage, cependant, aurait sûrement un caractère capricieux, assez violent pour être facilement offensé. Ce serait bien désagréable s'il s'agissait d'un homme comme cela et s'il apprenait toute la vérité sur les vêtements minables et élimés, la nourriture insuffisante et le travail exagéré. Miss Minchin se sentait toute drôle, tout à fait hésitante et elle regardait Sara du coin de l'œil.

« Bien », dit-elle d'une voix qu'elle n'avait jamais eue en parlant à Sara depuis que la fillette avait perdu son père. « Quelqu'un est très bon pour vous. Puisqu'on vous a envoyé tout cela et que vous aurez de nouveaux vêtements quand ceux-là seront usés, vous pouvez aller les mettre tout de suite, de manière à avoir l'air respectable. Quand vous serez habillée, je vous permets de descendre apprendre vos leçons dans la classe. Vous n'aurez pas à sortir pour faire des commissions aujourd'hui. »

Environ une demi-heure plus tard, quand la porte de la classe s'ouvrit et que Sara y entra, l'institution tout entière fut ébahie. « Ma parole ! souffla Jessie, en poussant le coude de Lavinia. Regardez donc… la Princesse Sara ! » Tout le monde la regardait et quand Lavinia l'aperçut, elle devint rouge comme une pivoine. C'était bien la Princesse Sara, en vérité. Au moins, depuis les jours où elle avait été princesse, jamais Sara n'avait paru comme elle paraissait maintenant. Elle n'avait plus du tout l'air de la Sara qu'elles avaient vue descendre l'escalier de service quelques heures auparavant. Elle était habillée de cette sorte de costume dont Lavinia lui enviait jadis la possession, un costume de couleur foncée, mais chaude et d'une très jolie façon. Ses petits pieds étaient aussi élégants que quand Jessie, jadis, les avait admirés et sa chevelure dont les lourdes mèches l'avaient fait ressembler assez à un poney des Shetland, quand elles tombaient en désordre autour de son visage émacié, sa chevelure était nouée en arrière avec un beau ruban.

« Peut-être que quelqu'un lui a laissé une fortune, murmura Jessie. J'ai toujours pensé qu'il arriverait quelque chose comme ça. Elle est si étrange !

— C'est peut-être les mines de diamants qui ont reparu brusquement, hein ? dit Lavinia avec un mépris suprême. Ne la regardez donc pas comme ça, grande sotte ! Vous voyez bien que ça lui fait plaisir. »

« Sara, dit tout à coup la voix grave de Miss Minchin, venez vous asseoir ici. »

Et tandis que les élèves ouvraient des yeux ronds et se poussaient le coude, Sara retourna occuper son ancienne place d'honneur et pencha la tête sur ses livres.

Ce soir-là, en entrant dans sa chambre, quand Becky et elle eurent mangé leur souper, Sara demeura assise devant le feu en le contemplant d'un air sérieux pendant un long moment.

« Est-ce que vous fabriquez, comme ça, une histoire dans vot'tête, Miss ? » demanda Becky avec une curiosité respectueuse. En effet, quand Sara restait assise en silence et regardait le foyer avec des yeux rêveurs, cela voulait généralement dire qu'elle créait une nouvelle histoire. Mais cette fois, ce n'était pas le cas et elle secoua la tête.

« Non, répondit-elle. Je me demande ce que je vais faire. »

Becky ouvrit de grands yeux, toujours respectueusement. Elle était toujours pleine de respect pour tout ce que Sara faisait et disait.

« Je ne puis m'empêcher de penser à mon ami, expliqua-t-elle. S'il veut rester inconnu, ce serait grossier d'essayer de découvrir qui il est. Mais j'ai tellement envie qu'il sache combien je lui suis reconnaissante et combien il m'a rendue heureuse ! Les gens qui sont bons sont heureux de savoir qu'ils ont fait plaisir. C'est cela qu'ils désirent, encore plus que des remerciements. Je voudrais... je voudrais bien... »

Elle s'arrêta court parce que ses yeux tombèrent à ce moment sur quelque chose, posé sur le coin de la table. C'était quelque chose qu'elle avait trouvé dans la chambre il y avait deux jours : un petit pupitre garni de papier et d'enveloppes, de plumes et d'encre.

« Oh ! s'écria-t-elle. J'aurais dû y penser plus tôt ! » Elle se leva, alla chercher le pupitre et le rapporta près du feu.

« Je puis lui écrire ! dit-elle toute joyeuse et laisser la lettre sur la table. Peut-être, alors, la personne qui vient enlever les restes du souper l'emportera aussi. Je ne lui demanderai rien, oh non... Mais il ne peut pas m'en vouloir de le remercier, j'en suis sûre... »

Elle écrivit donc un petit mot. Voici ce qu'elle disait :

« J'espère que vous ne trouverez pas impoli que je vous écrive ce billet, alors que vous désirez rester inconnu. Croyez bien que je n'ai pas l'intention, par là, d'être indiscrète et d'essayer de découvrir quoi que ce soit. Je veux seulement vous remercier d'être si bon pour moi et de créer autour de moi un véritable conte de fées. Je vous suis si reconnaissante et je suis si heureuse, et Becky aussi... Elle a juste autant de reconnaissance pour vous que moi. Nous étions si solitaires, nous avions si froid et si faim. Et maintenant... Pensez seulement à ce que vous avez fait pour nous. Je vous en prie, laissez-moi vous dire ces mots, que c'est mon devoir de vous dire : Merci... Merci... Merci !

La petite fille de la mansarde. »

Le lendemain matin elle laissait son billet sur la petite table, et, le soir, il n'y était plus, emporté avec les autres choses ; elle sut ainsi que le magicien l'avait reçu et cela la rendit heureuse. Elle lisait un de ses nouveaux livres à Becky juste avant d'aller se coucher, quand son attention fut attirée par un bruit au châssis vitré. En levant les yeux de sa page pour regarder la fenêtre, elle vit que Becky avait, elle aussi, entendu le bruit et y prêtait l'oreille d'un air plutôt inquiet.

« Y a que'q'chose là, Miss... souffla-t-elle.

— Oui, dit lentement Sara. Ça a l'air... d'un chat... qui voudrait entrer. »

Elle quitta sa chaise et s'approcha de la fenêtre à tabatière. C'était un drôle de petit bruit qu'on entendait, une espèce de grattement doux. Soudain, un souvenir la fit rire. Elle se souvenait d'un drôle de petit visiteur qui déjà une fois avait pénétré dans la mansarde. Elle l'avait vu, cet après-midi même, assis mélancoliquement sur une table devant une fenêtre de la maison du Monsieur des Indes.

« Supposons, dit-elle tout bas avec excitation, supposons que ce soit le singe qui se soit encore sauvé ! Oh, je voudrais bien que ce soit lui ! »

Elle grimpa sur une chaise ; avec précaution, elle souleva le châssis et regarda dehors. Il avait neigé et sur la neige, tout près d'elle, était pelotonné un petit être tout frissonnant dont la petite figure noire et ridée lui jetait un regard pitoyable.

« Mais oui ! C'est le singe ! s'écria-t-elle, il est sorti de la mansarde du Lascar et il a vu notre lumière ! »

Becky accourut près d'elle. « Allez-vous le faire entrer, Miss ? dit-elle.

— Oui ! répondit Sara avec joie... Il fait trop froid dehors pour un singe. Ils sont délicats. Je le déciderai bien à entrer. »

Elle sortit doucement une main, en parlant d'une voix caressante, comme elle parlait aux moineaux et à Melchissedech.

« Venez, singe, mon chéri, disait-elle. Je ne vous ferai pas de mal. » Il savait bien qu'elle ne lui ferait pas de mal. Il le savait avant même qu'elle posât sur lui sa petite main douce et qu'elle l'attirât vers elle. Il se laissa enlever à travers la fenêtre et quand il se trouva dans ses bras, il se blottit contre elle et s'accrocha à une mèche de ses cheveux, tout gentiment, en la regardant.

« Il est gentil, le singe, bien gentil... murmurait-elle, et elle embrassa sa petite figure noire. Oh, j'aime tant toutes les petites bêtes ! » Le singe était visiblement satisfait d'être près du feu, quand elle vint se rasseoir et le mit sur ses genoux ; il la regardait, puis regardait Becky avec intérêt.

« Il est... il est pas très beau, s'pas, Miss ? dit Becky.

— Il a l'air d'un bébé qui serait très très laid ! fit Sara en riant. Je vous demande bien pardon, singe ; mais je suis contente que vous ne soyez pas un bébé. Votre maman elle-même ne pourrait pas être fière de vous, et personne n'oserait dire que vous ressemblez à quelqu'un de la famille. Oh, mais, moi, je vous aime bien... » Elle réfléchit un moment. « Peut-être ça l'ennuie d'être si laid, reprit-elle et il a toujours cela dans l'esprit. Au fait, je me demande s'il a un esprit ? Singe, mon amour, avez-vous un esprit ? »

Mais le singe se contenta de se gratter la tête avec sa petite patte.

« Qué'qu'vous allez en faire ? demanda Becky.

— Je vais le faire coucher avec moi cette nuit et demain je le rapporterai au Monsieur des Indes. Désolée de vous rapporter là-bas, ami singe ; mais il faut que vous y alliez. Vous devez aimer votre famille mieux que tous les autres et moi, je n'appartiens pas vraiment à la famille. » Et quand elle alla se coucher, elle lui fit un petit nid à ses pieds ; il se mit en boule et y dormit comme aurait fait un vrai bébé qui se serait trouvé bien là.

CHAPITRE XVII

C'EST LA PETITE FILLE !

Le lendemain, dans l'après-midi, trois membres de la Famille Nombreuse étaient assis dans la bibliothèque du Monsieur des Indes et faisaient de leur mieux pour le distraire. On leur avait permis de venir parce qu'il les avait spécialement invités. Depuis quelque temps, il vivait dans l'expectative et aujourd'hui il attendait très anxieusement un événement de grande importance ; le retour de Moscou de Mr. Carmichael. Son séjour s'y était prolongé de semaine en semaine. À son arrivée, il avait eu bien du mal pour retrouver les traces de ceux qu'il venait chercher. Quand il fut sûr de les avoir trouvés et qu'il s'était présenté chez eux, on lui avait dit qu'ils étaient en voyage. Il s'était décidé à rester à Moscou jusqu'à leur retour.

Mr. Carrisford était assis dans son fauteuil de repos et Janet était installée sur le plancher à côté de lui. Il aimait beaucoup Janet. Nora était sur un tabouret de pieds et Donald, à cheval sur la tête de tigre de la peau qui formait le tapis de foyer, y chevauchait d'une façon plutôt énergique.

« Ne faites pas tant de bruit, Donald, dit Janet. Quand vous venez pour distraire un malade, il ne faut pas le distraire en criant à tue-tête. » Et, se tournant vers le Monsieur des Indes : « La distraction est trop bruyante, n'est-ce pas, Mr. Carrisford ? »

Mais celui-ci lui fit une petite caresse sur l'épaule. « Non, dit-il, elle ne l'est pas ; cela m'empêche de trop penser.

« — Je ne vais pas faire de bruit ! cria Donald de toutes ses forces. Nous allons être tous aussi silencieux que des souris !

— Les souris ne font jamais un bruit pareil ! » dit Janet. Donald se fit une bride avec son mouchoir et galopa en bondissant sur la tête du tigre.

« S'il y avait beaucoup de souris, elles feraient du bruit, dit Donald. Mille souris en feraient, sûr !

— Je ne crois pas que cinquante mille souris en feraient autant que vous, dit Janet sévèrement et nous devons rester aussi tranquilles qu'*une seule* souris. »

Mr. Carrisford se mit à rire et lui fit de nouveau une caresse sur l'épaule.

« Papa arrivera bientôt, maintenant, dit-elle. Voulez-vous que nous parlions de la petite fille perdue ?

— Je ne crois pas que je pourrais parler d'autre chose pour le moment, répondit le Monsieur des Indes d'un air las.

— Nous l'aimons tant d'avance, dit Nora. Nous l'appelons la petite princesse. Est-ce vrai que son papa a donné tout son argent à un ami pour mettre dans des mines de diamants ? Et que cet ami a cru qu'il avait tout perdu et a pris la fuite parce qu'il s'est dit qu'il était un voleur.

— Mais en réalité, il n'en était pas un du tout, vous savez », interrompit vivement Janet.

Le Monsieur des Indes lui saisit la main et la serra.

« Non, en réalité il n'en était pas un du tout ! dit-il. Vous comprenez bien les choses, petite Janet », dit le Monsieur des Indes, et il lui serra encore la main.

« Voici un cab ! s'exclama Janet. Il s'arrête devant la porte. C'est papa ! » Ils coururent tous les trois à la fenêtre pour regarder.

« Oui ! C'est papa ! proclama Donald ; mais il n'y a pas de petite fille. »

Ils sortirent précipitamment de la pièce et arrivèrent en se bousculant dans le vestibule. C'était toujours de cette façon-là qu'ils accueillaient leur père. On les entendit sauter, battre des mains ; le papa les prenait dans ses bras, leur donnait de gros baisers. Mr. Carrisford fit un effort pour se lever et retomba dans son fauteuil. « Impossible ! dit-il. Quelle pauvre épave je suis ! »

La voix de Mr. Carmichael s'approchait de la porte. « Non, mes enfants, disait-il : vous pourrez rentrer quand j'aurai parlé avec Mr. Carrisford. En attendant, allez jouer avec Ram Dass. »

La porte s'ouvrit et Mr. Carmichael entra. Il était plus rose que jamais et apportait avec lui une atmosphère de fraîcheur et de santé ; mais ses yeux étaient désappointés et anxieux quand ils rencontrèrent les yeux interrogateurs du malade, tandis qu'ils se serraient les mains. « Quelles nouvelles ?... demanda Mr. Carrisford. Et l'enfant que les Russes ont adoptée ?

— Elle n'est pas celle que nous cherchons, répondit Mr. Carmichael. Elle est beaucoup plus jeune que la fille du Capitaine Crewe. Son nom, c'est Émilie Carew. Je l'ai vue, je lui ai parlé. Les Russes ont pu me donner sur elle tous les détails. »

Quel air d'épuisement et de misère envahit le visage du Monsieur des Indes ! Sa main tomba de celle de Mr. Carmichael.

« Alors, il faut reprendre les recherches d'un bout à l'autre, dit-il. Voilà tout. »

Mr. Carmichael s'assit. Il avait beaucoup d'affection pour son malheureux client. Il était lui-même si heureux, si bien entouré de joie et d'amour, que cette désolation et cette santé ruinée étaient pour lui intolérables. « Allons, allons, dit-il de sa voix encourageante, nous finirons bien par la trouver.

— Il faut nous y mettre tout de suite, il n'y a pas de temps à perdre, dit avec agitation Mr. Carrisford. Avez-vous quelque nouvelle suggestion à me faire ? »

Mr. Carmichael était plutôt nerveux. Il se leva et se mit à marcher dans la pièce avec un visage pensif, mais hésitant.

« Eh bien, peut-être, dit-il. Je ne sais pas trop ce que cela peut valoir. L'idée m'est venue en réfléchissant à l'affaire dans le train qui me ramenait de Douvres.

— Si elle est vivante, il faut bien qu'elle soit quelque part !

— Oui, elle est quelque part... mais où ? Nous avons cherché dans les écoles de Paris. Abandonnons Paris, et mettons-nous à chercher à Londres. C'était là, mon idée : chercher à Londres.

— Il y a des quantités d'écoles à Londres, dit Mr. Carrisford ; puis il eut un léger sursaut à une idée qui lui vint. Au fait, il y en a une dans la maison voisine.

— Alors, nous allons commencer par là. On ne peut guère commencer plus près.

— En effet, dit Carrisford. Il y a là une enfant qui m'intéresse, mais ce n'est pas une élève et c'est une petite créature noiraude, abandonnée, ressemblant aussi peu que possible au pauvre Crewe. »

Peut-être y eut-il alors une nouvelle intervention de la magie, de la bonne magie. Cela pourrait bien être. Pourquoi, juste au moment où son maître disait cela, Ram Dass entra-t-il dans la pièce avec de respectueux salaams, mais avec une touche d'émotion à peine dissimulée dans ses yeux noirs et brillants !

« Sahib, dit-il, l'enfant est venue, celle dont le Sahib a eu pitié. Elle rapporte le singe qui s'était de nouveau sauvé dans sa mansarde sous le toit. Je lui ai dit de rester. J'ai pensé que ça ferait plaisir au Sahib de la voir et de lui parler.

— Qui est-elle ? s'enquit Mr. Carmichael.

— Dieu seul le sait, répondit Mr. Carrisford. C'est l'enfant dont je vous parlais. Une petite souillon employée à l'école... » Il fit un geste de la main à Ram Dass et, s'adressant à lui : « Oui, cela me fera plaisir de la voir. Faites-la entrer... » Puis il se tourna vers Carmichael : « Pendant votre absence, expliqua-t-il, j'étais désespéré. Les jours étaient si sombres et si longs. Ram Dass me parla des misères de cette enfant, et ensemble nous avons imaginé un plan romantique pour la secourir ; c'était bien puéril, je l'avoue, mais cela me donnait quelque chose pour occuper mon esprit. »

À ce moment, Sara pénétra dans la pièce. Elle portait dans ses bras le singe, qui, évidemment, n'avait aucune envie de se séparer d'elle. Il s'accrochait à elle en jacassant. L'émotion de se trouver dans la bibliothèque du Monsieur des Indes avait fait monter des couleurs aux joues de Sara. « Votre singe s'était de nouveau échappé, dit-elle de sa jolie voix. Il est arrivé à la fenêtre de mon grenier la nuit dernière. Je l'ai fait entrer, parce qu'il faisait très froid. Je vous l'aurais rapporté tout de suite s'il n'avait pas été si tard. Je savais que vous étiez malade et qu'il valait mieux ne pas vous déranger. »

Les yeux du Monsieur des Indes s'attachaient à elle avec un curieux intérêt. « Vous vous êtes montrée là bien réfléchie, dit-il.

— Dois-je le remettre au Lascar ? demanda-t-elle.

— Comment savez-vous que c'est un Lascar ? dit le Monsieur des Indes, avec un léger sourire.

— Oh, je connais les Lascars, dit Sara en passant à Ram Dass le singe récalcitrant. Je suis née aux Indes. »

Le Monsieur des Indes se redressa si brusquement et avec un tel changement d'expression dans sa physionomie qu'elle en fut un moment tout effrayée.

« Vous êtes née dans l'Inde, vraiment ? s'écria-t-il. Venez ici. » Et il lui tendit la main.

Sara s'approcha et mit sa main dans celle qu'on lui tendait. Elle demeura immobile et ses yeux gris-vert marquaient un étonnement qui semblait vraiment avoir quelque chose d'étrange.

« Vous vivez dans la maison voisine ? dit Mr. Carrisford.

— Oui, j'habite à l'institution de Miss Minchin.

— Mais vous n'êtes pas une de ses élèves ? »

Un drôle de petit sourire erra sur les lèvres de Sara, elle hésita un moment. « Je ne pense pas que je sache exactement ce que je suis, répondit-elle.

— Comment cela ?

— Au début, j'étais une élève, une pensionnaire de salon ; mais maintenant...

— Vous étiez une élève ! Qu'est-ce que vous êtes maintenant ? »

Le petit sourire triste revint aux lèvres de Sara. « Je

couche dans la mansarde voisine de celle de la souillon de la cuisine, dit-elle. Je fais les commissions pour la cuisinière. Je fais tout ce que l'on m'ordonne de faire et j'apprends leurs leçons aux petites.

— Interrogez-la, Carmichael, dit Mr. Carrisford, s'affaissant de nouveau dans son fauteuil. Interrogez-la... moi, je ne peux pas !

— Que voulez-vous dire par : au début, mon enfant ? lui demanda-t-il.

— Quand j'ai été amenée ici par mon papa.

— Où est votre papa ?

— Il est mort, dit Sara avec calme. Il a perdu toute sa fortune, et il n'est rien resté pour moi. Il n'y avait personne pour s'occuper de moi et pour payer Miss Minchin.

— Carmichael ! s'écria le Monsieur des Indes d'une voix forte. Oh... Carmichael !

— Il ne faut pas lui faire peur ! » lui dit vivement Mr. Carmichael à voix basse et il ajouta tout haut en s'adressant à Sara : « Alors, on vous a envoyée dans la mansarde et l'on a fait de vous une petite souillon. C'est bien cela, n'est-ce pas ?

— Il n'y avait personne pour s'occuper de moi, dit Sara. Il n'y avait pas d'argent. Je n'appartiens à personne !

— Comment votre père avait-il perdu son argent ? interrompit le Monsieur des Indes d'une voix entre-coupée.

— Ce n'est pas lui qui l'avait perdu, répondit Sara, de plus en plus étonnée. Il avait un ami qu'il aimait beaucoup, oh, oui, beaucoup. C'est cet ami qui a pris son argent. Il avait eu trop de confiance en son ami. »

Le Monsieur des Indes respirait de plus en plus péniblement : « L'ami n'avait peut-être pas l'intention de lui nuire, dit-il. Cela a pu arriver par une erreur. »

Sara n'avait pas l'idée de ce qu'il y avait d'impi-toyable dans sa jeune voix calme quand elle répondit. « La souffrance eût été tout aussi terrible pour mon papa, dit-elle. Elle l'a tué.

— Quel était le nom de votre père ? dit le Monsieur des Indes. Dites-moi, vite, vite...

— Son nom, c'était Ralph Crewe, répondit Sara, toute surprise, le Capitaine Crewe. Il est mort aux Indes. »

Le visage hagard de Mr. Carrisford eut une contraction terrible et Ram Dass s'élança aux côtés de son maître. « Carmichael ! dit le malade d'une voix à peine distincte. C'est la petite... la petite fille ! »

Pendant un instant, Sara crut qu'il allait mourir. Ram Dass versa quelques gouttes d'un flacon et les lui mit sur les lèvres. Sara était tout près de lui, tremblante, elle regardait avec effarement Mr. Carmichael. « Quelle petite fille suis-je ? » balbutia-t-elle.

« C'est lui qui était l'ami de votre père, lui répondit Mr. Carmichael. N'ayez pas peur ! Voilà deux ans que nous vous cherchons. »

Sara porta sa main à son front et ses lèvres tremblèrent. Elle parla comme dans un rêve. « Et pendant ce temps-là, tout ce temps-là, j'étais chez Miss Minchin, dit-elle. Juste de l'autre côté du mur. »

CHAPITRE XVIII

J'AI ESSAYÉ D'EN ÊTRE UNE !

Ce fut l'aimable, la rondelette Mrs. Carmichael qui vint tout expliquer à Sara. On l'envoya chercher tout de suite pour tâcher de lui rendre clair tout ce qui s'était passé. L'excitation de cette découverte complètement inattendue avait momentanément anéanti Mr. Carrisford.

« Ma parole ! dit-il faiblement à Mr. Carmichael quand on lui suggéra qu'il valait mieux que la petite fille passe dans la pièce à côté, je... j'aimerais mieux ne pas la perdre de vue, même un moment.

— Je vais m'occuper d'elle, dit Janet et maman sera là dans quelques minutes. »

Et ce fut Janet qui l'emmena. « Nous sommes si contentes que vous soyez retrouvée, lui dit-elle. Vous ne pouvez pas savoir à quel point nous sommes contentes. »

Les mains dans les poches, Donald restait debout et considérait Sara d'un air de réflexion mêlée de remords.

« Si seulement je vous avais demandé votre nom quand je vous ai donné mes six pence, dit-il, vous m'auriez dit que vous étiez Sara Crewe, et on vous aurait trouvée en une minute. »

Puis Mrs. Carmichael entra, prit Sara dans ses bras et l'embrassa.

« Vous avez l'air toute perdue, ma pauvre enfant, dit-elle, et cela n'a rien d'étonnant. »

Sara ne pensait guère qu'à une chose. « Était-il,

dit-elle avec un regard vers la porte fermée de la bibliothèque, était-il, *lui*, l'ami coupable ? Oh, dites-le-moi ! »

Mrs. Carmichael pleurait en embrassant de nouveau Sara. « Il n'était pas coupable, ma chère enfant, répondit-elle. Il n'avait pas en réalité perdu l'argent de votre papa. Il a seulement cru qu'il l'avait perdu et comme il aimait beaucoup votre papa, son chagrin l'a rendu si malade que pendant longtemps il n'avait plus sa tête à lui. Il a manqué de mourir d'une fièvre cérébrale et longtemps avant qu'il eût commencé à se remettre, votre pauvre papa était mort.

— Et il ne savait pas où me trouver, murmura Sara. Et dire que j'étais si près de lui !

— Il croyait que vous étiez dans une école en France, expliqua Mrs. Carmichael. Et il était continuellement égaré sur de fausses pistes. Il vous a cherchée partout. Quand il vous voyait passer avec votre air si triste et si abandonné, il ne s'imaginait pas que vous étiez la pauvre enfant de son ami, mais comme vous étiez aussi une petite fille, il était désolé de vous voir ainsi et désirait vous rendre heureuse. C'est lui qui a dit à Ram Dass de grimper par le toit dans votre mansarde et d'essayer de vous procurer du confort. »

Sara eut un sursaut de joie : toute sa mine se transforma.

« Est-ce Ram Dass qui a apporté tout là-haut ? s'écria-t-elle. Est-ce lui qui a dit à Ram Dass de le faire ? C'est lui qui a réalisé mon rêve !

— Oui, ma chérie... oui ! Il est bon et charitable et il souffrait de vous voir malheureuse, pour l'amour de la petite Sara Crewe, qui était perdue. »

La porte de la bibliothèque s'ouvrit et Mr. Carmichael appela Sara vers lui, d'un geste. « Mr. Carrisford va déjà bien mieux, dit-il. Il demande que vous reveniez près de lui. »

Sara ne fut pas longue à y aller. Quand le Monsieur des Indes la regarda à son entrée, il vit qu'elle avait le visage tout illuminé.

« C'est vous qui m'avez envoyé toutes les affaires,

dit-elle d'une voix émue et joyeuse, toutes les jolies, jolies affaires, c'est bien vous qui me les avez envoyées ?

— Oui, pauvre chère enfant, c'est moi », lui répondit-il. Il était affaibli, brisé par sa longue maladie et ses ennuis, mais il la regardait avec un regard qu'elle se rappelait avoir vu dans les yeux de son père, ce regard qui disait qu'il l'aimait et qu'il voulait la prendre dans ses bras. Elle alla s'agenouiller près de lui, juste comme elle s'agenouillait près de son papa quand ils étaient les meilleurs amis du monde.

« Alors, c'est vous qui êtes mon ami, dit-elle, c'est vous mon ami. » Et elle abaissa son visage sur la main maigre de Mr. Carrisford et la baisa à plusieurs reprises.

« Il sera rétabli dans trois semaines, disait Mr. Carmichael à part à sa femme. Regardez sa figure ! » La « petite demoiselle » était là. Il avait de quoi penser, il pouvait faire des plans pour elle. En premier lieu, il y avait Miss Minchin. Il fallait la voir et lui dire le changement qui s'était produit dans la fortune de son élève. Sara, naturellement, ne remettrait pas les pieds à l'institution. Sur ce point-là, le Monsieur des Indes était absolument décidé. Elle resterait où elle était et Mr. Carmichael irait lui-même voir Miss Minchin.

« Je suis bien contente de n'avoir pas besoin d'y retourner, dit Sara. Elle sera très en colère. Elle ne m'aime pas. C'est peut-être ma faute, d'ailleurs, parce que, moi non plus, je ne l'aime pas. »

Mais, chose étrange, Miss Minchin elle-même évita à Mr. Carmichael la démarche d'aller la voir, en se présentant en personne à la maison de Mr. Carrisford. Elle avait eu besoin de Sara pour un service quelconque. Quand elle l'avait demandée, elle avait appris une chose étonnante. Une des femmes de chambre avait vu Sara sortir de la courette du sous-sol, avec quelque chose qu'elle cachait sous son manteau et l'avait vue monter les marches de la maison voisine et y pénétrer.

« Qu'est-ce qu'elle a encore entrepris ! » cria Miss Minchin à Miss Amelia.

— Ma foi, je n'en sais rien, répondit Miss Amelia,

à moins qu'elle ne se soit liée avec le voisin parce qu'il a vécu aux Indes.

— Ça serait bien elle, tout à fait elle, d'aller s'imposer chez lui et d'essayer de gagner sa sympathie d'une manière aussi impertinente ! dit Miss Minchin. Il doit y avoir au moins deux heures qu'elle est dans cette maison. Je n'admettrai pas pareille présomption. Je vais aller voir ce qu'il en est et faire des excuses pour son inconvenance. »

Sara était assise sur un petit tabouret, tout près du genou de Mr. Carrisford et elle écoutait quelques-unes des choses nombreuses qu'il croyait devoir lui expliquer quand Ram Dass annonça l'arrivée de la visiteuse. Sara se leva machinalement et devint assez pâle, mais Mr. Carrisford vit qu'elle restait calme et ne donnait aucun signe de terreur enfantine.

Miss Minchin entra dans la pièce avec des manières d'une dignité sévère. Elle était correctement habillée, même avec une certaine élégance et elle affichait une politesse rigide.

« Je suis désolée de déranger Mr. Carrisford, dit-elle, mais j'ai des explications à lui fournir. Je suis Miss Minchin, la propriétaire de l'Institution pour jeunes filles de la maison voisine. »

Le Monsieur des Indes la regarda un bon moment en l'examinant sans rien dire. Il était d'un naturel plutôt vif et il ne voulait pas trop s'abandonner à sa vivacité.

« Alors, vous êtes Miss Minchin ? dit-il enfin.

— Oui, Monsieur.

— En ce cas, répondit le Monsieur des Indes, vous arrivez juste au bon moment. Mon avoué, Mr. Carmichael, était sur le point d'aller vous voir. »

Mr. Carmichael fit un léger salut et Miss Minchin le regarda, puis regarda Mr. Carrisford d'un air stupéfait. « Votre avoué ? dit-elle. Je ne comprends pas. Je suis venue ici parce que je considérais que c'était de mon devoir. Je viens à l'instant de découvrir que votre maison avait été envahie par l'audace d'une de mes élèves, une élève de charité. Je suis venue pour vous expliquer qu'elle s'est introduite chez vous sans ma connaissance. » Elle se tourna vers Sara. « Rentrez à la maison immédiatement, lui commanda-t-elle avec indignation. Vous serez sévèrement punie. Rentrez immédiatement. »

Le Monsieur des Indes attira Sara tout près de lui et lui caressa la main. « Elle n'y rentrera pas », dit-il.

Miss Minchin eut l'impression pénible qu'elle perdait la tête. « Elle n'y rentrera pas ? répéta-t-elle.

— Non, dit Mr. Carrisford, elle ne rentrera pas *à la maison*, si c'est votre institution que vous désignez par là. Sa maison, désormais, elle est ici, chez moi. »

Miss Minchin retomba dans la stupéfaction et l'indignation : « Chez *vous*... chez *vous*, Monsieur ? Qu'est-ce que cela veut dire ?

— Ayez la bonté de lui expliquer la situation, Carmichael, dit le Monsieur des Indes et faites-le le plus rapidement possible. »

Alors, Mr. Carmichael expliqua la situation sans élever la voix, de la manière calme, sérieuse, d'un homme qui connaissait son affaire et toutes ses conséquences légales. Miss Minchin, assez femme d'affaires, s'en rendit compte et cela ne lui fit pas plaisir.

« Mr. Carrisford, Madame, dit-il, était un ami intime de feu le Capitaine Crewe. Il était son associé dans un placement considérable. La fortune que le Capitaine Crewe croyait avoir perdue a été recouvrée et se trouve maintenant entre les mains de Mr. Carrisford.

— La fortune ! » cria Miss Minchin et elle devint positivement blanche comme un linge en poussant cette exclamation. « La fortune de Sara ?

— Elle sera sûrement la fortune de Sara, repartit Mr. Carmichael, plutôt froidement. C'est déjà maintenant, en fait, la fortune de Sara. Certains événements ont augmenté cette fortune dans une proportion énorme. Les mines de diamants ont tenu leurs promesses et sont en plein rendement.

— Les mines de diamants ! » Et Miss Minchin se tut, demeurant bouche bée. Si cette nouvelle était vraie, rien d'aussi épouvantable, elle en eut l'impression, ne lui était arrivé, depuis qu'elle était au monde.

« Les mines de diamants », répéta Mr. Carmichael et il ne put s'empêcher d'ajouter avec un sourire malicieux qui n'était plus du tout celui d'un avoué : « Il n'y a pas beaucoup de princesses, Miss Minchin, qui soient plus riches que votre petite élève de charité, Sara Crewe. Voilà près de deux ans que Mr. Carrisford la recherche, il a fini par la trouver et il la gardera. »

Ensuite, il demanda à Miss Minchin de s'asseoir, tandis qu'il lui expliquait tout cela complètement et il lui énonça tous les détails nécessaires pour lui faire clairement comprendre que l'avenir de Sara était assuré et que tout ce qu'on avait cru perdu lui revenait, mais décuplé, et également qu'elle avait en Mr. Carrisford non seulement un ami, mais encore un tuteur.

Miss Minchin n'était pas une femme intelligente et dans son désarroi, elle eut la sottise de faire un effort désespéré pour reconquérir ce qu'elle voyait fort bien qu'elle avait perdu par sa folie intéressée et sordide.

« Mr. Carrisford l'a trouvée sous ma protection, protesta-t-elle. J'ai fait tout pour elle. Sans moi, elle aurait été mourir de faim dans la rue. »

Du coup, le Monsieur des Indes perdit son sang-froid. « Quant à mourir de faim dans la rue, dit-il, elle y serait morte de faim plus confortablement que dans votre affreuse mansarde.

— Le Capitaine Crewe l'avait confiée à mes bons soins, argumenta Miss Minchin. Elle doit revenir sous ma garde jusqu'à sa majorité. Elle pourra redevenir pensionnaire de salon. Il faut absolument qu'elle achève son éducation. La loi interviendra en ma faveur.

— Allons, allons, Miss Minchin, interrompit Mr. Carmichael, la loi n'en fera rien. Si Sara elle-même désire retourner chez vous, j'ose dire que Mr. Carrisford ne s'y opposerait pas. Mais c'est Sara qui décidera.

— Alors, dit Miss Minchin, j'en appelle à Sara. Je ne vous ai pas gâtée, sans doute, dit-elle maladroitement à la petite fille, mais vous savez que votre papa était satisfait de vos progrès. Et… hem… je vous ai toujours beaucoup aimée. »

Les yeux gris-vert de Sara se fixèrent sur elle avec ce regard clair et calme que Miss Minchin n'avait jamais pu souffrir.

« Vraiment, Miss Minchin, dit-elle. Je ne m'en suis jamais aperçue ! »

Miss Minchin rougit et se redressa : « Vous auriez dû vous en apercevoir, dit-elle, mais les enfants, malheureusement, ne se rendent jamais compte de ce qui est bon pour elles. Amelia et moi, nous avons toujours dit que vous étiez l'élève la plus intelligente de l'école. Ne voulez-vous pas faire votre devoir envers votre pauvre papa et rentrer à l'institution avec moi ? »

Sara fit un pas vers elle et s'immobilisa. Elle pensait au jour où on lui avait dit qu'elle n'appartenait à personne et qu'elle pourrait fort bien être jetée à la rue ; elle pensait aux heures de froid et de faim qu'elle avait passées toute seule dans la mansarde, sans autre compagnie qu'Émilie et Melchissedech. Elle regarda Miss Minchin bien en face.

« Vous savez bien pourquoi je ne veux pas retourner avec vous, Miss Minchin, lui dit-elle. Vous le savez fort bien. »

Le visage dur et irrité de Miss Minchin s'empourpra encore davantage.

« Vous ne reverrez jamais vos compagnes, commença-t-elle. Je m'arrangerai pour qu'Ermengarde et Lottie soient tenues à l'écart de… »

Mr. Carmichael l'arrêta avec une fermeté polie. « Excusez-moi, dit-il. Elle verra toutes les jeunes filles qu'il lui plaira de voir. Les parents des compagnes de Miss Crewe ne refuseront probablement pas ses invitations à venir la voir chez son tuteur. Mr. Carrisford y veillera, d'ailleurs. »

Une femme à l'esprit sordide comme Miss Minchin croyait sans difficulté que la plupart des gens ne refuseraient pas de permettre à leurs enfants de rester en bons termes avec la petite héritière de fabuleuses mines de diamants. Et s'il prenait fantaisie à Mr. Carrisford de dire à certains clients de l'institution à quel point Sara Crewe avait été rendue malheureuse, beaucoup de choses fort désagréables pourraient en résulter.

« La charge que vous assumez est lourde », dit-elle au Monsieur des Indes, en se préparant à quitter la pièce. « Vous vous en rendrez compte. L'enfant n'est ni sincère ni reconnaissante. » Puis, à Sara : « Je suppose que vous considérez que vous voilà redevenue une Princesse ! »

Sara baissa les yeux et rougit un peu, parce qu'elle pensait que son imagination favorite ne serait sans doute pas compréhensible pour des étrangers, même bien disposés. « J'ai... j'ai essayé d'en être toujours une, répondit-elle à voix basse. Même quand j'avais le plus froid et le plus faim, j'ai essayé d'en être une.

— Maintenant, vous n'aurez plus besoin d'*essayer* ? » lança Miss Minchin aigrement, tandis que Ram Dass la reconduisait à la porte avec force salaams.

Miss Minchin rentra chez elle, s'enferma dans son salon personnel et envoya immédiatement chercher Miss Amelia. Elle resta là, enfermée avec sa sœur, tout le reste de l'après-midi et il faut admettre que la pauvre Miss Amelia y passa plus d'un quart d'heure critique ! À une de ses remarques malheureuses, peu s'en fallut que sa sœur lui arrachât les cheveux. Mais cela se termina d'une façon inattendue.

« Je ne suis pas aussi intelligente que vous, ma sœur, dit Miss Amelia et j'ai toujours peur de vous dire ce que je pense, de craindre de vous fâcher. Peut-être, si je n'étais pas si timide, cela vaudrait mieux pour l'école et pour nous deux. Je dois vous l'avouer : j'ai souvent pensé qu'il aurait mieux valu que vous soyez moins dure pour Sara Crewe, que vous ayez veillé à ce qu'elle soit décemment mise et jouisse de plus de confort. Je *sais* qu'on la faisait trop travailler pour une enfant de son âge et je *sais* qu'elle n'était pas assez nourrie...

— Comment osez-vous dire des choses pareilles ! s'écria Miss Minchin.

— Je ne sais pas comment j'ose, répondit Miss

Amelia avec une sorte de courage désespéré ; mais maintenant que j'ai commencé, autant vaut aller jusqu'au bout, quelles qu'en soient les conséquences. Cette enfant était une enfant intelligente et une bonne enfant et elle vous aurait dédommagée de toutes les bontés que vous auriez eues pour elle. Mais vous n'en avez eu aucune ! Le fait, voyez-vous, c'est qu'elle était trop intelligente pour vous et c'est la raison pour laquelle vous l'avez toujours détestée. Elle voyait trop clair !...

— Amelia ! » cria d'une voix étranglée la sœur aînée furibonde, ayant l'air prête à gifler sa cadette ou à lui arracher son bonnet, comme elle faisait souvent à Becky.

Mais le désappointement de Miss Amelia l'avait rendue assez surexcitée pour ne pas se soucier des conséquences immédiates.

« Oui ! Elle voyait trop clair... trop clair en nous ! cria-t-elle. Elle voyait que vous étiez une femme dure, intéressée et que moi, j'étais une faible sotte et que nous étions toutes deux vulgaires et assez viles pour nous prosterner devant son argent et la maltraiter parce qu'elle l'avait perdu... bien qu'elle se comportât en petite princesse même quand on la réduisait à l'état de mendiante. Oui ! Elle se comportait en vraie princesse ! » Et la pauvre Miss Amelia sombra dans une attaque de nerfs, se mit à rire et à pleurer en même temps, se balançant d'arrière en avant d'une telle façon que Miss Minchin la regardait avec épouvante.

« Et maintenant, vous l'avez perdue ! criait Amelia avec violence et c'est une autre école qui l'aura, où elle portera son argent et si elle était comme les autres enfants, elle irait dire partout comment elle a été traitée et toutes nos élèves seraient retirées par leurs familles et nous serions ruinées. Et ça serait bien fait pour nous ! Mais c'est pour vous plutôt que pour moi, que ça serait bien fait, car vous êtes une femme dure, Maria Minchin ; vous êtes une femme dure... égoïste... sordide ! »

Elle devenait si bruyante avec ses cris et ses sanglots d'attaque de nerfs que sa sœur fut obligée d'aller lui faire respirer des sels pour la calmer.

Et à partir de ce moment, il est bon de le dire, Miss Minchin aînée commença à ressentir une certaine crainte de sa sœur cadette qui, tout en ayant l'air si sotte, n'était pas en réalité aussi sotte qu'elle en avait l'air et pouvait à l'occasion dire aux gens des vérités qu'ils ne désiraient pas du tout entendre.

Ce soir-là, comme les élèves étaient réunies devant le feu dans la classe, selon leur habitude avant d'aller se coucher, Ermengarde entra avec une lettre à la main et une drôle d'expression sur sa figure ronde.

« Qu'est-ce qu'il y a ? crièrent deux ou trois voix à la fois.

— Est-ce que cela a quelque chose à voir avec la scène qu'il y a eu ? dit Lavinia, pleine d'une curiosité maligne. Il y a eu une scène terrible dans le petit salon de Miss Minchin. Miss Amelia a eu quelque chose comme une attaque de nerfs et a dû aller se coucher. »

Ermengarde leur répondit lentement, comme si elle était à moitié abasourdie : « Je viens juste de recevoir cette lettre-là de Sara.

— De Sara ! crièrent toutes les voix en chœur.

— Où est-elle ? dit Jessie d'une voix perçante.

— Dans la maison voisine, dit Ermengarde, toujours lentement : avec le Monsieur des Indes !

— Où ?... où ? A-t-elle été renvoyée ? Est-ce que Miss Minchin le sait ? Est-ce à cause de ça, la scène du petit salon ? Pourquoi a-t-elle écrit ? Dites-nous... Dites-nous... » C'était une vraie scène de la Tour de Babel.

Ermengarde répondait sans se presser, comme si elle parlait d'une chose toute naturelle.

« Elles existaient, les mines de diamants, dit-elle d'un ton décisif, elles existaient ! »

Bouche bée et yeux ronds, toutes la contemplaient.

« Elles étaient bien réelles, continua-t-elle, il n'y a eu qu'une erreur à leur sujet et Mr. Carrisford a cru qu'ils étaient ruinés.

— Qui est Mr. Carrisford ? cria Jessie.

— C'est le Monsieur des Indes. Et le Capitaine

Crewe a cru aussi être ruiné et il en est mort et Mr. Carrisford a eu une fièvre cérébrale, il a pris la fuite et il est presque mort. Et il ne savait pas où était Sara. Et il se trouve qu'il y avait pour des millions et des millions de diamants dans les mines et la moitié des diamants appartiennent à Sara et ils lui appartenaient déjà quand elle vivait dans la mansarde sans autre ami que Melchissedech et que la cuisinière la faisait trimer. Et Mr. Carrisford l'a retrouvée cet après-midi ; il l'a prise chez lui ; elle ne remettra plus les pieds ici et elle sera plus princesse qu'elle ne l'a jamais été : cent cinquante mille fois plus ! Et j'irai la voir demain après-midi. Voilà ! »

Miss Minchin elle-même n'aurait pas pu contrôler l'effervescence qui se produisit après ces déclarations ; quoiqu'elle entendît les cris, elle n'essaya pas d'y mettre fin. Elle n'était pas d'humeur à s'exposer à plus de difficultés que celles qui l'assaillaient dans sa chambre, tandis que Miss Amelia pleurait à chaudes larmes dans son lit. Elle savait que la nouvelle avait pénétré dans la maison de quelque manière mystérieuse et que toutes les domestiques et toutes les élèves ne parlaient que de cela en allant se coucher.

Ainsi, presque jusqu'à minuit, l'institution tout entière, se rendant compte d'une façon quelconque que le règlement n'existait plus, entoura Ermengarde dans la classe. Et l'on écouta lire et relire la lettre contenant une histoire aussi merveilleuse que toutes celles que Sara eût jamais inventées et qui avait le charme extraordinaire d'être arrivée à Sara elle-même et au légendaire Monsieur des Indes de la maison voisine. Becky avait, elle aussi, appris la nouvelle ; elle s'arrangea pour monter au grenier plus tôt que d'habitude. Elle voulait échapper à la compagnie des autres, et aller jeter encore un regard dans la petite chambre magique. Elle se demandait ce qu'allait devenir la chambre. Il était peu vraisemblable que tout cela restât à Miss Minchin. Tout serait enlevé et la mansarde serait de nouveau vide et nue. Elle était bien contente à cause de Sara, mais elle monta tout de même le dernier étage le cœur gros et des larmes dans les yeux. Il n'y aurait pas de feu clair, ce soir, pas de lampe ni de lumière rose, pas de souper... et surtout pas de princesse assise au coin du feu, faisant la lecture ou racontant des histoires... pas de princesse !

Elle réprima un sanglot en ouvrant la porte de la mansarde ; puis elle poussa un cri étouffé.

La lampe éclairait la chambre, le feu flambait, le souper l'attendait et Ram Dass était debout au milieu de la pièce et lui souriait.

« Missee Sahib n'a pas oublié, dit-il. Elle a tout dit au Sahib. Elle voulait que vous sachiez la bonne fortune. Voyez une lettre sur le plateau : elle a écrit. Elle ne voulait pas que vous alliez coucher malheureuse. Le Sahib commande que vous alliez le trouver demain matin. Vous serez la servante de la Missee Sahib. Cette nuit, j'emporte tout ça par-dessus le toit. »

Ayant dit cela avec une face rayonnante, il fit un petit salaam et se glissa par la fenêtre avec des mouvements agiles et silencieux qui firent voir à Becky comment il avait pu faire auparavant.

CHAPITRE XIX

ANNE

Jamais pareille joie n'avait régné dans la nursery de la Famille Nombreuse. Jamais ils n'avaient rêvé de plaisirs tels que ceux qui résultaient de leur intimité avec la-petite-fille-qui-n'était-pas-une-mendiante. On voulait entendre à l'infini le récit de tout ce qui lui était arrivé.

Naturellement, ce que l'on aimait le mieux, c'était l'histoire du banquet et du rêve devenu vrai. Sara la raconta pour la première fois le lendemain du jour où elle fut retrouvée. Plusieurs membres de la Famille Nombreuse vinrent prendre le thé avec elle et tous s'assirent ou se pelotonnèrent sur le tapis de foyer tandis qu'elle racontait l'histoire à sa façon et que le Monsieur des Indes l'écoutait sans la quitter des yeux. Quand elle eut fini, elle le regarda et mit la main sur son genou.

« Cela, c'est ma part dans l'histoire, dit-elle. Ne voulez-vous pas nous dire la vôtre, Oncle Tom ? (Il lui avait demandé de l'appeler toujours Oncle Tom.) Je ne sais pas encore la part que vous y avez prise et elle doit être très jolie. »

Alors, il leur raconta comment, quand il était assis là tout seul, malade, triste et irritable, Ram Dass avait essayé de le distraire en lui décrivant les passants. Il y avait une fillette qui passait plus souvent que tous les autres ; il avait commencé à s'intéresser à elle, en partie peut-être parce qu'il pensait tout le temps à une certaine petite fille et en partie parce que Ram Dass lui avait raconté l'incident de sa visite dans la mansarde pour la chasse au singe. Il lui avait décrit l'aspect désolé de la pièce et la manière d'agir de l'enfant, qui n'avait pas l'air d'appartenir à la classe des servantes et des souillons. Petit à petit, Ram Dass avait fait des découvertes sur la misère de son existence. Il avait constaté combien c'était facile de franchir les quelques mètres de toit pour atteindre la fenêtre à tabatière et de là avait découlé tout ce qui devait s'ensuivre.

« Sahib, dit-il un jour, je pourrai bien traverser les ardoises et faire du feu pour la petite pendant qu'elle ferait ses commissions. À son retour, toute mouillée et gelée, en trouvant ce feu flambant, elle croirait que c'est un magicien qui est venu l'allumer. »

L'idée avait paru si fantasque à Mr. Carrisford, que son visage désolé avait esquissé un sourire et Ram Dass en avait été si ravi qu'il avait développé l'idée et expliqué à son maître comme ce serait simple d'accomplir encore bien d'autres tours de magie. Mr. Carrisford avait manifesté un plaisir d'enfant et les préparatifs pour l'exécution du plan avaient rempli d'intérêt bien des journées qui, autrement, se seraient péniblement traînées. Le soir du banquet interrompu, Ram Dass avait surveillé la mansarde. Le compagnon qui devait l'aider avait veillé avec lui, aussi intéressé que le Lascar à cette bizarre aventure. Ram Dass s'était assuré que Sara dormait profondément d'un sommeil accablant ; puis, avec une lanterne sourde, il s'était glissé dans la chambre, tandis que son compagnon restait au-dehors et lui passait les objets. Quand Sara bougeait, si peu que ce fût, Ram Dass fermait la lanterne sourde et s'aplatissait sur le plancher.

« Je suis si contente, disait Sara, je suis si contente : c'était vous qui étiez mon ami ! »

Jamais on ne vit des amis tels que le devinrent ces deux-là. Ils avaient l'air de se convenir d'une façon merveilleuse. Le Monsieur des Indes n'avait jamais eu de compagnie qu'il aimât autant que Sara. En un mois de temps il devint, comme l'avait prédit Mr. Carmichael, un autre homme. Il s'amusait de tout, s'intéressait à tout et il commença à trouver un réel plaisir dans la possession de ces richesses dont jusqu'ici le fardeau lui avait fait horreur. Il y avait tant de choses charmantes à réaliser pour Sara. Il y avait entre eux un petit jeu : il était un magicien dont le plaisir consistait à inventer des surprises pour elle. Elle trouvait de nouvelles fleurs rares qui poussaient dans sa chambre, de drôles de petits cadeaux cachés sous ses oreillers. Un soir qu'ils étaient assis ensemble, ils entendirent le grattement d'une grosse patte à la porte de la bibliothèque, et quand Sara alla voir ce que c'était, elle trouva un gros chien, un splendide chien à sangliers, avec un magnifique collier d'argent et d'or qui portait en relief l'inscription : « Je suis Boris, serviteur de la Princesse Sara. »

Il n'y avait rien que le Monsieur des Indes aimât autant que l'évocation de la petite princesse en haillons. Les après-midi où la Famille Nombreuse, ou bien Ermengarde et Lottie se réunissaient pour s'amuser étaient charmantes. Mais les heures où Sara et le Monsieur des Indes étaient seuls, et lisaient ou bavardaient, avaient un charme tout particulier, rien que pour eux. Il arrivait toujours quelque chose d'intéressant.

Un soir, en quittant des yeux son livre, Mr. Carrisford vit que sa petite compagne observait le feu sans bouger depuis un long moment.

« Qu'est-ce que vous êtes en train de ''supposer'', Sara ? » demanda-t-il.

Sara leva la tête, les joues toutes roses.

« J'étais en train de me rappeler ce jour où j'avais si faim et où j'avais rencontré une petite fille.

— Mais il y a bien des jours où vous avez eu faim, dit le Monsieur des Indes, avec une nuance de tristesse dans la voix. Quel jour particulier était-ce ?

— Je pensais vous l'avoir déjà raconté, répondit Sara. C'est le jour où mon rêve est devenu réalité. »

Alors elle lui raconta l'histoire de la boutique aux petits pains, de la pièce de quatre pence qu'elle avait ramassée, et de la petite fille qui avait encore plus faim qu'elle. Elle la raconta tout à fait simplement, avec le moins de mots possible ; mais le Monsieur des Indes dut quand même se cacher les yeux avec la main et regarder le tapis pendant ce temps.

« J'imaginais une sorte de projet, dit-elle, quand elle eut fini. Je me disais que j'aimerais bien faire quelque chose.

— Quel est ce projet ? dit Mr. Carrisford d'une voix basse. Tu as le droit de faire tout ce que tu veux, ma princesse.

— Je me demande…, dit Sara en hésitant… Vous savez, vous dites que j'ai tellement d'argent. Je me demande si je ne pourrais pas aller voir la boulangère, et lui dire que lorsque les enfants affamés — surtout par ces terribles jours d'hiver — viennent s'asseoir sur les marches de sa boutique, ou regardent la vitrine, elle pourrait leur dire d'entrer et leur donner quelque chose à manger, en m'envoyant la facture. Est-ce que je peux le faire ?

— Tu le feras dès demain matin, dit le Monsieur des Indes.

— Merci, dit Sara. Vous savez, je sais ce que c'est que d'avoir faim, et c'est encore plus dur pour ceux qui ne peuvent même pas ''faire semblant''.

— Oui, ma chérie. C'est vrai, ça doit être bien dur. Essaie de ne plus y penser. Viens t'asseoir sur ce tabouret près de mes genoux et souviens-toi seulement que tu es une princesse.

— Oui, dit Sara en souriant. Je suis une princesse, et je peux donner des gâteaux et du pain aux pauvres. »

Elle vint s'asseoir sur le tabouret, et le Monsieur des Indes (il aimait bien aussi qu'elle l'appelle comme ça, de temps en temps) attira sa petite tête brune sur ses genoux et il lui caressa les cheveux.

Le lendemain matin, Miss Minchin, en regardant par la fenêtre, eut une surprise fort désagréable : la voiture du Monsieur Indien, à laquelle étaient attelés de grands chevaux, attendait devant la porte de la maison d'à côté, et son propriétaire descendait l'escalier du perron pour y monter, en compagnie d'une petite silhouette chaudement enveloppée dans des fourrures coûteuses. Cette petite silhouette était familière à Miss Minchin et lui rappelait plus d'un souvenir. Elle en vit alors survenir une autre, bien connue elle aussi, dont elle trouva la vue fort irritante. C'était Becky, dans son nouveau rôle de demoiselle de compagnie, qui accompagnait sa jeune maîtresse à la voiture, en portant effets et couvertures. Elle avait déjà repris un visage rond et rose.

Un peu plus tard, la voiture s'arrêta devant la porte d'une boulangerie. Curieusement, tandis que les occupants mettaient pied à terre, la boulangère était occupée à placer dans la vitrine un plateau de petits pains sortis tout fumants du four.

Lorsque Sara entra dans la boutique, la femme se retourna, la regarda, puis, laissant les petits pains, vint se placer derrière le comptoir. Pendant un temps, elle fixa Sara avec beaucoup d'intensité, puis son visage de brave femme s'éclaira.

« Je suis sûre de vous avoir déjà vue, Miss, dit-elle. Et pourtant...

— Oui, dit Sara, ce jour où vous m'avez donné six petits pains pour quatre pence, et...

— ... et vous en avez donné cinq à une petite mendiante, interrompit la femme. Je m'en souviens toujours. Sur le moment, je n'arrivais pas à comprendre. » Elle se tourna vers le Monsieur des Indes. « Excusez-moi, mais il n'y a pas beaucoup de jeunes personnes capables de remarquer comme ça un visage qui a faim ; et j'y ai pensé souvent depuis. Excusez mon franc-parler, Miss, dit-elle à Sara, mais vous avez meilleure mine et... enfin, vous avez meilleure allure que lorsque vous avez fait cette... cette...

— Oui, je vais mieux, merci, dit Sara. Et puis... je suis beaucoup plus heureuse... Et je suis venue vous demander de faire quelque chose pour moi.

— Moi, Miss ! s'exclama la boulangère, avec son sympathique sourire. Dieu vous bénisse ! Certainement, Miss, que puis-je faire pour vous ? »

Alors Sara, penchée sur le comptoir, lui soumit son petit projet concernant les enfants affamés et la distribution des petits pains chauds, les jours d'hiver.

La femme la regardait et l'écoutait avec une expression stupéfaite.

« Mais certainement, Dieu vous bénisse ! répéta-t-elle quand Sara eut terminé d'exposer son plan, ce sera un plaisir pour moi. Voyez-vous, Miss, je ne suis qu'une commerçante et je ne peux pas faire grand-chose à moi toute seule ; et il y a des spectacles de désolation partout. Mais permettez-moi de vous dire que j'ai donné plus d'un morceau de pain en pensant à vous, depuis cet après-midi trempé — vous étiez si mouillée et si transie, vous aviez l'air si affamé... et pourtant vous avez distribué vos petits pains comme si vous étiez une princesse. »

À ces paroles, le Monsieur des Indes ne put retenir un sourire, Sara sourit légèrement elle aussi, en se souvenant de ce qu'elle s'était dit avant de déposer ses petits pains au creux des haillons de la petite sauvageonne.

« Elle avait l'air tellement affamé, dit-elle. Elle avait encore plus faim que moi.

— Elle était presque tombée d'inanition, dit la femme. Elle me l'a souvent raconté depuis — comment elle était assise là dans l'humidité, avec l'impression qu'un loup lui déchirait les entrailles.

— Oh, vous l'avez revue depuis ? s'exclama Sara. Vous savez où elle est ?

— Mais oui, répondit la brave femme avec un large sourire. Elle est là, Miss, dans l'arrière-boutique. Voilà un mois que je l'ai engagée. Elle tourne bien, c'est moi qui vous le dis, elle prend des manières tout ce qu'il y a de convenable. Et avec ça, elle m'aide à la boutique et à la cuisine comme vous ne pouvez pas vous imaginer... C'est à peine croyable, quand on pense à ce qu'elle était avant. »

Elle se dirigea vers l'arrière-boutique et dit quelques mots à travers la porte ; l'instant d'après une fillette sortit et la suivit derrière le comptoir. C'était bien la petite mendiante, propre et bien habillée, et elle semblait ne plus souffrir de la faim depuis longtemps. L'éclat sauvage de ses yeux avait disparu, et à présent qu'elle était lavée, on voyait que son visage avait de la grâce. Elle reconnut Sara à l'instant même et resta à la contempler, comme si elle ne pouvait pas se rassasier de sa vue.

« Vous savez, dit la boulangère, je lui ai dit de venir me voir quand elle aurait faim. Et quand elle venait, je lui donnais des petits travaux à faire ; j'ai vu qu'elle avait de la bonne volonté, et j'ai fini par m'attacher à elle. À la fin, je lui ai offert le gîte et le couvert. Elle m'aide, elle prend de bonnes manières et elle m'en a autant de reconnaissance qu'il est possible à son âge. Son nom est Anne. Elle n'en a pas d'autre. »

Les deux enfants continuèrent à se regarder quelques minutes ; puis Sara sortit sa main de son manchon et la tendit au-dessus du comptoir. Anne la prit, et elles se regardèrent droit dans les yeux.

« Je suis si heureuse de vous revoir, dit Sara. Je viens d'avoir une idée. Peut-être que Mrs. Brown voudra bien que ce soit vous qui donniez les gâteaux et les petits pains aux enfants. Peut-être aimeriez-vous le faire, vous qui savez ce que c'est que d'avoir faim.

— Oui, Miss », répondit la petite.

Sara sentit bien qu'elle l'avait comprise, bien qu'elle ait si peu parlé et se soit contentée de la dévorer des yeux tandis qu'elle sortait de la boutique avec le Monsieur des Indes. Ils montèrent dans la calèche, qui s'éloigna.

TABLE DES MATIÈRES

Références

**À découvrir
dans la même collection :**

Les quatre filles du Docteur March
Louisa M. Alcott

L'Amérique, pendant la guerre de Sécession : tandis que les États-Unis modernes naissent dans la souffrance des batailles, quatre sœurs intrépides et tendres affrontent la vie en attendant le retour de leur père. Meg, Jo, Beth et Amy : quatre visages désormais inoubliables, pour des millions de lecteurs et de spectateurs.

Les aventures du capitaine Corcoran
Alfred Assollant

Les Indes, milieu du XIXe siècle. Contre l'occupant anglais, la révolte s'organise. Au fond de son palais de Bhagavapour, la douce princesse Sita ignore les complots dont elle est l'enjeu. C'est alors que débarque, flanqué de son inséparable tigresse Louison, le fringant et généreux capitaine Corcoran.

La nuit des temps
René Barjavel

Au pôle Sud, les membres d'une expédition polaire internationale sont en émoi. Ils ont détecté, sous 1 000 mètres de glaces, des ruines gigantesques, enfouies depuis 900 000 ans et d'où s'élève un signal régulier. Que vont-ils découvrir ? À la fois reportage et épopée mêlant présent et futur, La nuit des temps est avant tout une mythique histoire d'amour.

La planète des singes
Pierre Boulle

Y a-t-il des êtres humains ailleurs que dans notre galaxie ? se demandent le professeur Antelle, Arthur Levain et Ulysse Mérou en observant, de leur vaisseau spatial, le paysage d'une planète curieusement semblable à celui de notre Terre. Après s'y être posés, les trois hommes découvrent qu'elle a de drôles d'habitants : c'est la planète des singes.

La vallée de la peur
Arthur Conan Doyle

Un crime mystérieux à Birlstone, une énigme de plus à résoudre pour le maître des détectives : le fameux Sherlock Holmes, accompagné de son fidèle Watson. Une enquête qui va les mener jusque dans la lointaine Amérique, sur les traces du roi du crime, le professeur Moriarty.

Les chasseurs de loups
James Oliver Curwood

Découvrez le Grand Nord canadien, le Désert Blanc cher à Curwood comme à son maître Jack London : sur les pas d'un jeune Américain, plongez dans cet univers rude et hostile, parcourez ses épaisses forêts de sapins et ses montagnes enneigées, hantées par les élans, les loups et de féroces tribus indiennes. Dans la bonne humeur comme dans la peine, vous partagerez les aventures de Roderick Drew qui s'initie à la vie de trappeur avec son ami Wabi et le vieil Indien Mukoki.

Les chasseurs d'or
James Oliver Curwood

Après Les Chasseurs de loups, *retrouvez* Les Chasseurs d'or : le jeune Roderick Drew est parti avec son ami Wabigoon et le vieil Indien Mukoki à la recherche d'une mystérieuse mine d'or. Avec eux, vous découvrirez la passionnante vie des trappeurs, la saveur des légendes indiennes, sans oublier les charmes d'un amour naissant.*

Les trois petits mousquetaires
Émile Desbeaux

Du haut de ses onze ans, avec pour tout bagage un vieux sac démodé et un courage à toute épreuve, le jeune Marius de Champagnac fait son entrée dans un lycée parisien, un beau jour de 1873. De rendez-vous secrets en bagarres héroïques, une épopée scolaire digne de son modèle : les célèbres mousquetaires d'Alexandre Dumas.

Pompéi (Anthologie)
Alexandre Dumas, Théophile Gautier, Gérard de Nerval

Pompéi, ensevelie sous le Vésuve, retrouve, ici, les couleurs de la vie. Dumas, Gautier, Nerval, Jensens, voyageurs et poètes, en explorent les mystères dans de célèbres nouvelles : Arria Marcella, Isis, Gradiva. *Cette anthologie entraîne le lecteur dans une Pompéi de rêve, où le temps a été suspendu et où de modernes héros rencontrent d'antiques et mystérieuses héroïnes.*

Moonfleet
John Meade Falkner

Sur les rivages de l'Angleterre du XVIIIᵉ siècle, Moonfleet : un village battu par les vents. John, jeune orphelin de quinze ans, part à la recherche du trésor perdu de Barbe Noire... Contrebandiers patibulaires, falaises vertigineuses, cryptes et passages secrets... Ce livre de mystère et de brume est aussi un formidable roman d'aventures.

Le meilleur des mondes
Aldous Huxley

Les expérimentations sur l'embryon, l'usage généralisé de la drogue. Ces questions d'actualité ont été résolues dans l'État mondial, totalitaire, imaginé par Aldous Huxley en 1932. Défi, réquisitoire, anti-utopie, ce chef-d'œuvre a fait de son auteur un des témoins les plus lucides de notre temps.

Fortune carrée
Joseph Kessel

Aventures folles, combats cruels, chevauchées fantastiques, tempêtes en mer Rouge, attaque de pirates, caravanes dans des déserts de pierre d'une beauté inouïe... Du Yémen au Pays des Issas, deux aventuriers fous de liberté, Igricheff le Russe métissé de Kirghiz, et Mordhom le marin breton, captent notre imagination. Ce roman nous fait découvrir et aimer des pays et des hommes aux antipodes de notre monde civilisé.

Le livre de la jungle
Rudyard Kipling

Un petit d'homme perdu dans la mystérieuse jungle indienne, recueilli par des loups, instruit par un ours, protégé par une panthère noire et un serpent python contre les menaces d'un tigre cruel : voici l'histoire de Mowgli « la grenouille », devenu aujourd'hui un mythe familier et universel.

Le second livre de la jungle
Rudyard Kipling

« Petite grenouille, prends ta propre piste » : Mowgli, l'enfant abandonné dans la jungle indienne et recueilli par les loups, a grandi. Toujours accompagné de ses fidèles amis, il poursuit sa chasse contre le tigre cruel qui a juré de le dévorer, mais le temps viendra de rejoindre le village des hommes.

L'enfant noir
Camara Laye

Un jeune écrivain de 25 ans décide de raconter son enfance africaine, en Haute-Guinée. Mais, au-delà d'un récit autobiographique, il nous restitue, dans toute sa vérité, la vie quotidienne, les traditions et les coutumes de tout un peuple. Avec cet Enfant noir, *Camara Laye nous offre un livre intemporel plein de finesse et de talent.*

Belliou la Fumée
Jack London

Avec les aventures de Kit Belliou, dit la Fumée, Jack London nous donne une vision souriante de la ruée vers l'or dans le Grand Nord. Malgré les épreuves, Belliou ne connaît jamais ni l'amertume, ni le découragement. Au contraire, son intelligence, sa générosité et son sens de l'humour le sortent des situations les plus désespérées.

Michaël chien de cirque
Jack London

Un chien volé sur une plage des îles Salomon, un perroquet, un steward, un vieux marin, tous compagnons d'infortune à la suite d'un naufrage. Michaël chien de cirque, *un roman d'aventures en forme de protestation contre le dressage des animaux dans les cirques et les music-halls.*

Les patins d'argent
Pierre Jules Stahl

Ils sont pauvres, ils s'aiment tendrement, ils sont frère et sœur, ils se nomment Hans et Gretel et vivent dans la Hollande du milieu du XIXe siècle. Pays faussement tranquille où l'hiver métamorphose canaux et étangs en une immense piste de glissade. Au bout de laquelle, promise au plus rapide, brille une merveilleuse paire de patins d'argent.

Contes et légendes inachevés
Premier Âge
J. R. R. Tolkien

L'histoire de la Terre du Milieu n'est pas contenue tout entière dans Le Seigneur des Anneaux. *D'autres fragments, présentés ici, sont apparus. Vous qui entrez dans ce livre enchanté, découvrez le temps où les Elfes vivaient avec les hommes, suivez les aventures de Tuor le radieux et du ténébreux Túrin... et attendez le « Deuxième Âge ».*

Contes et légendes inachevés
Deuxième Âge
J. R. R. Tolkien

L'histoire de la Terre du Milieu n'est pas contenue tout entière dans Le Seigneur des Anneaux. *D'autres fragments, présentés ici, sont apparus. Vous qui entrez dans ce livre enchanté, entendez l'appel de la Mer qui hante Aldarion, explorez l'île de Númenor, assistez aux premiers combats contre Sauron le Maléfique, avant de partir vers le « Troisième Âge ».*

Contes et légendes inachevés
Troisième Âge
J. R. R. Tolkien

Les Contes et légendes inachevés *complètent l'histoire de la Terre du Milieu. Vous qui entrez dans ce livre enchanté, découvrez les combats contre l'Ombre qui monte, voyez Cirion le sage et Gandalf le prudent tisser des alliances... Bientôt, le magicien va rassembler sa compagnie,* Le Seigneur des Anneaux *va commencer...*

POCKET *junior*

TOUT EST À VIVRE, TOUT EST À LIRE